Marco Mezzadri   Paolo

Rete! 2

Corso multimediale d'italiano per stranieri

Guerra Edizioni

www.rete.co.it

Autori
Marco Mezzadri, Paolo E. Balboni.
Hanno curato le sezioni di Fonologia Marco Cassandro
e di Civiltà Giovanna Pelizza.

Le sezioni di valutazione e autovalutazione
sono a cura di Mario Cardona.

Progetto grafico
Keen s.r.l.
Silvia Bistacchia.

Copertina
Keen s.r.l.
Hibiki Sawada.

Impaginazione
Keen s.r.l.
Silvia Bistacchia, Andrea Bruni, Yuriko Damiani , Meri Di Pasquantonio.

Ricerca iconografica
Keen s.r.l.
Valentina Belia, Francesca Manfredi, Nicola Vergoni.

Disegni
Francesca Manfredi.

Fotografie
Foto Quattro s.r.l. - Perugia, Silvia Bistacchia.

Stampa
Guerra guru s.r.l. - Perugia.

In collaborazione con: Èulogos®

I edizione
© **Copyright 2001 Guerra Edizioni - Perugia**

ISBN 88-7715-526-4

Guerra Edizioni
via Aldo Manna, 25 - Perugia (Italia) - tel. +39 075 5289090 - fax +39 075 5288244
e-mail: geinfo@guerra-edizioni.com - www.guerra-edizioni.com

Rete!
introduzione
CORSO MULTIMEDIALE D'ITALIANO PER STRANIERI

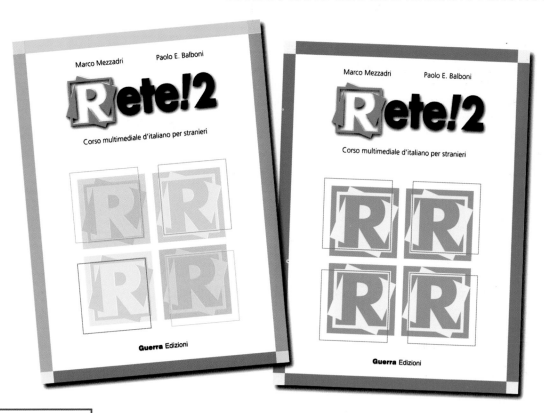

Perché una "Rete!"

Questo manuale nasce dall'intersezione tra tre forze:

a. da un lato esso nasce nell'alveo della tradizione di didattica dell'italiano: è organizzato in unità didattiche monotematiche, attribuisce un ruolo chiave alla scoperta della complessità della nostra grammatica, affianca testi della vita quotidiana e testi letterari, offre largo spazio alla cultura e civiltà del nostro variegato Paese, e così via;

b. d'altro canto esso trasporta questa tradizione su uno sfondo europeo, facendo proprie le lezioni della didattica dell'inglese, del francese e del tedesco: il curricolo è progettato con riferimento al Livello Soglia del Consiglio d'Europa ed è basato su un impianto "multisillabo", cioè sull'interazione e l'equilibrio di un sillabo grammaticale/strutturale, uno nozionale/funzionale, uno lessicale, uno relativo allo sviluppo delle abilità di ascolto, parlato, lettura e scrittura, un sillabo situazionale, uno fonetico, uno culturale; tutti questi sillabi, che l'insegnante ha a disposizione in un'ampia sinossi, richiedono circa 300 ore (circa 100 per livello) per condurre ad un livello intermedio/avanzato e si realizzano sul piano metodologico per mezzo di un approccio basato sulla soluzione di problemi e sul "fare con" piuttosto che "lavorare su" la lingua;

c. infine, si mettono in pratica alcune delle linee più avanzate della ricerca glottodidattica italiana: l'approccio induttivo alla grammatica, che viene scoperta dallo studente sotto la guida dell'insegnante; il fatto che l'accuratezza della forma ha pari dignità della capacità meramente pragmatica, comunicativa; l'invito a riflettere su quanto si è appreso (ogni unità si conclude con una sintesi in cui lo studente traccia un bilancio facendo preciso riferimento contrastivo con la propria lingua madre). L'autovalutazione, sebbene guidata e controllata dal docente, è ritenuta essenziale per cui ogni UD ha una scheda di autovalutazione da compilare, ritagliare, consegnare all'insegnante.

Queste tre direttrici agiscono sullo sfondo creato dal vorticoso mutare degli strumenti: se da un lato si tratta di un manuale "tradizionale", in tre volumetti per la classe e altrettanti quaderni per casa, con cassette, ecc., dall'altro si colloca nel mondo nuovo in cui è possibile fornire:

- floppy con esercizi supplementari;
- collegamenti in rete per approfondimento dei temi trattati nelle unità (indicati con un simbolo), in modo che lo studente che ha accesso a un computer possa approfondire i temi usando l'italiano in rete, oltre che studiandolo sul libro, e costruire, insieme alla propria classe, all'insegnante o autonomamente, scambi con altri studenti e classi sulla base di progetti didattici stimolati dagli argomenti trattati in **RETE!**;
- una banca dati presso il sito Guerra per l'aggiornamento dei materiali di civiltà, per ulteriori attività, esercizi, ecc., con cui integrare il libro base;
- un "luogo comune" in rete in cui gli insegnanti che usano **RETE!** possono fare commenti, suggerire alternative, fornire integrazioni, dialogare tra di loro e con gli autori.

Per queste sue caratteristiche, per il fatto di essere il risultato di una rete dei fili che hanno percorso la glottodidattica italiana ed europea in questi anni e di essere il centro di una rete di connessioni virtuali tra studenti e docenti di italiano di tutto il mondo, il titolo **RETE!** non è solo un omaggio al momento più entusiasmante dello sport preferito degli italiani (uno sport che è ambasciatore di italianità in tutto il mondo, dove anche chi non conosce Dante e Goldoni sa mormorare Baggio o Maldini), ma è l'essenza stessa del progetto, costruito sulla trama della tradizione e l'ordito dell'innovazione.

La struttura di "Rete!"

L'opera si compone di:
- libro di classe
- guida per l'insegnante
- libro di casa
- cassette audio
- applicazioni per Internet
- una serie di materiali collaterali che, anno dopo anno, allargheranno la possibilità di scelta di materiali integrativi.

Il libro dello studente è la parte principale del testo per l'utilizzo in classe. E' suddiviso in unità con ognuna un tema unificante, che permette di presentare gli elementi dei vari sillabi. Ogni unità conterrà poi pagine ben definite, dedicate ad esercizi per lo sviluppo di grammatica, lessico, quattro abilità, fonologia. Inoltre, c'è una sezione dedicata alla civiltà, presentata in chiave contrastiva. Gli argomenti trattati in questa sezione intendono fornire agli studenti strumenti idonei per capire la realtà italiana contemporanea, senza trascurare gli aspetti storici e culturali più importanti, eredità del nostro passato, che determinano la ricchezza del nostro presente. Alla fine di ogni unità lo studente trova un riassunto grammaticale, funzionale e lessicale del materiale incontrato, impostato con riferimento alla sua lingua materna, e trova anche una sezione di autovalutazione progressiva: lo studente esegue queste attività a casa, quindi potendo recuperare nell'unità le informazioni che ancora gli sfuggono e implicitamente procede ad un'autovalutazione, poi consegna la scheda all'insegnante che rapidamente (le chiavi sono nella guida didattica) può dare allo studente un feedback che conferma il risultato o lo mette in guardia invitandolo ad approfondire l'unità appena conclusa.

Ogni unità è suddivisa tra una sezione da svolgere in classe, nel volume a colori, ed una da svolgere a casa per il lavoro autonomo di rinforzo, esercitazione, approfondimento - ma anche con cruciverba e altri giochi che mettono "in gioco" il lessico e la grammatica presentate nell'unità.

Il libro di casa si chiude con una sezione dedicata alla civiltà, strutturata per schede tematiche a colori che permettono di utilizzare **RETE!** come testo di lingua e di civiltà in quei contesti scolastici in cui la civiltà necessita di particolare spazio. Questa sezione è un ulteriore strumento a disposizione di studenti e insegnanti per partire all'esplorazione della rete Internet attraverso gli innumerevoli collegamenti indicati sul sito dedicato al testo.

La guida dell'insegnante è uno strumento pratico con note e suggerimenti per ogni unità, con idee per attività opzionali aggiuntive, con test progressivi di verifica da fotocopiare e somministrare ogni tre unità per effettuare dei "compiti in classe". Le cassette audio sono parte integrante dello sviluppo del sillabo dell'ascolto e servono per il lavoro in classe e a casa.

Questi tre volumi richiedono circa 300 ore (circa 100 per livello) di lavoro guidato dal docente, cui va aggiunto quello autonomo, sia di completamento (studio individuale, esercitazioni, ecc.) sia di espansione (navigazione nei siti internet consigliati, ecc.), e si giunge ad un livello "intermedio/alto", secondo la terminologia del Consiglio d'Europa, o "avanzato" secondo la nostra tradizione.

Chi lancia la rete

Questo manuale, che di anno in anno si evolverà in una costellazione di materiali didattici tra cui l'insegnante potrà scegliere, è originale per un ultimo motivo: esso non nasce da un singolo autore o da un gruppo stabile, collaudato da anni di produzione, radicato in un luogo. Al contrario, per poter trarre vantaggio dalla pluralità delle esperienze italiane, per non rischiare di ricalcare cliché localistici o di reiterare in nuove forme impianti pre-esistenti, esso è il prodotto di una nuova rete di autori e centri di progettazione:

- la progettazione glottodidattica è condotta a Ca' Foscari, cui migliaia di docenti sono ricorsi per formazione o certificazione didattica: Paolo Balboni, direttore del Progetto ItaLS, ha coordinato l'impianto di **Rete!**;
- la delicatissima fase della realizzazione delle unità didattiche è avvenuta in una città che non rientra nel canonico asse Perugia-Siena-Venezia, ma la cui Università ha istituito un prestigioso Centro Linguistico dove si insegna l'italiano a stranieri: Parma. Lì opera Marco Mezzadri, insegnante e autore di molti materiali didattici per l'italiano, che ha impostato in tandem con Paolo Balboni l'impianto glottodidattico e ha curato i sillabi; sempre a Parma lavora Giovanna Pelizza, autrice di vari prodotti multimediali per l'insegnamento dell'italiano, che ha curato le sezioni di civiltà e seguito la realizzazione delle unità;
- a uno dei poli tradizionali per l'insegnamento dell'italiano, l'Università per Stranieri di Siena, appartiene Marco Cassandro, che ha curato il sillabo e i materiali per la fonologia;
- il centro di progettazione e realizzazione operativa invece è a Perugia, dove ha sede l'altra Università italiana per Stranieri, e si avvale dell'esperienza maturata in decenni di produzione di testi d'italiano per stranieri;
- a Ca' Foscari lavora anche Mario Cardona, responsabile per il testing nel Progetto ItaLS, che ha realizzato le schede valutative di Rete!.

Unità 1 cercando lavoro

Funzioni
Fare una richiesta in modo gentile. Accogliere la richiesta. Chiedere l'opinione di un'altra persona. Chiedere informazioni su qualcosa. Prendere tempo. Esprimere incertezza. Chiedere e dire il nome. Chiedere di ripetere. Chiedere e dire come si scrive un nome. Chiedere la provenienza. Dire la provenienza e la nazionalità. Chiedere e dire la data di nascita. Chiedere e dire se una persona è sposata. Chiedere e dire se una persona ha dei figli. Chiedere e parlare delle qualifiche scolastiche. Chiedere e dire quale lavoro fa una persona. Chiedere e dire l'indirizzo. Chiedere e dire il numero di telefono. Chiedere e parlare delle lingue conosciute e di altre abilità.

Grammatica
Ripasso dei tempi verbali e altri punti grammaticali + funzioni del primo livello: passato prossimo presente e futuro; pronomi personali e possessivi. *Le dispiace se* (chiedere il permesso). *Sapere* e *conoscere*. Formazione degli avverbi. Futuro per ipotesi: futuro con *stare* + gerundio. Periodo ipotetico della realtà.

Abilità
Inserzioni. Domanda di lavoro. Scrivere un CV. Rispondere a un annuncio.

Lessico
Ripasso e ampliamento: mestieri, domande personali, i paesi, le nazionalità. *I miei.*

Civiltà
L'Italia in un quiz. Ripasso di alcuni elementi generali di geografia fisica e amministrativa.

Fonologia
Negazione: elementi per sottolineare il contrasto (1). Suoni brevi vs suoni intensi.

Unità 2 stili di vita, gli italiani visti da fuori

Funzioni
Chiedere la causa, esprimendo sorpresa. Chiedere un favore. Interrompere bruscamente. Esprimere sorpresa. Indicare cose o persone. Esprimere disorientamento. Altre valenze di *mamma mia!*

Grammatica
Ripasso e ampliamento dei tempi verbali e altri punti grammaticali + funzioni del primo livello: i sostantivi irregolari, i nomi/agg. in -co, -go completi. Possessivi: *un mio amico/mamma mia/casa mia. Buono*, ripasso *bello*. Preposizioni e espressioni di luogo. *Come mai?*

Abilità
Testo letterario in prosa di Andrea De Carlo. Anticipare e predire (usare le foto e l'impaginazione). Usare il dizionario bilingue.

Lessico
Ripasso e ampliamento: la routine, la casa, la famiglia, gli elettrodomestici, i lavori domestici (uomini e donne), le abilità.

Civiltà
Mammone e me ne vanto. I giovani italiani e la "famiglia lunga".

Fonologia
Un'esclamazione dai molti valori: *mamma mia!* /t/ vs /tt/. /d/ vs. /dd/.

Unità 3 ▸ amore

Funzioni	Esprimere stati d'animo ed emozioni. Iniziare una conversazione telefonica. Chiedere come sta una persona. Dire come sta una persona. Esprimere opinione. Esprimere un'opinione positiva. Esprimere un'opinione negativa. Scusarsi. Esprimere rassegnazione.
Grammatica	Ripasso dei tempi verbali e altri punti grammaticali + funzioni del primo livello. *Ne* e *ci*. *Ogni*, e *tutti i* ... Ripasso e ampliamento del passato prossimo, con accordi. *Già*, *appena*, *non ancora*, *mai*, *ormai*.
Abilità	Leggere e scrivere versi d'amore (canzoni e poesie). Inferire. Usare il dizionario monolingue.
Lessico	Ripasso e ampliamento del lessico, situazioni e funzioni in hotel; storie d'amore.
Civiltà	Amore, amore, amore. L'amore in una canzone. Il gioco delle coppie.
Fonologia	Intonazioni per esprimere stati d'animo. Raddoppiamento sintattico (1).

Unità 4 ▸ quando ero piccolo

Funzioni	Esprimere azioni ripetute o abituali nel passato. Parlare di un'azione in svolgimento nel passato. Descrivere luoghi, situazioni, persone al passato. Esprimere azioni contemporanee nel passato. Esprimere azioni nel passato, interrotte da altre. Confrontare il passato e il presente.
Grammatica	Imperfetto. *Stare* + gerundio. Preposizioni e espressioni di luogo.
Abilità	Testo scritto e orale su dieta mediterranea. Anticipare: ricostruire la storia oralmente attraverso le immagini. Predire da titolo, identificare la frase centrale, identificare i paragrafi, scrivere appunti.
Lessico	Ripasso e ampliamento del lessico del cibo e della cucina (i verbi della cucina) (cucina italiana ieri e oggi, dieta mediterranea).
Civiltà	Alla ricerca del negozio perduto. Negozi, professioni e giochi che scompaiono.
Fonologia	L'italiano parlato nel Nord Italia. /tʃ/ vs. /ttʃ/. /dʒ/ vs. /ddʒ/.

Unità 5 ▸ telelavorando, in ufficio, al telefono

Funzioni	Attivare una conversazione telefonica. Offrire di prendere un messaggio. Chiedere di aspettare in linea. Offrire aiuto o disponibilità. Offrire di fare qualcosa. Dimostrare dispiacere. Chiedere di parlare con qualcuno. Dire che una persona è assente. Indicare la causa di qualcosa. Richiedere attenzione particolare.
Grammatica	Pronomi combinati. Alcuni indefiniti: *qualche*, *alcuni*, *niente/nulla*, *nessuno*, *ognuno*, *poco*, *qualcuno*, *qualcosa*. *Essere capace*, *essere in grado*.
Abilità	Leggere e scrivere un fax/lettera formale. Telefono per l'ufficio. Identificare i temi e le parole chiave. Prendere appunti. Sintetizzare informazioni eliminando quelle superflue. Rielaborare appunti.

Lessico	Ripasso e ampliamento: localizzazione, la casa e l'arredamento. I verbi della casa e del lavoro in ufficio. Intercalari. Strumenti per l'ufficio. Telematica.
Civiltà	Aspetti del lavoro. Disoccupazione e telelavoro.
Fonologia	Come rispondere al telefono. /r/ vs. /rr/. /l/ vs /ll/.

Unità 6 — importante è la salute

Funzioni	Esprimere un consiglio. Esprimere un'opinione personale. Esprimere un dubbio. Dire quali problemi fisici uno ha. Chiedere quali problemi fisici uno ha. Chiedere quali problemi in generale uno ha. Chiedere cosa è successo. Dire cosa è successo. Riportare una notizia non confermata.
Grammatica	Condizionale semplice. Ripasso e ampliamento posizione dei pronomi con *dovere/potere/ sapere/volere*. Plurale delle parti del corpo. *Qualsiasi/qualunque*.
Abilità	Testo da rivista sulla salute/forma. Prendere appunti eliminando il superfluo, predisporre una scaletta, riscrivere il testo come riassunto.
Lessico	Dal medico. Il corpo umano, le malattie.
Civiltà	Il linguaggio del corpo. I gesti degli italiani.
Fonologia	Negazione: elementi per sottolineare il contrasto (2). Cambio della vocale tematica nel condizionale semplice dei verbi in *-are*. /m/ vs /mm/. /n/ vs. /nn/.

Unità 7 — sì, viaggiare

Funzioni	Chiedere e dire quale mezzo di trasporto si utilizza. Chiedere e dire la distanza tra due luoghi. Chiedere e dire quanto tempo si impiega a fare qualcosa. Chiedere e dire quanto si spende a fare qualcosa. Sollecitare, stimolare un'azione. Dichiarare incapacità a fare qualcosa. Introdurre una causa in modo più enfatico, trarre conclusioni. Esprimere un'azione che comincerà tra poco tempo.
Grammatica	Ripasso delle forme impersonali *si/tu + uno/loro*. *Si* con i verbi al plurale. *Ci vuole/occorre metterci/essere necessario/bisogna*. *Farcela/riuscire*. *Tanto non piove*. *Stare per*. Gerundio: *passo il tempo leggendo*. Preposizioni e espressioni di luogo.
Abilità	Leggere e scrivere un diario (agenda ecc.), testo letterario di viaggio: da Fabrizia Ramondino, *In viaggio*. Riconoscere i personaggi, il narratore, l'intenzione dell'autore per scopi linguistici.
Lessico	Ripasso e ampliamento del lessico del tempo. Trasporti, verbi di movimento, luoghi per trasporto.
Civiltà	Italiani con valigia. Aspetti degli italiani in viaggio.
Fonologia	*Dai!* un'esclamazione per incoraggiare. /f/ vs /ff/.

Unità 8 · descrizioni

Funzioni	Chiedere e dire com'è una persona fisicamente. Chiedere e dire com'è una persona di carattere. Utilizzare un aggettivo in modo enfatizzato. Esprimere sorpresa e incredulità. Congratularsi.
Grammatica	Pronomi relativi. Superlativo per *buonissimo* = *molto buono*. Alterazione dell'aggettivo.
Abilità	Indovinare parole difficili.
Lessico	Ripasso e ampliamento: aggettivi per descrizioni fisiche e del carattere. Descrizioni di luoghi.
Civiltà	Pliccoli, grassi e scuri. L'aspetto degli italiani nell'immaginario e nella realtà.
Fonologia	*Che* esclamativo. /p/ vs /pp/. /b/ vs. /bb/.

Unità 9 · città o campagna

Funzioni	Rispondere a un ringraziamento. Fare un brindisi. Ribadire a uno starnuto. Entrare in casa di altri. Esprimere un obbligo. Esprimere un divieto. Esprimere un'opinione. Condividere un'opinione. Esprimere un'opinione contrastante. Esprimere sollievo. Esprimere impazienza. Rimarcare e spiegare un concetto appena espresso.
Grammatica	Comparativi e superlativi. *Mi sembra/no*. Ripasso: *mi piace/mi piacciono*, *anzi, altrimenti, invece, se no.*
Abilità	Leggere e scrivere regole. Prendere appunti in maniera guidata ascoltando.
Lessico	Lessico dell'ambiente urbano e extraurbano (flora e fauna).
Civiltà	Viaggio nell'Italia verde: i parchi nazionali. Il Gran Paradiso. I monti Sibillini.
Fonologia	*Beh!* Dittonghi/trittonghi.

Unità 10 · hai le mani bucate?

Funzioni	Fare una proposta. Decidere di comprare qualcosa. Chiedere la taglia. Esprimere un ordine. Esprimere un divieto. Esprimere un suggerimento. Esprimere un invito. Esprimere una richiesta.
Grammatica	Imperativo positivo e negativo. Imperativo pronominale. Ripasso e ampliamento: posizione dei pronomi.
Abilità	Leggere e ascoltare testi "tecnici".
Lessico	Ripasso e ampliamento: vestiti. Intimo e accessori; *da passeggio, da sera*. Aggettivi, ampliamento: i colori. Soldi.
Civiltà	Moda. Stilisti famosi e aspetti economici del fenomeno moda.
Fonologia	Raddoppiamento sintattico (2). /v/ vs. /vv/.

Unità 14 — persone famose

Funzioni Cambiare un'opinione, un'informazione conosciuta. Esprimere una possibilità. Esprimere un desiderio difficile da realizzare o irrealizzabile. Dare adesione a qualche cosa in modo entusiastico.

Grammatica Congiuntivo imperfetto e passato. *Magari* (ripasso con il significato di *forse*) e nuovi usi.

Abilità Materiale autentico giornalistico. Leggere, analizzare e scrivere articoli di cronaca e commento. (Lavorare su titolo, introduzione, svolgimento, paragrafi, conclusione).

Lessico Aggettivi, verbi e sostantivi sui valori sociali.

Civiltà Status symbol di ieri e di oggi. La "bella figura". Il telefonino, l'opinione di un'antropologa.

Fonologia L'italiano parlato in Toscana. L'accento nelle parole (2).

Unità 15 — sogni e realtà, i valori giovanili nei vari paesi

Funzioni Fare ipotesi possibili nel presente o nel futuro e trarre conseguenze.

Grammatica Il periodo ipotetico della possibilità.

Abilità Ripasso delle strategie di lettura su testo di letteratura giovane da Giuseppe Culicchia, *Tutti giù per terra*.

Lessico Introduzione a linguaggi giovanili e gergali.

Civiltà Under 18. Parlano ragazzi genitori ed esperti.

Fonologia L'italiano parlato a Roma.

 Questo simbolo rimanda al sito internet di **Rete!** www.rete.co.it. È un modo nuovo di intendere la civiltà, una possibilità in più per voi e i vostri studenti. Lì troverete, inoltre, collegamenti a siti relativi agli argomenti trattati nelle unità e attività didattiche per lo sviluppo della lingua attraverso gli elementi di civiltà che i siti web offrono.

 ascoltare

 parlare

 leggere

 scrivere

1 Ascolta il dialogo. Le affermazioni sono vere o false?

	Vero	Falso
1 Maria sta cercando lavoro.	☒	☐
2 Maria ha letto un annuncio per baby-sitter.	☐	☐
3 Maria vuole tornare a casa.	☐	☐
4 Sandro ha già visto il curriculum di Maria.	☐	☐

2 Leggi l'annuncio e il curriculum di Maria. Secondo te, Maria è la persona giusta per questo lavoro?

Ditta distributrice di prodotti in pelle, per la sua sede di Arezzo, cerca una **segretaria** da inserire a tempo determinato nel settore commerciale. Si richiede: diploma di scuola superiore o laurea in area economica; ottima conoscenza dell'inglese e dello spagnolo e/o francese; conoscenza del computer e dei principali strumenti telematici. Precedenti esperienze nel settore saranno titolo di preferenza. Si offre: stipendio adeguato alle capacità; contratto part-time per un anno, rinnovabile; possibilità di crescita professionale.
Per un eventuale colloquio inviare curriculum manoscritto con foto allegata a CP 2312 - 52100 Arezzo Italia.

CURRICULUM VITAE

DATI PERSONALI

NOME: Maria
COGNOME: Caballero
DATA DI NASCITA: 20/12/81
LUOGO DI NASCITA: Buenos Aires (Argentina)
STATO CIVILE: nubile
CITTADINANZA: argentina
RESIDENZA: Via Bontempi 21, 60100 Perugia.
TELEFONO: 075/5239450.

PERCORSO FORMATIVO
1987-1993: Estudios primarios "Escuela 32, Manuel Belgrano" (7 anni)
1994-1999: Estudios secundarios, "Escuela 8, Gral. San Martin" (5 anni).
Conseguito il diploma di "Bachiller Comercial"

ALTRI TITOLI
1999 Conseguito il First Certificate (Cambridge University) per la conoscenza della lingua inglese.
2000 Corso di italiano presso l'Università per stranieri di Perugia. Conseguito il certificato CELI 4.

CARRIERA LAVORATIVA
1999 Ditta Rodriguez (Buenos Aires). Lavoro estivo come impiegata.

ALTRO
In possesso di patente internazionale per l'auto.

 3 Ora, a coppie motivate la vostra risposta all'esercizio 2.

 4 Ascolta la seconda parte del dialogo. Sandro ha la stessa tua opinione?

5 Ascolta nuovamente l'intero dialogo e completalo.

Maria: Sandro, ti dispiace dare un'occhiata a questo annuncio?

Sandro: Che cos'è?

Maria: ....Cercano.......... una
segretaria part time; sai che ho bisogno di lavorare, altrimenti
(2)..................................... tornare a casa.

Sandro: Hmm, aspetta che leggo cosa dice…

Maria: Secondo (3)............................. può andar bene per (4)................................... ?

Sandro: Forse sì, non so se… qui (5)...................................... varie cose…

Maria: Vuoi vedere i (6)................................... curriculum? Così poi (7).....................................
dai qualche consiglio.

Sandro: D'accordo.

Maria: Allora, come ti sembra? (8)...................................... degli errori?

Sandro: Errori? Ma va! Sei bravissima! (9)...................................... italiano perfettamente!

Maria: Smettila di farmi dei complimenti, (10)........................... fai diventare rossa!

Sandro: Per me il curriculum va benissimo. Chiaro che sei molto giovane, che non ti (11)...........................
e che non hai molta esperienza.

Maria: Quindi non (12)..................................... scrivo.

Sandro: Perché? Se (13).................................. lavorano molto con i paesi di lingua spagnola… sei perfetta.

Maria: Perfetta?! Non dire stupidate.

Sandro: Ascolta Maria, se non gli scriverai tu, lo (14)..................................... io per te.

> Conosci un sinonimo di altrimenti?
> Osserva l'esempio:
> – Devi tornare a casa presto stasera, se no mi arrabbio!

6 ▶▶ | **Alla scoperta della lingua** | **L'avverbio**

Osserva l'esempio e completa la tabella:

Aggettivo maschile	Femminile	Avverbio
Perfett**o**	......perfetta......	......perfettamente......
Attento	....	....
Chiaro	....	....
Brev**e**	......breve......	......brevemente......
Grande	....	....
Regola**re**	....	......regolarmente......
Faci**le**	....	......facilmente......
Particolare	....	....
Culturale	....	....

7 Ti piace il modo in cui Maria ha scritto il suo curriculum vitae? Cosa potresti cambiare?
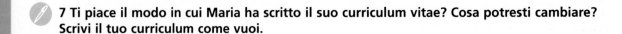
Scrivi il tuo curriculum come vuoi.

8 A coppie, spiegate se e perché avete modificato la struttura del curriculum di Maria e poi
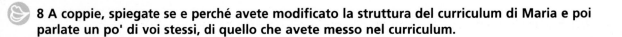
parlate un po' di voi stessi, di quello che avete messo nel curriculum.

abilità

 1 Maria ha scritto alla ditta dell'annuncio. Completa la sua lettera con le parti riportate sulla pagina.

(1) ....
....
....

(2) ....

(3) ....
....
....

(4) ....

(5) ....

(6) ....
....
....
....
....
....

(7) ....

(8) ....

Maria Caballero
Via Bontempi 21
60100 Perugia

Distinti saluti

Maria Caballero

Egr. Direttore,

Spett. Ditta
CP 2312
52100 Arezzo Italia

Perugia, 7 febbraio 2001

OGGETTO: risposta a annuncio.

TELEGRAMMA

La preghiamo di presentarsi
il 20/2 alle ore 11
presso Ditta Fiorelli
Via Trasimeno 11, Arezzo.

Le scrivo in risposta all'annuncio che avete pubblicato sulla Nazione di ieri, martedì 6 febbraio.
Sono interessata al posto di lavoro che offrite e vorrei avere la possibilità di sostenere un colloquio presso la vostra ditta.
In allegato troverete una mia foto e il mio curriculum vitae.
In attesa di una vostra risposta porgo

2 Quali domande si fanno durante un colloquio di lavoro? Lavora con un compagno. Lo studente A è il responsabile della ditta che fa il colloquio, B sta cercando lavoro e risponde con i propri dati. Poi scambiatevi i ruoli.

3 Ascolta il testo e parla con il direttore della ditta Fiorelli.

4 Hai mai fatto un colloquio di lavoro? Scrivi alcuni suggerimenti su come bisogna essere e come ci si deve comportare durante un colloquio di lavoro.

5 Leggi il testo seguente e rispondi alle domande.

▶▶ **Alla scoperta della lingua**

Quali tempi abbiamo nelle frasi con il **se**?
Il presente o il futuro.
I **se** evidenziati servono per introdurre una condizione, è il periodo ipotetico della realtà.

L'ESPERTO RISPONDE *Poche regole per il candidato di successo*

C'è chi pensa che per i colloqui di lavoro non ci si può preparare, che tutto dipende dal curriculum e c'è invece chi crede che i posti di lavoro in Italia si conquistano solo attraverso le raccomandazioni. Io non sono dello stesso parere. Mi è capitato tante volte di dare consigli a giovani in difficoltà prima e dopo un colloquio di lavoro, oggi provo a comunicarli a tutti voi, fedeli lettori. Prima di tutto il look, l'aspetto, così importante al giorno d'oggi. I vestiti? Eleganti, ma non troppo. Sicuramente non vi dovete mettere i jeans e la maglietta di tutti i giorni. E poi i capelli: possono essere lunghi, ma sempre ordinati e curati. Per le ragazze: un trucco curato e delicato, evitate di esagerare. Per i ragazzi: occhio alla barba, se è lunga, dovete sistemarla un po'. Prima del colloquio è importante informarsi sulla ditta, conoscere le cose che fa, sapere dove e come opera, sapere che tipo di requisiti sono richiesti al candidato. Vi faranno molte domande personali. Cercate di ricordare tutte le esperienze importanti che avete fatto: a scuola, all'università, nel mondo del lavoro. Vorranno conoscere i vostri interessi, gli hobby e anche il vostro carattere, quindi preparatevi a rispondere. Arrivate in anticipo se è possibile e quando entrate, mi raccomando niente gomma da masticare né sigarette o lattine di bibita! Parlate tranquillamente, rispondete alle domande senza fretta e dite solo le cose principali, andate subito al sodo, ma non rispondete solo sì o no. Sicuramente sarete emozionati, ma non fate vedere che siete nervosi, tenete le mani sul tavolo e guardate il vostro interlocutore negli occhi. Se non capite una domanda lo potete, anzi lo dovete dire, non rispondete se non siete sicuri di aver capito la domanda. E soprattutto non rispondete il falso! Fate anche voi domande: sul tipo di lavoro, sulle condizioni che vi offrono, su quando decideranno se vi danno il posto. Alla fine del colloquio pensate a come avete risposto e se ve la siete cavata. E naturalmente in bocca al lupo!

PS.: Una buona dose di fortuna non guasta mai.

▶▶ **Alla scoperta della lingua** | **Sapere o conoscere?**

Osserva le frasi, qual é la regola?
Sai nuotare?   sapere + ...
Sapete dove abita Michela?   sapere + ...
Conoscete l'indirizzo di Michela?   conoscere + ...

Abbina le espressioni alle definizioni

1 Cavarsela.   a) Buona fortuna!
2 Venire al sodo.   b) Riuscire in una situazione difficile.
3 In bocca al lupo.   c) Trattare la parte essenziale di un argomento

1 Come deve essere vestito il candidato ideale?

....
....

2 Come deve essere l'aspetto?

....

3 Che domande gli faranno?

....

4 Che cosa potrà chiedere?

....

6 Ascolta il colloquio di Maria. Come se la cava?

Come starà
andando Maria?

Maria dice:
(la telematica) è molto utile per
parlare con i **miei** in Argentina.
I miei = i miei genitori.

 7 Lavora con due compagni. Maria ha fatto un buon colloquio? Secondo voi la assumeranno? Se volete potete riascoltare la registrazione.

lessico

Ripasso e ampliamento: il lavoro.

Indovina la parola. Scegli dal riquadro.

1 Sinonimo di *ditta*. ....*Società*..

2 Chi non lavora. ....

3 Cosa succede a 65 anni? ....

4 Se voglio far conoscere la mia attività, la devo ....

5 Risponde al telefono. ....

6 Fa il pane. ....

7 Sinonimo di prodotti. ....

8 Tiene la contabilità, fa le fatture in una ditta. ....

9 Difende i lavoratori, tutela i loro diritti. ....

10 Quando un lavoratore non va bene, si può ....

11 Consegna la posta. ....

12 Contrario di lavoro a tempo parziale. ....

13 Dove si produce oggetti. ....

14 Contrario di importazione. ....

---

a tempo pieno, reclamizzare, contadino, professione, attività, consegnare, autista, centralinista, impiegato, cliente, spedire, commerciale, commesso, dipendente, disoccupato, esportazione, fornaio, licenziare, merce, muratore, postino, posto di lavoro, ragioniere, società, uomo d'affari, andare in pensione, casalinga, operaio, elettricista, pubblicità, ditta, sindacato, cameriera, fabbrica

cercando lavoro

Ripasso e ampliamento: i paesi le nazionalità.

 2 Guarda la cartina dell'Europa e inserisci le capitali.

Oslo,
Stoccolma,
Budapest,
Helsinki,
Vienna,
Zagabria,
Lubiana,
Berlino,
Bruxelles,
Reykjavik,
Parigi,
Londra,
Roma,
Atene,
Dublino,
Lussemburgo,
Copenaghen,
Varsavia,
Lisbona,
Madrid,
Amsterdam.

La formazione dell'aggettivo.

In italiano ci sono vari modi per formare l'aggettivo. Gli aggettivi di nazionalità si formano soprattutto con i suffissi **-ano**, **-ino**, **-ese**, anche se ce ne sono diversi altri.

> **Suffisso:** *parte che si aggiunge a una parola per modificarne la funzione e il significato: per esempio da un nome (Francia) deriva un aggettivo (francese).*

 3 Completa la tabella seguendo gli schemi.

Francia	*francese*	Venezuela	*venezuelano*	Tunisia	*tunisino*
Inghilterra	....	America	....	Argentina	
Portogallo	....	Australia	....	Marocco	....
Giappone	....	Italia	....	Algeria	....
Cina	....	Sudafrica	....	Filippine	....
Lussemburgo	....	India	....		
Norvegia	....	Messico	....		
Islanda	....			Cil**e**	*cileno*
Finlandia	....	Uruguay	....		
Irlanda	....	Colombia	....		
Canada	....	Egitto	*egiz...*		
Olanda	....				
Ungheria	....	Brasi**le**	*brasiliano*		
Svezia	*sved...*	Israele	....		

4 Abbina i nomi dei paesi agli aggettivi di nazionalità.

Russia   tedesco
Germania   polacco
Spagna   croato
Danimarca   russo
Austria   greco
Polonia   belga
Slovenia   danese
Croazia   austriaco
Grecia   spagnolo
Belgio   sloveno

 5 Scrivi delle domande personali sul tuo quaderno.

1 *Come si chiama?* ....

Sofia Panofsky

2 Sofia Panofsky.
3 P-a-n-o-f-s-k-y.
4 Sono americana. Di Chicago.
5 Il 19 ottobre 1978.
6 Sì, da tre anni, mio marito è svedese.
7 Sì, un bimbo di dieci mesi.
8 Mi sono laureata in economia alla Northwestern University di Evanston.
9 Al momento sono disoccupata.
10 A Verona, in Via Catullo 8.
11 045 4532391
12 Tre, compreso l'inglese.
13 L'inglese, l'italiano e lo svedese.
14 Sì, sia programmi di videoscrittura o di gestione dell'ufficio, che programmi di grafica.

6 Trova la parola giusta, scegli dal riquadro.

1 Una donna non sposata è ...*nubile*...

2 Un uomo non sposato è ....

3 Un uomo che è stato sposato e ora non lo è più è ....

4 Una donna il cui marito è morto è ....

5 Un uomo la cui moglie è morta è ....

6 Un modo più formale per dire sposato ....

vedovo, divorziato, celibe, coniugato, nubile, vedova

Si usa anche
il termine inglese "single".

grammatica

L'avverbio

Gli avverbi di **modo**: terminano di solito in *-mente*.

Aggettivo	Formazione dell'avverbio	Avverbio
Cald**o**	*(dal femminile)* Cald**a+mente**	Cald**amente**
Felic**e**	Felic**e+mente**	Felic**emente**
Diffici**le**	Diffici**l+mente**	Diffici**lmente**
Particola**re**	Particola**r+mente**	Particola**rmente**

- Claude parla **perfettamente** italiano.
- Ho superato **facilmente** l'esame di francese.

> *Osserva la posizione dell'avverbio. Va solitamente dopo il verbo.*

Alcuni avverbi irregolari

Aggettivo	Avverbio
Buono	**Bene**
Cattivo	**Male**
Leggero	Legge**rm**ente
Violento	Violent**e**mente

- Come stai?
  Abbastanza **bene**, grazie.

Gli avverbi di dubbio

Forse, magari, probabilmente

- Cosa mangiamo stasera?
  Non lo so. **Forse** farò la pizza.

- Dove vai quest'estate?
  Non lo so ancora. **Magari** vado un po' in Irlanda a fare un corso di inglese.

Gli avverbi di quantità

1 Completa la tabella con gli avverbi di quantità in ordine.

+ + +	Molto,
+ +	
+	
-	
- -	Niente

> *Osserva che con **niente** il verbo è alla forma negativa.*
>
> *– Sono già le 10 e **non** ho ancora mangiato **niente**.*

poco   abbastanza   un po'   tanto

Gli avverbi di frequenza

 2 Completa la tabella con gli avverbi di frequenza in ordine.

Sempre
Mai

> *Osserva che con **mai** (e con **quasi mai**) il verbo è alla forma negativa.*
> *– **Non** ho **quasi mai** sonno alla sera.*

solitamente

quasi mai

di solito

a volte

quasi sempre

raramente

spesso

 3 Qualcosa di personale! Completa le frasi con l'avverbio più adatto per te.

1 Vado .... a letto tardi.
Spesso, sempre, solitamente, raramente.

2 Quando sono con gli amici mangio e bevo ....
Abbastanza, molto, poco, un po'.

3 Ricordo .... le parole italiane nuove.
Facilmente, difficilmente, abbastanza bene, raramente.

4 In estate vado .... in vacanza.
Quasi sempre, spesso, a volte, di solito.

5 Quando vedo il mio insegnante di italiano lo saluto ....
Affettuosamente, caldamente, freddamente, amichevolmente.

6 Conosco la grammatica italiana ....
Bene, male, approssimativamente, approfonditamente.

Fare ipotesi. *Stare* (al futuro) + gerundio

Il futuro semplice e soprattutto la forma *stare* al futuro + gerundio si usano anche per fare delle ipotesi.

- Sono le 8, dove **sarà** Giovanni in questo momento? Cosa **starà facendo**?
- **Sarà** in ufficio. **Starà cominciando** a lavorare.

Domani a quest'ora	Starò	Staremo	mangiando un gelato.
	Starai	Starete	
	Starà	Staranno	

4 Osserva le figure e rispondi alle domande.

1 Cosa starà facendo Lara in questo momento?
...Forse starà giocando a pallavolo...........................

2 Cosa starà facendo il figlio di Francesca in questo momento?
....

3 Cosa staranno facendo Silvio e Gianni in questo momento?
....

4 Cosa starete facendo stanotte alle tre?
....

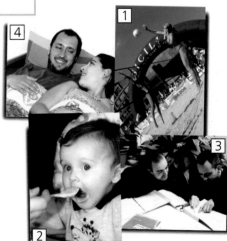

Conoscere + nome

• I tuoi conoscono Sandro?   No, non lo conoscono.
• Conosci tutti i tuoi compagni di classe?   Sì, li conosco.

Sapere + verbo all'infinito

• Sai cucinare?   No, non so cucinare.
• Sapete usare il computer?   Sì, lo sappiamo usare.

In questo caso *sapere* esprime abilità.

Sapere + frase

• Sai che numero di cellulare ha Franco?   No, non **lo** so.
• Sapete come si chiama la ragazza di Giulio e dove abita?
   Sì, **lo** sappiamo: si chiama Anna e abita in Borgo Regale.

> *Osserva:*
> *con sapere + una frase,*
> *nelle risposte c'è solitamente* **lo**.
> *Ma non*
> *con sapere + solamente un verbo*
> *(Sai cantare? No non so cantare)*

 5 Completa le domande con *sapere* o *conoscere* e da' le risposte.

1 - ....*Conosci*............ l'ultimo film di Tornatore?
   - ....*No, non lo conosco*........

2 - Filippo, ... dove lavora Patrizia?
   - No, ...

3 - Bambini, ... la storia di Cappuccetto Rosso?
   - Sì, ...

4 - Giovanni, ... ballare il liscio?
   - No, ...; sono proprio negato!

5 - I tuoi studenti .... usare il congiuntivo?
   - Sì, ... Sono molto bravi.

6 - Ci avete invitati a cena, ma .... cucinare?
   - Sì, ...; .... molte ricette italiane.

7 - .... quella ragazza bionda così carina?
   - Sì, ... E' nella nostra classe.

8 - .... guidare la moto?
   - Sì, ... Ho preso la patente due anni fa.

Fare una richiesta, chiedere il permesso

Ti Le Vi	**dispiace se** mi siedo qui?	(= **Potrei** sedermi qui?)

Nel primo caso la persona della prima parte (ti dispiace = tu)
non è la stessa della frase con il se (se prendo in prestito = io).
Nel secondo caso è la stessa e quindi si usa l'infinito.

> *Osserva gli esempi:*
> *qual è la differenza?*
> *1) Ti dispiace se prendo*
> *in prestito questo libro?*
> *2) Ti dispiace passarmi l'acqua?*

6 Forma delle domande.

1 Roberta/dispiacere/mangiare/panino/se/questo?

Roberta, ti dispiace se mangio questo panino? ....

2 Ilaria/dispiacere/battere/lettera/computer/questa/a?

....

3 Sig. Paissan/dispiacere/rispondere/telefono/al?

....

4 Michele e Sandra/dispiacere/Rita e io/venire/se/a/vostra/stasera/casa?

....

5 Ragazzi/dispiacere/esercizi/pagina/gli/di/28/fare?

....

6 Sig.ra Forte/dispiacere/passarmi/penna/la?

....

Esercizi di ripasso

7 Completa con i pronomi personali e i possessivi.

I possessivi completi:
vedi RETE! 2, Unità 2.

1 Carla, ...io............. devo andare, ma .... puoi restare qui se vuoi.

2 .... è Fiona, ma .... chi è, suo marito?

3 Ho parlato con i Marino; secondo .... non è stato Pertusi a rubare la macchina di Tino.

4 Grazia è arrivata per prima, quindi ora tocca a ....

5 Devo parlare con mio fratello, ma non so se .... troverò a casa o al lavoro.

6 Se vedi Mario e Catia, ... puoi dire di telefonarmi?

7 Hai guardato il film che .... ho prestato?

8 .... sbagliate. Questo cappello non è ....; è ...., ... abbiamo comprato a Stoccolma.

9 Guarda Maurizia, come .... piace la Nutella! E' la prima volta che .... mangia?

10 Ho visto Giorgia e Mattia e .... ho detto di venire alla .... festa di compleanno. .... dispiace?

fonologia • Negazione: elementi per sottolineare il contrasto (1) • Suoni brevi vs. suoni intensi

1 Ascolta di nuovo queste due battute del dialogo iniziale tra Maria e Sandro.

Maria: Allora, come ti sembra? Ho fatto degli errori?
Sandro: Errori? [tz] **Ma va**! Sei bravissima!

 2 Ascolta le frasi.

1 [a] Maria: Allora, come ti sembra? Ho fatto degli errori?

   [b] Sandro: Errori? **No anzi!** Sei bravissima!

2 [a] Maria: Allora, come ti sembra? Ho fatto degli errori?

   [b] Sandro: Errori? **Ma figurati!** Sei bravissima!

3 [a] Maria: Allora, come ti sembra? Ho fatto degli errori?

   [b] Sandro: Errori? **Ma dai!** Sei bravissima!

4 [a] Maria: Allora, come ti sembra? Ho fatto degli errori?

   [b] Sandro: Errori? **Ma che dici!** Sei bravissima!

5 [a] Maria: Allora, come ti sembra? Ho fatto degli errori?

   [b] Sandro: Errori? [tz] Sei bravissima!

> La parte di fonologia è come un dizionario. Usala quando ti occorre per migliorare la tua pronuncia e intonazione.

3 Leggi le frasi dell'attività precedente con un compagno.

4 Ascolta le frasi e sottolinea la parola che viene pronunciata.

a sono   sonno   **b** casa   cassa   **c** saremmo   saremo
d fatto   fato   **e** zio   zio /t'tsio/   **f** m'ama   mamma
g pala   palla   **h** copia   coppia   **i** eco   ecco

> Ti ricordi che nel primo volume di **RETE!** abbiamo distinto due tipi di suoni intensi? Quelli che si pronunciano "allungando" il corrispondente suono breve (ad esempio /nn/, /ll/) e quelli che si pronunciano "rafforzando" il suono. Ad esempio /tt/ e /pp/.

 5 Leggi le parole dell'esercizio precedente con un compagno e scrivi le parole che contengono un suono intenso nella colonna corrispondente.

suoni allungati	suoni rafforzati
sonno	lo zio

L'ITALIA UN QUIZ

1 Quanto sai o quanto ricordi della geografia e della situazione italiana in generale? Scegli l'indicazione giusta tra quelle elencate.

1 L'Italia è
- a un'isola.
- b una penisola.
- c un arcipelago.

2 L'Italia ha la forma di
- a una scarpa.
- b un quadrato.
- c uno stivale.

3 Il territorio italiano è formato soprattutto da
- a colline.
- b montagne.
- c pianure.

4 Le montagne più alte che segnano il confine a nord dell'Italia sono
- a le Alpi.
- b le Prealpi.
- c gli Appennini.

5 Le montagne che attraversano l'Italia da nord a sud sono
- a le Alpi.
- b gli Appennini.
- c i Pirenei.

6 L'Italia confina a nord con
- a Francia, Germania, Svizzera, Slovenia.
- b Francia, Austria, Ungheria, Svizzera.
- c Francia, Austria, Svizzera, Slovenia.

7 L'Italia è divisa in
- a 30 regioni.
- b 15 regioni.
- c 20 regioni.

8 La città più importante di una regione è
- a la capitale.
- b il comune.
- c il capoluogo.

9 La popolazione italiana e di circa
- a 58.000.000 di abitanti.
- b 42.000.000 di abitanti.
- c 96.000.000 di abitanti.

10 L'Italia è
- a una repubblica.
- b una monarchia.
- c una confederazione di stati.

11 L'economia italiana si basa principalmente
- a sull'industria e sull'agricoltura.
- b sui servizi e sull'industria.
- c sui servizi e sull'agricoltura.

12 L'Italia
- a non fa parte dell'Unione Europea.
- b fa parte della Comunità Economica Europea (ora Unione Europea) dalla sua fondazione.
- c è entrata nell'Unione Europea nel 1995.

sommario

Abbina le frasi o espressioni alla descrizione sotto.

1 Ti dispiace dare un'occhiata a questo annuncio?
2 D'accordo.
3 Secondo te può andar bene per me? / Come ti sembra?
4 Che cos'è?
5 Hmm, aspetta che leggo cosa dice…
6 Forse sì, non so se… qui chiedono varie cose…
7 Come si chiama?
8 Sofia Panofsky
9 Come, scusi?
10 Come si scrive il suo cognome?
11 P-a-n-o-f-s-k-y.
12 Di dov'è?
13 Sono americana. Di Chicago.
14 Quando è nata?
15 Il 19 ottobre 1978.
16 E' sposata?

17 Sì, da tre anni, mio marito è svedese.
18 Ha dei figli?
19 Sì, un bimbo di dieci mesi.
20 Che studi ha fatto?
21 Mi sono laureata in economia alla Northwestern University di Evanston.
22 Che lavoro fa?
23 Al momento sono disoccupata.
24 Dove abita?
25 A Verona, in Via Catullo 8.
26 Qual è il suo numero di telefono?
27 045 4532391
28 Quante lingue conosce? / Quali lingue conosce? / Sa usare il computer?
29 Tre compreso l'inglese. / L'inglese, l'italiano e lo svedese. / Sì, conosco sia programmi di videoscrittur o di gestione dell'ufficio, che programmi di grafica.

In questa unità abbiamo imparato a:

4	**a** chiedere informazioni su qualcosa	....
	b dire se una persona ha dei figli	....
	c chiedere delle qualifiche scolastiche	....
	d esprimere incertezza	....
	e chiedere la provenienza	....
	f dire la provenienza e la nazionalità	....
	g chiedere il nome	....
	h dire il nome	....
	i dire il numero di telefono	....
	j chiedere di ripetere	....
	k chiedere come si scrive un nome	....
	l parlare delle lingue conosciute e di altre abilità	....
	m dire come si scrive un nome	....
	n fare una richiesta in modo gentile	....
	o parlare delle qualifiche scolastiche	....
	p chiedere il numero di telefono	....
	q chiedere l'opinione di un'altra persona	....
	r chiedere quale lavoro fa una persona	....
	s accogliere la richiesta	....
	t chiedere la data di nascita	....
	u dire se una persona è sposata	....
	v chiedere se una persona ha dei figli	....
	w prendere tempo	....
	x dire la data di nascita	....
	y chiedere se una persona è sposata	....
	z dire quale lavoro fa una persona	....
	aa chiedere l'indirizzo	....
	bb dire l'indirizzo	....
	cc chiedere delle lingue conosciute e di altre abilità	....

1 Guarda le risposte e scrivi le domande che il direttore di un'azienda fa a una futura impiegata.

1 ....?

Francese, ma mia madre è nata in Algeria.

2 ....?

Sì, abbastanza bene. So usare alcuni programmi di scrittura e Internet.

3 ....?

Anche da subito se per lei va bene.

4 ....?

Oltre all'italiano, il francese e lo spagnolo.

5 ....?

Da più di un anno. Sono arrivata per studiare italiano, ma poi ho conosciuto mio marito.

6 ....?

Ho letto l'annuncio sul giornale.

7 ....?

Abbastanza, ma con la metropolitana posso arrivare in venti minuti.

8 ....?

No, non ancora. Siamo sposati solo da un anno e i bambini sono un grande problema.

E poi sono ancora abbastanza giovane.

9 ....?

No, ho fatto solo qualche piccolo lavoretto come segretaria.

10 ....?

Preferirei part time così potrei continuare a studiare.

..... / 10

2 In base alle descrizioni completa il cruciverba.

1 Lavora in un ufficio.
3 Coltiva la terra.
5 Non riesce a trovare un lavoro.
7 Ormai non lavora più.
9 Lavora in cucina.

2 Porta nelle case lettere, piccoli pacchi ecc.
4 Vende sigarette e francobolli.
6 Vende prosciutto, mortadella ecc.
8 Taglia e pettina i capelli.
10 Lavora in fabbrica.

..... / 10

3 Due tuoi amici si devono presentare per un colloquio di lavoro. Osserva le loro foto e scrivi due e-mail con qualche consiglio per il loro look.

Caro Michele,
....
....
....
....
....

Cara Lisa,
....
....
....
....
....

..... / 10

4 Completa le risposte creando delle ipotesi.

1 - Non capisco. Franco non è ancora tornato.
  - Non ti preoccupare .... (lavorare)
2 - Hai telefonato a Paola?
  - Sì, ma non risponde nessuno. Forse .... (ascoltare) la musica.
3 - Hai visto il gatto?
  - No, forse .... (dormire)

..... / 3

5 Completa le domande con *sapere* o *conoscere*.

1 .... giocare a tennis?
2 .... che ore sono?
3 .... dove posso trovare una banca?
4 .... un buon ristorante a Venezia?

..... / 4

6 Elimina la parola che non c'entra.

1 raramente - mai - felice - bene
2 forse - tanto - poco - abbastanza
3 più - giù - su - suo

..... / 3

NOME:	
DATA:	
CLASSE:	

totale ..... / 40

1 L'italiano è una lingua che utilizza molte parole straniere.

Hai un minuto di tempo. Prendi un pezzo di carta e scrivi il maggior numero di parole straniere che si usano in italiano.

 2 Lavora con due compagni. Chi ne ha scritte di più? Si usano tutte in italiano?

Software = *(sòftûëë)s. ingl., in it. s. m. In informatica, l'insieme delle procedure e delle istruzioni in un sistema di elaborazione dati; si identifica con un insieme di programmi (in contrapposizione a hardware) [...]*

> I sostantivi stranieri
> non cambiano al plurale:
> il film > i film

 3 Quali parole italiane usi nella tua lingua?

Stereotipo = *è un'opinione precostituita e rigida che riguarda persone, gruppi di persone, società, paesi, ecc. Caratteristica importante dello stereotipo è la generalizzazione.*

 4 Che idea si ha nel tuo paese dell'Italia e degli italiani? Quali stereotipi associ alle parole italiane usate nella tua lingua? Parlane con due compagni.

5 Leggi il messaggio e-mail che una studentessa svedese scrive a una amica tedesca. Entrambe studiano in Italia. Sottolinea le parti che ti sembrano più importanti e preparati a parlarne con le compagne, i compagni e l'insegnante.

---

ciao

Invia ora | Invia più tardi | Registra come bozza | Aggiungi allegati | Firma | Contatti | Verifica nomi

Ciao Liv,
come va la vita lì ad Ancona? Qui a Modena io vedo ancora gli stessi amici, continuo a studiare e vado sempre al corso di italiano che frequentavamo insieme. Sei ancora arrabbiata per i commenti un po' pesanti nei tuoi confronti dei maschi locali? Devi sapere che proprio in questi giorni stiamo parlando a lezione del *gallismo* degli uomini italiani e ho pensato a quello che mi hai scritto qualche giorno fa. La nostra insegnante ci ha fatto leggere un piccolo saggio, scritto da una donna, proprio su questo argomento. Eccoti l'inizio:
"Si dice *gallismo* un tipo di comportamento sociale in cui un individuo di sesso maschile è convinto di poter <u>abbordare</u> o <u>rimorchiare</u> un individuo di sesso femminile senza preoccuparsi della reazione di accettazione o di rifiuto del secondo individuo.*
È un po' difficile, ma se ci provi con un dizionario secondo me riesci a capire, e poi con la tua esperienza, carina come sei! Come puoi immaginare la discussione è stata molto interessante, le ragazze brasiliane e spagnole non erano molto stupite da questa descrizione, anche loro, come le donne italiane sono abituate a questo tipo di comportamento. Dicono che gli uomini del sud sono tutti così, si credono dei grandi *latin lover* (assolutamente irresistibili!), per loro è naturale guardare con insistenza le ragazze che passano per la strada e fare commenti ad alta voce sul loro aspetto fisico. Mentre nei paesi del nord, come noi sappiamo, queste cose non succedono. Pensa che la nostra insegnante, (Giovanna, ti ricordi di lei, vero?) ci ha raccontato, ridendo, che la prima volta che è andata in Inghilterra per un corso di inglese è rimasta molto stupita dall'atteggiamento dei maschi nordici. Una sera, lei e una ragazza greca hanno scoperto che tutte e due si sentivano improvvisamente diventate brutte perché in quel paese nessun uomo sembrava particolarmente interessato a loro. Sai perché? Non ricevevano nessuna occhiata insistente quando comminavano per la strada come invece succedeva regolarmente nei loro paesi! Improvvisamente si sono rese conto che l'atteggiamento *gallista* degli uomini, che tante volte avevano giustamente criticato, era diventato un modo per sentirsi apprezzate, almeno sul piano fisico!!! Che ne dici? Fammi sapere la tua opinione. Adesso torno a studiare.
A presto, Ingrid

---

*[adattato dalla voce "Gallismo" di Tilde Giani Gallino in *L'identità degli italiani* a cura di Giorgio Calcagno, Milano, Laterza (1993) 1998, pag. 87]

Cosa pensate di questo aspetto del maschio italiano? È ancora vero o si tratta solo di uno stereotipo del passato? Com'è il comportamento maschile nei vostri paesi? Discutetene con i compagni.

 6 Guarda l'immagine.
Ti piace? Sei d'accordo?
Parlane con un compagno.

Verbi tipici del gallismo all'italiana.
Abbordare: avvicinare una donna sconosciuta, di solito per strada o in locali pubblici, per parlare e cercare di conoscerla.
Rimorchiare: di significato simile ad abbordare ma decisamente meno educato.

 7 Ascolta l'intervista e segna i lavori di casa che senti.

Lavare i piatti	

 8 Ascolta nuovamente l'intervista e indica se le affermazioni sono vere o false.

Vero Falso

1 L'intervistato si chiama Rudolf. ☐ ☒
2 Ha 24 anni. ☐ ☐
3 Prima di sposarsi viveva già solo. ☐ ☐
4 Ha sempre fatto il letto ogni giorno. ☐ ☐
5 A sua moglie piace fare la spesa. ☐ ☐
6 Lui sa cucinare. ☐ ☐
7 Sheila, sua moglie, sa cucire. ☐ ☐

 9 Osserva le statistiche. In quale paese ti piacerebbe vivere? Perché?

In Italia è meglio?

Quanti uomini fanno cosa?	Francia	Germania	Gran Bretagna	Italia	Spagna
Stirare	30%	14%	32%	4%	10%
Lavare i piatti	58%	41%	81%	26%	31%
Fare la spesa	65%	44%	51%	45%	48%
Cucinare	43%	28%	52%	27%	18%
Pulire la casa	53%	44%	77%	39%	38%

 10 Ascolta la conversazione e rispondi alle domande.

1 Cosa stanno facendo Sandro e Maria?
2 Qual è il problema all'inizio?
3 Come esprime la sua sorpresa Maria?

11 Leggi il testo della conversazione e cerchia la parola giusta.

Maria: Sandro, sai usare la **videocamera**/televisione?
Sandro: Sì, come mai me lo chiedi?
Maria: Così...
Sandro: Mi fai un favore? Puoi spegnere/accendere la luce? C'è troppo scuro/chiaro.
Maria: Sì, ma sei pronto?

Sandro: Certo, basta girare/premere questo bottone e...
Maria: No, fermo! Così registri/parte!
Sandro: Ah giusto... Stavo scherzando/Ti ho fatto uno scherzo!
Maria: Ti accendo/spengo la luce. È a fuoco/a colori?
Sandro: Dai, non continuare! Ha la messa a fuoco automatica.
Maria: Mamma mia! Ma quanta gente c'è nella tua famiglia?
Sandro: Siamo molti, vero? Questa al centro la conosci, è la sorella
di mia madre e quello è un suo cugino, cioè un mio zio.
Maria: Tuo zio/cugino?
Sandro: Beh, sì o forse è mio cugino/zio. Non sono molto bravo con le parentele. Questa è la suocera di mia
Zia Franca con i suoi nipoti, figli del cognato di mia zia.
Maria: Che caos/che casino! E quelli a destra?
Sandro: La ragazza è mia cugina Sandra con il suo/suo marito e i loro/loro due figli.
Maria: Che cosa sta facendo tuo nipote? Aiuto, che buffo!!
Sandro: Non so cosa sta facendo...
Maria: Che bella famiglia che hai. Ma lì dove/quanti siete?
Sandro: Al matrimonio della figlia della sorella di...
Maria: Basta!!

> Mamma mia! È un'espressione molto usata in italiano. A seconda dell'intonazione può esprimere vari stati d'animo e emozioni.

> L'espressione "Che casino!" significa "Che confusione! si usa moltissimo nell'italiano moderno, ma solo nel parlato. Per alcune persone suona un po' volgare. Sicuramente lo è se usato nella lingua scritta.

 12 Ascolta nuovamente la conversazione e controlla le tue risposte.

 13 Povera Maria! Insieme a un compagno, prova ad aiutarla a capire chi sono le persone della foto di pagina 28. Lo studente A guarda la foto e cerca di indovinare le persone, B va a pagina III.

lessico

 1 Rispondi alle domande.

In quale stanza solitamente:

fai colazione? ....
guardi la televisione? ....
studi? ....
passi il tempo con gli amici? ....
ti rilassi? ....

2 Forma delle frasi.

	stirato	i piatti a mano		non ha ancora comprato una lavatrice nuova.
	lavato	le camicie di mio nonno		stasera ho due amici a cena.
	pulito	le calze di Carlo		mio marito non aveva tempo.
Ho	cucinato	la casa di Mauro	perché	perché la lavastoviglie è rotta.
	cucito	i letti		non sa farlo.
	fatto	una specialità emiliana		il suo ferro è rotto.
	fatto	il bucato per Paul		mi ha chiesto di aiutarlo.

3 Lavora con un compagno. Guardate la figura poi, lo studente A **va a pagina I e abbina le figure alle parole del riquadro.** B **va a pagina III e fa la stessa cosa. Fatevi delle domande per scoprire come si chiamano gli oggetti che vi mancano.**

Esempio: Come si chiama quella cosa che è di fianco al coltello?

4 Leggi l'articolo su Christine e metti le parole che mancano. Le trovi nel riquadro.

Christine è una ragazza di Londra, è piuttosto alta e carina. È finita sui maggiori giornali per un fatto molto particolare. Nella sua cantina ha scoperto un piccolo tesoro… Nel suo appartamento, dove mi riceve, ci sono oggetti in vario stile. Più li osservo e più mi accorgo che non c'è niente che possa farmi pensare a un solo paese. Si respira un'aria strana, tutto vagamente etnico. La cosa mi incuriosisce e chiedo a Christine come mai ha scelto di arredare la sua casa in questo modo. Vivo in Italia da alcuni anni. All'inizio ho riempito la casa di oggetti tipicamente inglesi. In questo modo mi sono sentita più vicina alle mie origini, alla mia cultura. Poi poco alla volta ho capito che stavo cambiando: il cibo, il modo di vivere e poi la casa… Sono diventata "italianissima": ho imparato a usare la (1)...................., a riempirla di bottiglie di vino (imbottigliate da me) e di salumi. Sono fortunata perché abito in un (2)............................ vecchio e le cantine sono fresche e non tanto umide. Purtroppo non ho il (3)................................., ma va bene lo stesso. Poi ho traslocato dal primo all'ultimo piano. Vede

quella scala? Porta in (4)................................. e nella (5)............................. tutto attorno ho messo moltissimi fiori e piante e poi vedo tutti i (6).............................. del centro storico. È bellissimo. Un'altra cosa da italiana: ho eliminato tutta la (7)................................. che avevo messo appena arrivata, alla fine mi faceva schifo! Ho imparato ad apprezzare i (8)............................. di legno in (9)................................. e le mattonelle in (10)....................... e (11)................................... L'unico (12).......................... che ho è questo, è peruviano, ricordo di un mio viaggio. Tutti questi oggetti vengono dai miei viaggi. Adoro viaggiare per conoscere paesi nuovi, nuove culture." A questo punto mi è venuta spontanea una domanda: "Come mai non sei tornata a vivere in Inghilterra?" "Sono sociologa" mi ha risposto "E qui ho un buon lavoro, molto interessante: in questo momento sto facendo una ricerca sulla famiglia italiana…che è così cambiata nel corso degli anni…" All'improvviso mi sono ricordata la ragione della mia visita e finalmente ho visto il piccolo baule!

moquette, bagno, terrazza, cucina, palazzo, tetti, camera, mansarda, cantina, tappeto, garage, pavimenti

Come mai significa perché. Si usa nelle frasi interrogative. Spesso esprime sorpresa e/o curiosità.

L'aggettivo "buono" è un po' particolare. Vedi la sezione di grammatica

▶▶ **Alla scoperta della lingua** Osserva gli esempi:
- Suonano alla porta. Vado io ad aprire. È tua madre ed è con una sua amica.
Riesci a capire la regola? Quando la parola che segue **A** oppure **E** inizia rispettivamente con la lettera a ed e solitamente la preposizione **A** diventa **AD** e la congiunzione **E** diventa **ED**.

 5 Completa la tabella.

	Accendere	Spengere	Alzare	Abbassare	Premere	Girare
Radio	sì	sì	sì	sì	no	no
Televisione						
Videocamera						
Bottone						
Interruttore						
Luce						
Manopola						

stili di vita, gli italiani visti da fuori

6 Completa l'albero genealogico con le parole del riquadro.

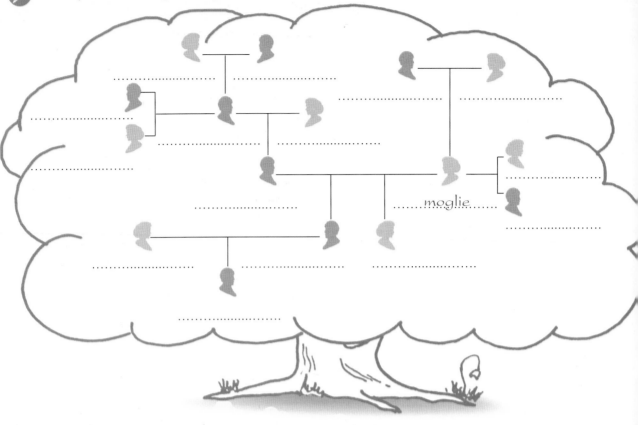

| figlio, figlia, nonna, padre, sorella, madre, nonno, fratello, genitori, moglie, marito, cognata, cognato, suocera, suocero, nipote, nuora, genero, cugino, cugina, zio, zia |

abilità

1 Guarda le foto. Secondo te di che cosa tratta il brano che segue? Scambia le tue opinioni con un compagno.

2 Leggi il brano e rispondi alle domande usando le informazioni che hai letto e la tua immaginazione.

1 Chi è Misia? Quanti anni ha?
2 Chi è la Engelhardt? Quanti anni ha?
3 In che ambiente si svolge il racconto?
4 C'è anche un altro personaggio importante nel testo: la persona che racconta. Fa parte della società della Engelhardt?
5 Le due protagoniste hanno una discussione che coinvolge tutti. Secondo te come finisce?

ANDREA DE CARLO

nasce a Milano e vive nella stessa città per trasferirsi poi anche negli Stati Uniti e in Australia. Attualmente risiede a Roma. Ha scritto tra l'altro
Treno di panna, Macno, Yucatan, Tecniche di seduzione, Arcodamore, Uto.

"Scusa Misia" ha detto la Engelhardt madre, con una mano dalle dita secche sporta verso di lei come un'arma socialmente accettabile. "Ti dispiace se interrompo la tua interminabile conversazione così intensa e privata?". Misia si è girata a guardarla: ho visto un gesto di giustificazione che le affiorava e tornava subito indietro, così veloce da cambiarle il colore degli occhi in un istante. Ha detto "Sì, che mi dispiace!". La Engelhardt è arretrata come se fosse stata punta da una vespa; altre facce si sono voltate sulla sua onda di ritorno, con espressioni simili di non-comprensione, allarme da comportamenti anomali. Misia si era alzata in piedi; ha detto alla Engelhardt "Non ci sono parole per dirti quanto mi dispiace. Sono *sopraffatta* dal dispiacere. Stavo parlando con il mio miglior amico di una cosa che mi interessa molto, mi dispiace *infinitamente* essere interrotta per qualche menata inutile e odiosa!". Altre facce ancora si sono girate, sguardi e gesti bloccati a metà movimento intorno alla tavola; la Englehardt ha recuperato con uno sforzo, ha detto tra palpebre strette "Mi pare che tu sia poco carina, Misia cara". "Sono *molto* poco carina, Inés cara!" ha detto Misia, "Non ti immagini *quanto* poco!" Parlava con un'esasperazione che doveva essersi accumulata nel corso degli anni passati a fare la figlia e la sorella e la madre e la moglie e la nuora e la cognata e la sostenitrice di responsabilità e la compensatrice di errori e l'ispiratrice di idee e la dispensatrice di cure e attenzioni, eppure la sua voce era piena di musica, la sua persona elastica e reattiva in un modo entusiasmante.

[Da Andrea De Carlo, Di noi tre, pp.461-2, A. Mondadori Editore, Milano 1997]

 3 A piccoli gruppi confrontate le vostre risposte.

Prima di leggere un testo è molto importante cercare di usare le proprie conoscenze per prepararsi alla lettura, in modo da poter aiutare la comprensione di parole che possono essere difficili. Così è possibile usare le foto, il titolo, oppure leggere velocemente il testo e poi cercare di pensare a quanto si è capito molto in generale, ecc. Una lettura più attenta può aver bisogno del dizionario...

| il dizionario bilingue |

 4 Tu per che cosa usi il dizionario? Pensa alla tua esperienza nell'utilizzare il dizionario bilingue e metti in ordine di importanza ciò che si può fare con un dizionario bilingue.

Trovare la pronuncia corretta di una parola.	
Scoprire che cos'è la parola che si cerca da un punto di vista grammaticale.	
Scoprire il significato di una parola.	
Cercare la traduzione corretta di una parola.	
Vedere come si usa una parola nella frase.	
Trovare esempi di come è usata una parola.	
Vedere come si scrive una parola.	
Altro:	

 5 Spesso le parole possono avere varie traduzioni possibili in un'altra lingua. Dipende dal contesto.

Rileggi attentamente il testo e cerca sul dizionario alcune parole che non conosci. Se ci sono più traduzioni possibili, leggi nuovamente la frase del testo e cerca di scegliere secondo il senso. Utilizza anche gli esempi d'uso che ti dà il dizionario! Pensa a quanto è importante un corretto uso del dizionario bilingue quando traduci dalla tua lingua all'italiano e viceversa!

"I want to go coast to coast!"

A Kabul un giornalista Rai insiste presso la guida locale. "I want to go coast to coast!" il poveretto risponde che l'Afganistan non ha sbocchi sul mare ed è perciò difficile andare da costa a costa. Alla fine si scopre che il visitatore intendeva dire: "Voglio andare a tutti i costi" in inglese, "at all costs".

[da B. Severgnini in "Italiani con valigia", Milano, Rizzoli, (1993) 1998, pag. 80-81.]

civiltà Mammone e me ne vanto

 1 Osservate la statistica e provate a discutere quali possono essere i motivi di questo fenomeno, tipicamente italiano, che vede sempre meno giovani lasciare la famiglia d'origine. Confrontate la situazione italiana con quella dei vostri paesi.

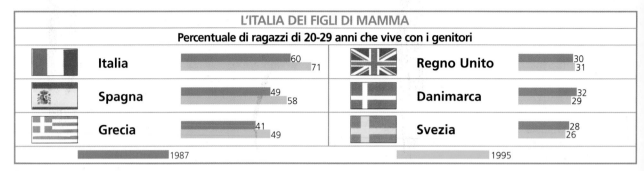

L'ITALIA DEI FIGLI DI MAMMA			
Percentuale di ragazzi di 20-29 anni che vive con i genitori			
Italia	60 / 71	Regno Unito	30 / 31
Spagna	49 / 58	Danimarca	32 / 29
Grecia	41 / 49	Svezia	28 / 26
▬ 1987		▬ 1995	

[da l'Espresso n.33, 19-8-99, pag.40-45]

2 Adesso ascoltate le interviste ad alcuni ragazzi italiani che spiegano i motivi per i quali hanno deciso di continuare a vivere con i genitori. Siete d'accordo?

 fonologia • un'esclamazione dai molti valori: • /t/ vs. /tt/   • /d/ vs. /dd/
mamma mia!

1 Ascolta di nuovo questa battuta tratta dal dialogo dell'attività 10.

Maria: Mamma mia! Ma quanta gente c'è nella tua famiglia?

2 Ascolta l'espressione "mamma mia!" ripetuta più volte ma con diverse intonazioni.
Prova ad abbinarla ogni volta alla giusta intonazione.

a mamma mia!   **1** disgusto
b mamma mia!   **2** sorpresa
c mamma mia!   **3** rabbia, disappunto
d mamma mia!   **4** paura
e mamma mia!   **5** preoccupazione

3 Con un compagno prova a ripetere le espressioni dell'attività precedente. Fa' attenzione all'intonazione.

4 Giochiamo un po'. Trova le parole che sono nascoste nel riquadro. Fa' attenzione possono essere in orizzontale, o in verticale.

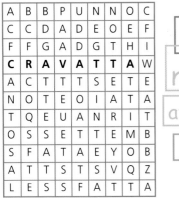

A	B	B	P	U	N	N	O	C
C	C	D	A	D	E	O	E	F
F	F	G	A	D	G	T	H	I
C	R	A	V	A	T	T	A	W
A	C	T	T	T	S	E	T	E
N	O	T	E	O	I	A	T	A
T	Q	E	U	A	N	R	I	T
O	S	S	E	T	T	E	M	B
S	F	A	T	A	E	Y	O	B
A	T	T	S	T	S	V	Q	Z
L	E	S	S	F	A	T	T	A

Ti ricordi dei suoni intensi /tt/ e /dd/? Devono essere pronunciati con più forza rispetto ai corrispondenti suoni brevi /t/ e /d/. Inoltre, hai notato che prima di pronunciare i suoni /t/ e /d/ nella parola c'è una brevissima pausa? Quando pronunci i suoni /tt/ e /dd/ questa pausa è leggermente più lunga.

 5 Ora ascolta le parole dell'attività precedente, prima le orizzontali e poi le verticali. Controlla se hai fatto bene.

 6 Sottolinea le parole che ascolti nelle frasi.

1 addosso	indosso	**2** ridda	rida
3 dormito	addormentato	**4** additata	ditata
5 Ada	Adda	**6** detti	addetti

 grammatica

In quest'unità ti aiutiamo a ripassare diversi elementi di base della grammatica italiana che hai già conosciuto. Ma attenzione! Ti presentiamo anche alcuni aspetti che non conosci. Abbiamo bisogno della tua collaborazione per completare varie tabelle. Se non sei sicuro, troverai le soluzioni in appendice.

Gli articoli

Prova a completare la tabella dell'articolo determinativo. Poi controlla a pag. VI.

Articolo determinativo

MASCHILE	SINGOLARE	PLURALE
Davanti a consonante	.... **telefono**	.... **telefoni**
Davanti a S + consonante, Z, PS, GN, X	.... **studente**	.... **studenti**
Davanti a vocale	.... **ufficio**	.... **uffici**
FEMMINILE	**SINGOLARE**	**PLURALE**
Davanti a consonante	.... **casa**	.... **case**
Davanti a vocale	.... **amica**	.... **amiche**

L'articolo determinativo va sempre *prima* del nome. L'articolo determinativo si usa
- quando il nome è determinato, ad esempio si conosce già: - Mi passi **il** dizionario di Sara, per favore?
- con nomi astratti o che indicano una categoria: - **La** lettura è un'attività importante per tutti.
  - **Il** cinema è una mia passione.
- con i nomi geografici, ma normalmente non con quelli che indicano le città:
  - **Il** Po è il fiume più lungo d'Italia.
  - Napoli è a sud di Roma.

 stili di vita, gli italiani visti da fuori

Unità **2**

Prova a completare la tabella dell'articolo indeterminativo. Poi controllala a pag. VII.

Articolo indeterminativo		
MASCHILE	**SINGOLARE**	**PLURALE**
Davanti a consonante	.... **telefono**	.... **telefoni**
Davanti a S + consonante, Z, PS, GN, X	.... **studente**	.... **studenti**
Davanti a vocale	.... **ufficio**	.... **uffici**
FEMMINILE	**SINGOLARE**	**PLURALE**
Davanti a consonante	.... **casa**	.... **case**
Davanti a vocale	.... **amica**	.... **amiche**

L'articolo indeterminativo si usa quando il nome non è definito, non è precisato.
L'articolo indeterminativo va sempre *prima* del nome.

Gli aggettivi *bello* e *buono*

Se gli aggettivi **bello** e **buono** sono prima del nome seguono la regola rispettivamente dell'*articolo determinativo* e dell'*articolo indeterminativo*. Il plurale di *buono* e *buona* è *buoni* per il maschile e *buone* per il femminile.
Se **bello** e **buono** sono *dopo* il nome seguono la regola dei normali aggettivi in **-A** e **-O**.
Prova a completare la tabella. Poi controllala a pag. VII.

	SINGOLARE	PLURALE
MASCHILE	il be... bambino	i be... bambini
	il be... stadio	I be... stadi
	il be... albero	I be... alberi
FEMMINILE	la be... ragazza	le be... ragazze
	la be... idea	le be... idee

	SINGOLARE
MASCHILE	un buo... bambino
	un buo... studente
	un buo... artista
FEMMINILE	una buo... ragazza
	una buo... amica

Completa usando le diverse forme di *buono* e *bello*.

1 Paolo è molto…
2 orizz.: Paolo è un… ragazzo
2 vert.: Paolo è un… papà
3 Paolo è molto… con suo figlio

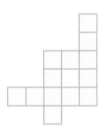

Il genere dei nomi

In italiano abbiamo due generi: il maschile e il femminile.
Non è sempre facile sapere quali nomi sono maschili e quali femminili.
Ti presentiamo una serie di regole che possono aiutarti, a completamento di quello che già sai.

I nomi in **-O** sono normalmente *maschili*:   **il** bambin**o**.
I nomi in **-A** sono normalmente *femminili*:   **la** bambin**a**.
I nomi in **-E** possono essere *maschili* o *femminili*:   *maschili*: **il** professor**e**, **il** padr**e**; *femminili*: **la** chiav**e**, **la** madr**e**.

Però alcuni nomi in -**A** sono *maschili*:
alcuni terminano in -**MA**:   **il** proble**ma**, **il** te**ma**, **il** cine**ma**;
altri terminano in -**ista**:   **il** dent**ista**, **il** giornal**ista**;
altri nomi di persona maschili in -**A**:   **il** poe**ta**, **il** pilo**ta**.

Sono normalmente *maschili* i nomi in:

-ORE	il fi**ore**
-ONE	il sap**one**
-ALE	il giorn**ale**
-ILE	il fuc**ile**.

Alcuni nomi in **-O** sono *femminili*.
Sono spesso parole tagliate:

la radi**o**, **la** foto, **la** mot**o**, **l'**aut**o**, **la** man**o**
l'aut**o** = l'automobile.

I nomi in **-TÀ** e in **-TÙ** sono *femminili*:
I nomi in **-I** sono normalmente *femminili*:

la liber**tà**, **la** gioven**tù**.
la cris**i**, **l'**analis**i**, **la** sintes**i**.

Sono normalmente *femminili* i nomi in:

-IONE	**la** lez**ione**
-IE	**la** ser**ie**
-ICE	**la** lavatr**ice**.

Il plurale dei nomi

E adesso i plurali! Anche loro a volte sono un pò difficili da ricordare. Completa la tabella.

	SINGOLARE		PLURALE	
MASCHILE	**- O**	**il** telefon**o**	**- I**	**i** telefon…
	- E	**il** can**e**	**- I**	**i** can…
	- A	**il** sistem**a**	**- I**	**i** sistem…
FEMMINILE	SINGOLARE		PLURALE	
	- A	**la** scuol**a**	**- E**	**le** scuol…
	- E	**la** chiav**e**	**- I**	**le** chiav…
	- TÀ	**la** cit**tà**	**- TÀ**	**le** cit…
	- TÙ	**la** vir**tù**	**- TÙ**	**le** vir…
	- I	**la** cris**i**	**- I**	**le** cris…
	- O	**la** man**o**	**- I**	**le** man…

Non cambiano al plurale:

	SINGOLARE	SINGOLARE
I nomi che terminano per consonante e stranieri in genere	**il** film	**i** film
I monosillabi	**il** re	**i** re
I nomi che sono abbreviazioni	**la** foto (la fotografia)	**le** foto

I nomi che terminano in consonante sono normalmente *maschili*.
Sono soprattutto parole di origine straniera:
il bar, **lo** spor**t**, **il** fil**m**.

Aggettivi e nomi in *-co, -go, -ca, -ga*

	SINGOLARE		PLURALE	
FEMMINILE	- CA	la banca tedesca	- CHE	tedesche
	- GA	la targa turca	- GHE	le targhe turche

	SINGOLARE		PLURALE	
MASCHILE	- CO - GO (accento sulla penultima sillaba)	il cuoco l'alber**go**	- CHI - GHI (accento sulla penultima sillaba)	i cuochi **gli** alber**ghi**
	- CO - GO (accento sulla terzultima sillaba)	il medic**o** **lo** psicolog**o**	- CI - GI (accento sulla terzultima sillaba)	i medi**ci** **gli** psicolo**gi**

Ma ci sono molte eccezioni:
am<u>i</u>**co** am<u>i</u>**ci**
gre**co** gre**ci**

Aggettivi e nomi in *-cia* e *-gia*

Osserva gli esempi: qual è la regola del plurale?
1 La farmacia le farmacie;
2 la ciliegia le ciliegie;
3 la spiaggia le spiagge.

La **-i** c'è anche al plurale quando

1 la **-i** ha l'accento, come in farmac**ia**, il plurale è farmac**ie**;
2 prima della parte finale **-cia e -gia** c'è una vocale (cili**e**gia).

La **-i** non c'è al plurale quando

3 prima della parte finale **-cia e -gia** c'è una consonante (spia**g**gia).

I possessivi

Gli aggettivi e i pronomi possessivi sono uguali.

MASCHILE		FEMMINILE	
SINGOLARE	**PLURALE**	**SINGOLARE**	**PLURALE**
mio	miei	mia	mie
tuo	tuoi	tua	tue
suo	suoi	sua	sue
nostro	nostri	nostra	nostre
vostro	vostri	vostra	vostre
loro	loro	loro	loro

I possessivi seguono il nome cui si riferiscono.
Ad esempio: se il nome è maschile e singolare (appartament**o**), il possessivo è **il** mi**o**.
Loro è invariabile:
- Ecco **la loro** amic**a**.

Che differenza c'è tra un aggettivo e un pronome possessivo?
- La **mia** ragazza si chiama Maria.
L'aggettivo è prima del nome.

- La mia ragazza si chiama Maria, e la **tua**?
- Silvia.
Il pronome possessivo sostituisce il nome (*ragazza*).

Di solito prima dell'aggettivo possessivo e del pronome
possessivo c'è l'*articolo determinativo*.
Però l'articolo determinativo normalmente *non* si usa
con i nomi di famiglia (padre, madre, sorella, ecc.), al *singolare*:
- **Mia** madre si chiama Paola.
Ma al *plurale*:
- **I miei** nonni sono molto vecchi.

Con **loro** si usa l'articolo anche al singolare:
- **La loro** sorella fa la parrucchiera.

> A volte l'aggettivo possessivo
> è dopo il nome. Ad esempio:
> - Stasera vengo a
> cena a casa tua.
> - Mamma mia!

> Ieri sera ho visto **un mio** amico
> che non incontravo da anni.
> Anche nella tua lingua si usa
> l'articolo indeterminativo (**un**)
> seguito dal possessivo (**mio**)?

 **1 Completa le frasi con i nomi del riquadro. Ricordati di concordare gli aggettivi e di mettere gli
articoli, dove necessario. Attenzione: i nomi del riquadro sono al singolare.**

1 Ieri sera mi …a…… nonna…. è stata male e … …….mi………. hanno dovuto chiamare … ……………........

2 Secondo molta ………………… gli ………………… sono indispensabili nella società d'oggi.

3 … ………………… scolastic… italiano sta subendo grandi trasformazioni.

4 La settimana scorsa in tv è iniziata un… nuov… ………………… di ………………… poliziesc….

5 Non mi piacciono … nuov… ………………… italian….

6 Adoro … ………………… della Sardegna.

> *spiaggia, zio, gente, sistema, film, targa, serie, nonna, medico, psicologo*

Esercizio di ripasso: i tempi del verbo

 2 Metti i verbi al tempo giusto.

1 Se ……fa/farà……… (*fare*) bello, domani …..vado/andrò.. (*andare*) in piscina.

2 Ieri sera ………………… (*vedere*) mia cugina. ………………… (*andare*) a mangiare una pizza.

3 Mamma, mi ………………… (*comprare*) un gelato?

4 Non è possibile, anche oggi ………………… (*piovere*).

5 Lunedì scorso il Presidente del Consiglio ………………… (*ricevere*) la visita del Presidente francese.

6 Quest'estate Sonia e Patricia forse ………………… (*tornare*) in Inghilterra.

7 L'anno scorso ………………… (*fare*) un incidente in moto e mi ………………… (*rompere*) un braccio.

8 Cristina non ………………… (*alzarsi*) mai tardi, ma questa mattina ………………… (*alzarsi*) alle 11.

sommario

Abbina le frasi o espressioni alla descrizione sotto.

1 Mamma mia!

2 No, fermo!

3 Questa al centro la conosci, è la sorella di mia madre e quello è un suo cugino.

4 Sì, come mai me lo chiedi?

5 Mi fai un favore?

6 Che casino!

In questa unità abbiamo imparato a:

4	**a** Chiedere la causa, esprimendo sorpresa	....
	b Chiedere un favore	....
	c Interrompere bruscamente	....
	d Esprimere sorpresa	....
	e Indicare cose o persone	....
	f Esprimere disorientamento	....

E se le frasi che hai imparato fossero filosofia shakespeariana?

1 Completa le frasi seguenti con *bello*, *bene*, *buono* secondo il senso.

1 Prendere troppo sole non fa molto ....bene........ alla pelle.

2 Elena e Andrea hanno scoperto un nuovo ristorante dove si mangia ....
e si spende poco.

3 In quel negozio vendono elettrodomestici di .... qualità.

4 Con quel vestito Marta sta molto ....

5 Franco è proprio un .... amico. Se ho un problema mi dà sempre
.... consigli.

6 Se farà .... il fine settimana andremo in barca a vela.

7 Alla Mostra del Cinema di Venezia si vedono sempre dei .... film.

..... / 7

2 La tua segreteria telefonica non funziona molto bene. Completa i messaggi.

- Ciao Anna, sono tornato dalla Cina. Ti ho porta..to.. un sacco di regali. Delle cami.......
  di seta per te e dei gio....... cinesi per i bambini. Chiama....... quando torni. Ciao.

- Ciao Mary. Volev....... informarti che per cambiare i soldi in Italia, il sabato le ban.......
  sono chius......., ma gli uffi....... di cambio sono sempre aperti. Ti aspetto, ciao.

- Ciao Francesca, sono Marta. Senti, ti ringraz....... per la cami....... che mi hai regalato,
  ma purtroppo per me è un po' troppo lar....... e ha le maniche troppo lun.......
  Potrei cambiar....... con una di taglia più piccola? Sappimi dire. Ti abbraccio, a presto.

- Ciao Francesca, sono io, Mario. Allora senti, per arrivare a casa mia, dev....... prendere
  da Piazza Dante, guardando la chiesa, la strada a destra. Devi passare de....... alberg.......
  e due farma....... Quando arrivi all'uffi....... postale giri a sinistra e trovi subito casa mia.
  Ti aspetto alle otto, ciao.

..... / 17

3 Riordina le frasi.

1 a miei Parigi ho dei amici dei incontrato buoni

....

2 molto e passato posti visto momenti Grecia abbiamo dei bei belli in

....

3 idea un dato mi ha un' molto amico bella

....

..... / 3

4 Leggi le istruzioni nella tabella e associale all'elettrodomestico corrispondente. Osserva l'esempio.

	🪨	▭	▭	🗑	▯
Pulire i filtri periodicamente.			X		
Dopo l'uso lasciatelo raffreddare in posizione verticale.					
Dopo ogni impiego lavare sempre con acqua calda e detersivo per piatti.					
Il filo non deve toccare la piastra quando è calda.					
Non caricate troppo la macchina. Un peso eccessivo può danneggiarla.					
Non dimenticare nelle tasche monete, graffette e spille.					
Prima di aprire, far scorrere sopra il coperchio un leggero getto d'acqua fredda.					
Quando esce vapore dalla valvola ridurre al minimo la fonte di calore.					
Ricordarsi di togliere la spina e di chiudere i rubinetti dell'acqua dopo ogni ciclo.					
Togliere sempre la spina dalla presa prima di mettere l'acqua.					

..... / 9

5 Metti le frasi al plurale.

1 Maria ha invitato a cena un suo vecchio amico di scuola.

....

2 Dalla mia finestra vedo un albero molto bello.

....

3 Lo zio di Paola è medico.

....

4 Luisa mi ha mostrato una sua foto da piccola.

....

5 A Parigi c'è un bel parco per passeggiare.

....

..... / 5

6 Trova e sottolinea la parola che non c'entra.

1 Libro – radio – cinema – fiore
2 moto – chiave - mano – dentista
3 bello – buono – bene – simpatico
4 sistema – problema – caffè - foto

..... / 4

NOME:
DATA:
CLASSE:

totale ..... / 45

Sei una persona che si emoziona facilmente? Guarda gli aggettivi del riquadro e poi fa' le attività 1, 2, 3.

brutto, allegro, arrabbiato, depresso, eccitante, felice, impressionante, infelice, orribile, bello, preoccupato, triste, terribile, deprimente, interessante, noioso, annoiato, spaventato, magnifico, indifferente, agitato, calmo, sorpreso, deluso

1 Quali aggettivi associ a questi quadri?

2 Come ti senti quando ascolti questi brani musicali?

3 Come ti senti quando fa caldo e c'è il sole? O quando...
Insieme a un compagno usate questi aggettivi, parlando dei vostri stati d'animo.

Esempio: quando ho fame sono/mi sento depresso

> Con i seguenti aggettivi si può dire sia
> **mi sento...**, che **sono...**
>
> arrabbiato, depresso, felice, triste,
> infelice, preoccupato, allegro,
> annoiato, spaventato, indifferente

4 Ascolta il dialogo. Come ti sembrano le persone?

Sandro	Maria
Calmo	

5 Ora ascolta e leggi il dialogo.

Sandro: Pronto?

Maria: Sandro, ciao sono Maria. Come va?

Sandro: Ciao Maria, bene e tu?

Maria: Sto bene, grazie. Oggi è San Valentino!

Sandro: Ah, già, ma sai, in Italia non è una festa così importante, è un modo per far spendere dei soldi alla gente e basta.

Maria: Allora non sei stato tu…

Sandro: Io? A fare?

Maria: Mi è arrivato uno splendido mazzo di rose e credevo che… ma no scusa.

Sandro: Dai, te l'ho già detto: in Italia San Valentino… in realtà non me ne ricordo mai…

Maria: Allora, vai a Venezia o no?

Sandro: Penso di sì; ci vado domenica… ma non cambiare discorso…

Maria: C'è anche una cartolina. Ne hai spedita una simile a tua cugina quando eravamo a Firenze…

Sandro: Scusami di nuovo, non ne so nulla!

Maria: Va bene, se non ne sai nulla, non te ne parlo.

Sandro: Ogni volta mi metto nei guai con te! Non sono un vero italiano! Forse ne hai appena incontrato uno che ha tutte le carte in regola… con tutti i fiori e le belle parole che sa scrivere!

Maria: Le hai anche tu, e non dire stupidate sugli uomini italiani, non sono così ingenua…

José è messicano?

Penso di sì / Penso di no.
Credo di sì / Credo di no.

▶▶ **Alla scoperta della lingua**

Come si usano **tutto** e **ogni**?

Leggi attentamente il testo e completa le frasi:

Tutti ……… anni in agosto vado al mare.
Tutte ……… mie amiche sono sposate.
Vado a letto tardi ogni ser… .
Ogni student… deve conoscere queste regole.

Avere le carte in regola:
essere adatto, andare bene.

▶▶ **Alla scoperta della lingua**

Nel dialogo Sandro e Maria usano spesso le parole **ne** e **ci**. Prova a completare le frasi. Nella sezione di grammatica ti spieghiamo meglio la regola.

- Hai parlato a qualcuno del tuo nuovo lavoro?
- No, non …… ho ancora parlato con nessuno.
- Mi hanno detto che John è tornato in America, ma io non … sapevo niente.
- Quando vai a Parigi, …… vengo anch'io.
- Quanti libri hai letto questo mese?
- …… ho letti 3.

6 Secondo te, quale biglietto ha trovato Maria nelle rose?

Ti auguro
un buon
San Valentino

con tanto
affetto

Il profumo di queste
rose non è niente in
confronto al ricordo
dei tuoi occhi!
Spero di rivederti
presto.

Un tuo
ammiratore

7 Hai appena conosciuto una delle persone nelle foto e te ne sei innamorato/a. Ma questa persona non ne sa nulla! Scrivile un biglietto d'amore.

8 Chi ha scritto il biglietto più bello? Ascoltate i biglietti letti dai vostri compagni e scegliete il più bello.

9 Sei una persona romantica o un tipo pratico? Oppure preferisci le cose tragiche? Scrivi una storia usando alcune o tutte tra le seguenti parole.

chiave   colazione

ragazza   ristorante   stanza   hotel   valigia   passaporto

telefono   notte   cena   reception   uomo   stanza

10 Ora ascolta il dialogo. Quali differenze ci sono tra la tua storia e la conversazione?

11 Insieme a un compagno, parlate delle differenze che avete trovato tra la vostra storia e il dialogo.

12 Ascolta nuovamente il dialogo. Quali servizi senti?

Ristorante		

13 Leggi l'opuscolo sull'hotel che ha ricevuto Maria, poi decidi se le affermazioni sono vere o false e correggi le false.

Benvenuti all'Hotel Bellavista

Il nostro personale vi augura un piacevole soggiorno e vi ricorda che □ sempre a vostra disposizione per ogni necessit□. Basta chiamare la reception dal telefono della vostra stanza: #9.

Telefono
Se volete chiamare un numero telefonico esterno, formate lo 0 seguito, dopo alcuni secondi, dal numero della persona cui desiderate telefonare. Attenzione! Consultate l'opuscolo sui costi delle telefonate dall'albergo che trovate sotto al telefono. Per chiamare un ospite in un'altra stanza, componete direttamente il numero della stanza.

Ristorante
Non andate via senza provare il nostro ristorante. Non ci dimenticherete facilmente!

Colazione:	dalle 7 alle 10.
Pranzo:	dalle 12 alle 15.
Cena:	dalle 19 alle 23.

Servizi in camera

• *Pulizie:*
il nostro personale pulisce e riordina la vostra camera ogni giorno.
Per ragioni di protezione dell'ambiente (risparmio dell'energia e minore inquinamento da detersivi) gli asciugamani non sono cambiati ogni giorno. Vi preghiamo di appoggiarli sul lavandino del bagno quando volete che siano sostituiti.

• *Servizio ristorante:*
formate il 12 se desiderate ordinare qualcosa da mangiare o da bere durante il giorno, o per fissare l'orario della colazione in camera.

• *Giornali:*
potete chiedere i giornali che desiderate alla reception e il giorno successivo li porteranno in camera all'ora desiderata.

• *Servizio lavanderia:*
utilizzate i sacchetti che trovate nell'armadio per il nostro sevizio lavanderia. E' possibile far lavare e stirare i vestiti, la consegna avviene entro 24 ore. Attenzione! E' necessario compilare la scheda che trovate di fianco ai sacchetti, dove sono anche indicate le tariffe.

Partenza
Il giorno della partenza vi preghiamo di liberare la stanza entro le ore 12. In caso contrario dovrete pagare un giorno in più di soggiorno.

Servizi vari
Per rendere più piacevole il soggiorno dei nostri ospiti abbiamo a disposizione gratuitamente il servizio di sauna, bagno turco e idromassaggio. Visitateci.

Alla reception potete richiedere le chiavi per la cassetta di sicurezza posta all'interno del vostro armadio. Anche questo servizio è gratuito.

L'hotel rimane aperto 24 ore su 24.

Per qualsiasi altra necessità (sveglia, servizio fax e e-mail o altro), rivolgetevi alla reception.

1 Per chiamare la reception bisogna formare il numero 9.
...Vero...

2 Le tariffe per chi chiama dall'hotel sono uguali a quelle dei telefoni pubblici.
....

3 In hotel è possibile far colazione, pranzare, ma non cenare.
....

4 Alla reception si trovano tutti i giornali.
....

5 Ogni giorno il personale addetto pulisce la stanza e cambia gli asciugamani.
....

6 Il giorno della partenza bisogna lasciare la stanza entro le 12, altrimenti si paga il 10% in più.
....

7 Ci sono altri servizi a disposizione, ma tutti a pagamento.
....

fonologia • Intonazioni per esprimere stati d'animo • Raddoppiamento sintattico (1)

1 Ascolterai la stessa frase pronunciata con sei diverse intonazioni. Scrivi accanto ad ogni intonazione il numero corrispondente.

In realtà non me ne ricordo mai

a .... neutro   **b** .... felice

c .... triste   **d** .... sorpreso

e ...4.... disgusto   **f** .... arrabbiato

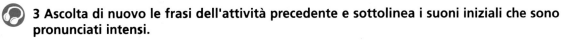

Hai notato che molti italiani pronunciano i suoni iniziali di alcune parole con più intensità?
Succede quando sono precedute da certe parole.
Questo fenomeno si chiama **raddoppiamento sintattico.**
Troverai altre informazioni nell'Unità 10.

2 Ascolta le frasi.

1 Come mai?
3 Se non stai fermo ti farà male!
5 Certo che qualche volta la vita è bella!
7 Ma guarda! E' qui sotto!

2 Domani vado a Roma!
4 Può darsi che venga anch'io domani!
6 Ma dove è andata?
8 L'ha già fatto?

3 Ascolta di nuovo le frasi dell'attività precedente e sottolinea i suoni iniziali che sono pronunciati intensi.

4 Leggi le frasi dell'attività 2. Fa' attenzione al raddoppiamento sintattico.

lessico

1 Forma delle coppie di contrari con gli aggettivi del riquadro.

...... Bello .... ▶ ..... Brutto .... ▶ ....

.... ▶ .... ▶ ....

.... ▶ .... ▶ ....

.... ▶ .... ▶ ....

brutto, allegro, arrabbiato, depresso, eccitante, felice, impressionante, infelice, orribile, bello, preoccupato,
triste, terribile, deprimente, interessante, noioso, annoiato, spaventato, magnifico, indifferente, sorpreso, deluso

2 Formare delle coppie, in questo caso di contrari, è spesso un buon modo per ricordare parole nuove. Purtroppo non sempre è facile trovare i contrari. Prova adesso a completare questo schema, inserendo gli aggettivi con cui non sei riuscito a formare coppie di contrari.

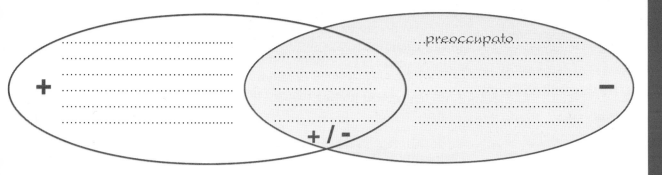

**3 Guarda le figure dei due hotel.
Quale preferisci per le tue vacanze?
Con un compagno parlate
della vostra scelta, motivandola.**

4 Quali servizi vorresti trovare in un hotel di lusso?

Servizi in camera	
Televisore a colori	Frigobar
Colazione in camera	Aria condizionata
Telefono	Ferro da stiro
Asciugacapelli	Giornali
Cassetta di sicurezza	

Servizi all'interno dell'hotel	
Ristorante	Piano bar e cabaret
Piscina	Negozi
Sauna, bagno turco e massaggi	Parcheggio
Servizio lavanderia	Portiere di notte
Bar	

5 Secondo te, quali altri servizi deve avere un hotel di lusso? Scrivine almeno 3.

L'italiano è un amante perfetto e un marito insopportabile.

E' mammone.

Stereotipi!

L'uomo italiano è un eterno bambino.

E' romantico.

E' tenero e affettuoso.

Non ti aiuta nemmeno se lo paghi!

abilità

1 E voi cosa ne pensate

2 Leggi il testo e fa' l'attività.

IL PRINCIPE AZZURRO

Come deve essere il principe azzurro del nuovo millennio?
Le donne di tutte le nazionalità stanno diventando sempre più esigenti in fatto di uomini.
Si è parlato, e si parla ancora, di crisi del modello di uomo maschio e virile. Le donne sembrano preferire un uomo più dolce e più attento alla vita della famiglia e ai figli e più pronto ad aiutare in casa. Crisi del maschio latino, *macho* e un po' rude, che torna a casa stanco dal lavoro e vuole trovare tutto pronto?
Di certo l'uomo italiano non è il massimo come uomo di casa! Se, da una parte, ha ancora la fama di amante passionale, dall'altra, come marito, presenta alcuni difetti: aiuta poco nei lavori di casa, è disordinato e soprattutto non è fedele. Una donna di 35 anni, divorziata da poco tempo, confessa: "Dopo la mia esperienza matrimoniale credo che se penserò a risposarmi, sceglierò un uomo più affidabile e meno maschilista e comunque non sposerò mai più un italiano. Il mio ideale è l'uomo inglese, forse un po' freddo all'apparenza, ma che nella vita di tutti i giorni sa essere più presente e che soprattutto se si innamora di un'altra ti lascia subito senza ingannarti per anni…".
Della stessa idea pare essere Giulia, 20 anni studentessa universitaria: "Dopo la mia esperienza di studio all'estero ho capito che non sposerei mai un uomo italiano. Sono mammoni, poco autosufficienti nelle cose di tutti i giorni, vogliono sempre comandare e per di più appena si presenta l'occasione ti tradiscono".
Non sappiamo fino a che punto queste affermazioni corrispondano alla verità ma è certo che nel nostro paese i maschi nordici in generale ci appaiono più affidabili dei nostri *latin lover*.

LE QUALITA' PIU' IMPORTANTI *

FEDELTA'	34,0%	CAPACITA' DI PARLARE	11,0%	GENEROSITA'	16,2%
VALORI MORALI	25,1%	BELLEZZA	5,4%	CAPACITA' DI ASCOLTARE	11,4%
SIMPATIA	18,4%	INTELLIGENZA	27,3%	CAPACITA' AMATORIA	5,8%
PULIZIA E IGIENE	13,1%	AFFIDABILITA'	23,4%	VALORI POLITICI	0,4%

ogni donna intervistata poteva dire più di una qualità

Indica quali affermazioni corrispondono al contenuto dell'articolo.

1 Le donne non pretendono sempre di più dagli uomini. ☐
2 La figura dell'uomo forte e *macho* è sempre meno amata dalle donne. ☐
3 Il maschio italiano difficilmente aiuta in casa. ☐
4 Il maschio italiano difficilmente tradisce la propria compagna. ☐
5 Secondo le donne italiane gli uomini dei paesi nordici sono come gli italiani. ☐
6 Tutte le donne intervistate affermano che l'uomo italiano è corretto. ☐

3 Ascolta le interviste e rispondi alle domande.

	Prima donna	Uomo	Seconda donna
L'uomo italiano è un eterno bambino?			
L'Italiano è un amante perfetto e un marito insopportabile?			
E' romantico?			
E' tenero e affettuoso?			
E' mammone?			
Non ti aiuta nemmeno se lo paghi?			

▶▶▶▶ **Anticipare e inferire**

Come abbiamo visto nell'Unità 2, prima di leggere o ascoltare qualcosa è importante pensare al possibile contenuto del testo. È un modo per prepararsi alla lettura o all'ascolto e per renderli più facili. Dopo aver pensato a ciò che sappiamo o alla nostra esperienza su un argomento specifico, è spesso utile parlarne con i compagni per dare più concretezza e precisione alle nostre anticipazioni e per utilizzare le conoscenze degli altri.

 **4 Leggi il titolo della canzone.
Secondo te di cosa parlerà?**

Il cielo in una stanza

 5 Ora leggi la canzone. Avevi indovinato?

*Quando sei qui con me
questa stanza non ha più pareti
ma alberi, alberi infiniti
quando sei qui vicino a me
questo soffitto viola no, non esiste più
io vedo il cielo sopra noi
che restiamo qui
abbandonati*

*come se non ci fosse più
niente, più niente al mondo.
Suona un'armonica, mi sembra un organo
che vibra per te e per me
su nell'immensità del cielo.
Per te, per me
per te, per me
nel cielo.*

Gino Paoli, l'autore.

 **il dizionario**

*Ti presentiamo alcune attività che possono essere utili
per abituarti a usare il dizionario monolingue.*

 **6 Analizza come è fatto il dizionario, rispondendo alle domande.
È un aiuto per imparare a usare un dizionario tutto italiano.**

1 Il dizionario ha una lista delle abbreviazioni, ecc. usate?
2 Dov'è questa lista? È in una posizione facile da trovare?
3 Usa anche dei simboli?
4 C'è una spiegazione dei simboli?
5 Dà informazioni sulla pronuncia?

 **7 Rileggi la canzone, cerca sul dizionario le parole che non conosci e continua a rispondere
alle domande.**

6 Le spiegazioni sono chiare?
7 Sono chiare le differenze dei vari significati delle parole?
8 Ci sono molti esempi di uso delle parole?
9 Gli esempi aiutano la comprensione?
10 Ci sono informazioni che non sono indispensabili per capire il significato? Se sì, quali?

 **8 A coppie cercate un'altra parola della canzone sul dizionario e cercate di interpretare i simboli
e le abbreviazioni senza guardarne le liste.**

 **9 Scriviamo una "poesia" d'amore insieme! Ascolta la parola che dice l'insegnante e scrivi una
frase. Poi nascondi la tua frase e passa il foglio a un tuo compagno. Riceverai un foglio da un
altro compagno. Non leggere ciò che c'è scritto.**

grammatica

Tutto

Si usa come aggettivo e come pronome.

Tutto (pronome)

- Ho capito **tutto**: tu non mi ami più.
- **Tutti** ti vogliono bene, ma tu non ci credi.

Tutto (aggettivo)

Quando è aggettivo è seguito dall'articolo determinativo.

- Vado al supermercato **tutti *i* giorni**.
- Ho lavorato **tutta *la* sera** e ora sono stanco.

Quando **tutto** è seguito da un numero, tra **tutto** e il numero
c'è una **e**.

- **Tutte e 3 le sorelle** di Fabio vivono a Bologna.

Il passato prossimo si usa spesso con parole come: già, appena, ancora, non ancora, ormai.

 1 Trasforma le frasi come nell'esempio.

1 Oggi non ho ancora preso nessuna medicina.

.....*Oggi ho già preso tutte le medicine.*...

2 Non ho ancora visto nessun film con Tom Cruise.

....

3 Per Pasqua non ho visto nessuno dei miei tre fratelli.

....

4 Nessuno parla volentieri del proprio passato.

....

5 Ormai non mi ricordo più niente di quello che ho studiato a scuola.

....

6 Non conosco ancora nessuno dei tuoi amici.

....

Ogni

Significa **tutto** ma non cambia mai ed è seguito da un nome sempre al singolare.

- Ogni volta (*tutte le volte*) che vado a Venezia, mangio in un ristorante vicino a Piazza San Marco.

 2 Trasforma le frasi usando *ogni*.

1 Faccio mezz'ora di passeggiata tutti i giorni.

.....*Faccio mezz'ora di passeggiata ogni giorno.*.....................................

2 Tutte le sere mangio almeno 100 grammi di pasta.

....

3 Tutte le volte che vedo tua nonna, mi ricordo del regalo che mi ha fatto.

....

4 E' vero che tutti gli italiani conoscono qualcosa del calcio?

....

5 Domani tutti gli studenti devono arrivare a scuola prima delle 9 per fare il test d'ingresso.

....

6 Tutti gli italiani di età superiore ai 18 anni possono votare.

....

amore

Ci e Ne

Ci si usa per sostituire una determinazione di luogo e significa **qui**, **lì**.

- Sei mai stato a Parigi?
- Sì, ci sono andato quattro mesi fa.

Ci si usa anche con verbi seguiti dalle preposizioni **a** (pensare a, credere a), **su** (contare su), **con** (parlare con, giocare con) e in questo caso significa **a/su/con** *questo*, **a/su/con** *lui/lei/loro*.

- Hai pensato **a** dove andare in vacanza quest'estate?
- Sì, **ci** ho pensato, ma non ho trovato niente che vorrei veramente fare.

- Giochi spesso a tennis con Paolo?
- No, non **ci** gioco quasi mai.

Conosci già altri usi di ci:
- Ci dai un bicchiere d'acqua per favore? = a noi.
- Ci siamo alzati presto stamattina. = noi (riflessivo);
- Oggi in classe non ci sono molti studenti. = c'è / ci sono.

con **avere**:

Nella lingua parlata, **ci** si usa anche in altre espressioni:

- Dov'è la mia camicia a righe?
- Io non **ce l**'ho.

Con **farcela** = riuscire:

- Sei pronto per l'esame di spagnolo?
- No, penso che non **ce la farò** a darlo.

Vedi RETE! 1, Unità 14.

- Quanto tempo **ci** vuole per arrivare a Napoli?
- **Ci** vogliono più o meno 3 ore.

Ne si usa per sostituire un complemento o un'intera frase introdotta da **di** e significa **di questo**, **di lui/lei/loro**, **da questo luogo**.

- Sai che Luigi si sposa?
- Sì, me **ne** ha parlato Simona.

Ne = di questa cosa.

- Hai sentito che è scoppiata la guerra?
- No, non **ne** so niente.

Ne = di questa cosa.

 3 Rispondi alle domande con *ne* o *ci*.

1 E' lontana Milano? Quanto ci vuole per arrivarci? .....*Ci vogliono circa due ore.*.............................

2 Sai qualcosa di Maria? .....*No,*...

3 Hai pensato a cosa fare stasera? .....*Sì,*...

4 Hai parlato con Abel ieri sera? .....*Sì,*...

5 Credi in Dio? .....*Sì,*...

6 Posso contare sul tuo aiuto per fare trasloco? .....*Sì,*...

7 In classe avete parlato della gita a Verona? .....*No,*...

8 Sei sicuro di voler comprare una macchina nuova? .....*No,*..

9 Hai bisogno di un aiuto per pitturare la tua stanza? .....*Sì,*...

10 Sei mai stato in Spagna? .....*No,*...

Il *Ne* partitivo

Osserva l'esempio:

> - Quanti viaggi farai quest'anno?
> - **Ne** farò due, forse tre.

Ne sostituisce la parola *viaggi*, è un pronome ed è obbligatorio usarlo.

Osserva adesso il prossimo esempio. Quando si usa **ne**?

> - Fammi vedere il pacchetto! Quante sigarette hai fumato oggi?
> - E' vuoto! **Le** ho fumate tutte. Ah, no, ecco l'ultima. **Ne** ho fumate 19.

Ne indica una parte del tutto e quindi non si usa quando c'è la parola
tutto. In questo caso si usa **lo/la/l'/li/le**.

> - C'è ancora della torta?
> - Penso di sì, io non **ne** ho mangiata. Ah, no, guarda! E' finita. **L'**ha
>   mangiata **tutta** Matteo.

Quando la quantità è *zero*, cioè niente o nessuno, si usa **ne**.

Nei **tempi composti** (passato prossimo) il participio si accorda con il nome sostituito da **ne**. Anche se c'è avere
come verbo ausiliare.

> - Quant**i** film di Kusturica hai visto?
> - **Ne** ho vist**i** tre.

Quando la quantità è *zero* (*nessuno, niente*), il participio è sempre al singolare, ma si accorda con il nome per il
genere (maschile o femminile).

> - Qual**i** canzon**i** di Ramazzotti preferisci?
> - Non lo so, non **ne** ho sentit**a** **nessuna**.

> Il **ne** si usa anche in espressioni fisse o a volte quando non è necessario.
> - Non **ne** posso più, ho voglia di cambiare mestiere.
> - Non voglio più stare in casa, me **ne** vado a fare un giro.   (Andarsene)
>
> E in questo uso tipico della lingua parlata:
> - **Di** studenti bravi, **ne** ho visti molti, ma come lui...

4 Rispondi alle domande.

1 Quante sigarette fumi al giorno? .... *Ne fumo dieci.* ....

2 Quante persone conosci in Italia? .... *molte.* ....

3 Quante riviste compri ogni settimana? .... *nessuna.* ....

4 Quanti libri leggi mediamente ogni anno? .... *sei.* ....

5 Guardi molti programmi sportivi in televisione? ...... *Sì,* .... *alcuni.* ....

6 Spendi molti soldi ogni mese? .... *Sì,* .... *tutti.* ....

7 Hai molti amici stranieri? .... *No,* .... *nessuno.* ....

8 Quali città della Toscana conosci? .... *tutte.* ....

✏️ **5 Metti le frasi dell'esercizio 4 al passato prossimo.**

1 Quante sigarette .... *hai fumato* .... ieri?
.... *Ne ho fumate dieci.* ....

2 Quante persone .... in Italia?
.... *molte.* .....

3 Quante riviste .... la settimana scorsa?
.... *nessuna.* ....

4 Quanti libri .... già .... quest'anno?
.... *sei.* ....

5 .... molti programmi sportivi in televisione la settimana scorsa?
Sì, ... *alcuni.* ....

6 .... molti soldi il mese scorso?
Sì, ... *tutti.* ....

7 .... molti amici stranieri?
No, ... *nessuno.* ....

8 Quali città della Toscana .... (visitare)?
.... *tutte.* ....

📖 **6 Leggi la lettera che ha ricevuto Maria e completala con un verbo del riquadro. Attento al tempo!**

Cara Maria,
non so perché, ma stamattina .... ho capito .... che ti dovevo
scrivere una lettera. Non chiedermi perché (2)........................... il tuo
indirizzo dal tuo passaporto. (3)........................... l'attrazione che
provo per te.
Aiutami a capire che cosa mi (4)...........................! Non ho mai creduto
nell'amore, ma ora ci (5)...........................!
Da quando (6)..........................., ho bisogno di te.
Ne (7)........................... ogni momento del giorno e della notte.
(8)........................... di ricordare com'eri vestita quando
(9)........................... dall'albergo.
Ma non ne (10)...........................
Mi ricordo solo i tuoi occhi tristi e stupendi. Non ne posso più di stare qui.
(11)........................... via presto. Forse andrò in Argentina perché
voglio scoprire se là le donne sono come te. Non mi abituerò all'idea che non sei
qui con me. Non mi ci (12)........................... mai!
Scrivimi se vuoi. Puoi contare su di me, se hai bisogno di aiuto. Ci potrai
(13)........................... sempre.

Tuo per sempre
Salvatore

---

prendere, partire, succedere, essere sicuro, credere, contare, andarsene, avere bisogno, cercare, capire, abituarsi, uscire, essere

civilità **Innamorati famosi**

1 Il gioco delle coppie. Leggi i nomi nei cuori e prova a formare 5 coppie di innamorati famosi. Se hai qualche dubbio leggi le brevi storie di ogni coppia nell'esercizio che segue.

1 Francesca
4 Dante
3 Silvia
5 Leopardi
8 Renzo
6 Paolo
2 Romeo
10 Lucia
9 Giulietta
7 Beatrice

2 Abbina a ogni coppia la propria storia.

1

.... e ....
Vivevano nel castello di Gradara vicino a Rimini e lui era il cognato di lei.
Passavano molto tempo insieme a leggere e si sono innamorati quasi senza volerlo. Il marito quando ha scoperto che il fratello e la moglie erano amanti li ha uccisi.
Sono i protagonisti di uno dei più bei canti dell'Inferno di Dante.

2

.... e ....
Lui è uno dei più grandi poeti italiani dell''800. Per lei ha scritto una delle sue poesie più belle: A Silvia. Non si hanno testimonianze dirette del loro amore, molto probabilmente è stato solo un amore platonico sognato dal poeta.

3

.... e ....
È una coppia della letteratura, sono gli eterni Promessi sposi del romanzo di Alessandro Manzoni, grande scrittore italiano del XIX secolo. Sono i protagonisti di un amore molto contrastato, per arrivare al tanto sognato matrimonio devono combattere contro ricchi proprietari terrieri, misteriosi signori, malattie e guerre.

4

.... e ....
Lui è il grande poeta italiano del '300 conosciuto in tutto il mondo ed era sposato, ma non con lei.
Anche il loro è stato probabilmente un amore più letterario che reale.
Lei lo accompagna nel viaggio in Paradiso che lui ha descritto nella Divina commedia.

5

.... e ....
Vivevano a Verona e si amavano anche se le loro famiglie, i Montecchi e i Capuleti, erano nemici mortali.
Dovevano sposarsi in segreto, ma qualcosa non ha funzionato e loro si sono dati la morte perché non potevano vivere l'uno senza l'altra.
Sono i protagonisti di una famosa tragedia di William Shakespeare.

sommario

 Abbina le frasi o espressioni alla descrizione sotto.

1 Mi sento depresso.

2 Pronto?

3 Come va?

4 Sto bene, grazie.

5 Secondo me…

6 Penso di sì.

7 Penso di no.

8 Scusami di nuovo, non ne so nulla!

9 Va bene, se non ne sai nulla, non te ne parlo.

 In questa unità abbiamo imparato a:

3	**a**	chiedere come sta una persona	....
	b	esprimere stati d'animo e emozioni	....
	c	esprimere un'opinione negativa	....
	d	esprimere opinione positiva	....
	e	iniziare una conversazione telefonica	....
	f	scusarsi	....
	g	esprimere opinione	....
	h	dire come sta una persona	....
	i	esprimere rassegnazione	....

1 Nel diagramma si nascondono sei aggettivi che indicano diversi stati d'animo.
Trovali e scrivili sotto la vignetta con l'espressione corrispondente.

M	A	N	D	E	O	P	D	D	T	P	U	S
E	N	E	R	U	L	R	E	C	I	R	N	P
N	I	C	H	I	A	E	P	A	T	E	L	A
U	I	N	N	A	M	A	R	A	T	A	P	V
F	A	B	O	L	R	C	E	N	A	C	O	E
C	H	E	D	R	A	C	S	M	A	C	O	N
O	N	D	S	A	U	U	S	R	T	U	F	T
O	L	A	S	F	E	P	A	V	P	P	O	A
L	E	A	V	A	R	A	O	L	T	A	S	T
M	O	L	A	C	H	T	L	O	D	T	R	O
N	U	L	M	E	I	A	I	R	D	O	T	U
N	A	E	C	U	L	I	O	R	E	A	N	O
S	A	G	E	R	A	C	L	O	R	D	R	A
A	R	R	A	B	B	I	A	T	O	E	S	O
M	A	O	G	L	I	N	C	D	U	N	A	S

1 ....   2 ....   3 ....

4 ....   5 ....   6 ....

..... / 12

2 Sottolinea la risposta corretta.

1 Franco, hai saputo della cena di domani?
No, non   **a** me so
      b ne so   niente.
      c ci so

2 Marta, vai spesso in palestra?
Sì   **a** ci vado ogni
      b ci vado ognuno   giorno.
      c ci vado molto

3 Elena, hai già deciso quando parti?
Non ancora, forse **a** mi vado
      b ci vado   domani.
      c me ne vado

4 Ti piacciono i film di Fellini?
Certo,   **a** li hi visto
      b li ho visti   tutti.
      c ne ho visti

5 Quanti dischi di Ligabue hai?
Ne ho   **a** nessuno.
      b tutti.
      c cinque.

6 Marta, hai saputo che Anna si sposa?
Sì, io ancora **a** non la
      b non ci   credo.
      c non ne

..... / 6

3 Metti in ordine le frasi.

1 a per Venezia ore Milano vogliono andare circa da tre ci

....

2 abita mai va di a cinema ci ma non fronte Paola un

....

3 prendo faccio sette se la treno delle ce il

....

4 ma non estero se ne me vado all' lavoro trovo

....

..... / 4

4 Completa il testo con *ci* o *ne*.

Nel nostro paese .... sono sempre meno matrimoni. Una recente ricerca conferma la crisi della famiglia tradizionale. Un italiano su tre resterà scapolo o nubile. Risulta che il 4% dei matrimoni non .... la fa a superare il primo anniversario, mentre il 15% degli intervistati confessa che non .... può più del matrimonio già dopo i primi 4 anni. Diminuiscono i sostenitori del matrimonio; a causa di dubbi, diffidenze, timori sono ormai numerosi coloro che del matrimonio non .... vogliono proprio sapere, e molti giovani intervistati sul loro futuro hanno risposto che al matrimonio non .... pensano proprio.
In realtà quelli che non si sposano lo fanno perché di famiglia .... vogliono una sola: quella d'origine. Ragazzi e ragazze rimangono con i genitori; case non se .... trovano, si entra nel mercato del lavoro più tardi e i maschi, in particolare, sempre più mammoni, non se .... vanno mai di casa, restano con i genitori.

..... / 8

5 Un tuo amico vuole venire a trascorrere le vacanze in Italia.
In base alle vignette scrivi una breve lettera in cui descrivi l'albergo che gli hai prenotato.

....

....

....

....

....

....

....

..... / 10

| NOME: |
| DATA: |
| CLASSE: |

totale ..... / 40

1 Leggi il testo e completalo.

L'alimentazione dei Romani.

I pasti giornalieri dei Romani ....*erano*.......... normalmente tre:

la colazione del mattino, il pranzo del mezzogiorno e la cena (di solito alle tre del pomeriggio).

La colazione e il pranzo (2).......................... spuntini leggeri e veloci; la cena invece (3)..........................

il pasto più ricco e importante della giornata. Nelle case povere la gente (4).......................... seduta intorno

a un rozzo tavolo di legno e la cena (5).......................... di piatti molto semplici: minestre di verdura e di

cereali, pesce, qualche volta carne, legumi, formaggi e frutta, soprattutto secca. Nelle case ricche si

(6).......................... sdraiati su appositi lettini messi intorno a un tavolo: la cena (7)..........................

con un antipasto di olive, uova e funghi (8).......................... con varie portate di carne, legumi e pesce, il

cibo preferito dai romani, e (9).......................... con un dessert di frutta fresca e secca, dolci di farina,

miele, formaggi. Con i vari piatti si (10).......................... vino mescolato con acqua calda o fredda, oppure

con miele. Durante i banchetti più importanti (11).......................... musiche, danze, letture di opere

poetiche, esibizioni di comici.

> beveva, consisteva, mangiava, erano, finiva, continuava, c'erano, era, cominciava, cenava, erano

▶▶ **Alla scoperta della lingua**

L'imperfetto indicativo. Completa la tabella.

Infinito	Imperfetto
Mangiare	I Romani .... sdraiati.
Consistere	La cena .... di piatti semplici.
Finire	La cena .... con un dessert.
Essere	I pasti dei Romani .... tre.

> **Spuntino:** *è un pasto molto leggero che si consuma soprattutto tra i pasti, a metà mattina, tra la colazione e il pranzo o nel pomeriggio, tra il pranzo e la cena.*

 2 Cosa mangeresti come spuntino? A coppie guardate le foto e cercate di scoprire il nome dei cibi e delle bevande nelle foto che non conoscete.

    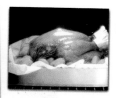 

     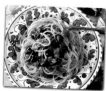

3 A quale genere appartengono i seguenti prodotti? Completa la tabella.

Frutta	Cereali	Legumi	Carne	Latticini
Arance				

arance, grano, mele, fagioli, riso, fettina, cotoletta, mozzarella, piselli, pere, uva, pollo, yogurt, fragole

4 Ascolta l'intervista e rispondi brevemente alle domande.

1 Chi sono i personaggi? ....

....

2 Di cosa parlano? ....

....

....

....

5 Ascolta nuovamente l'intervista e decidi se le affermazioni sono vere o false.

        Vero Falso

1 Gli Italiani hanno sempre mangiato gli stessi cibi.   ☐   ☒

2 Nel 1200 in Europa la gente mangiava molte patate, pomodori e mais.   ☐   ☐

3 Negli anni '60 si pensava che mangiare carne facesse sempre bene.   ☐   ☐

4 Mangiare molta carne, formaggi, latte non va bene a causa dei grassi.   ☐   ☐

5 Alla dieta degli Italiani oggi mancano certi alimenti.   ☐   ☐

6 Oggi in Italia non si mangia abbastanza.   ☐   ☐

6 A ciascuna delle seguenti frasi corrisponde una foto in bianco e nero. Abbinale.

1 Il carro e il cavallo erano il mezzo di trasporto principale.
2 Il lavoro nei campi era soprattutto manuale.
3 Si faceva la spesa al mercato.

1	2	3

7 E nel tuo paese? E' cambiata la dieta delle persone?

[*foto tratte da I Paisan. Immagini di fotografia contadina della Bassa padana di Giuseppe Morandi]

8 E oggi cosa è cambiato? Scrivi una frase per ogni foto che rappresenta il mondo di oggi.

Esempio: - Ora si fa la spesa al supermercato.

 9 Ora lavorate in piccoli gruppi. Pensate al vostro paese e trovate 5 aspetti della vita che sono cambiati negli ultimi 100 anni.

Esempio: - Una volta solo i ricchi avevano la macchina, ora tutte le famiglie hanno una o più macchine.

 10 Di quando è la foto? Come vivevano i bambini in quell'epoca? Scrivi alcune frasi sui seguenti aspetti della vita dei bambini.

a - a scuola
b - giocando con gli altri bambini
c - cibo
d - soldi a disposizione

Esempio: Nella stessa classe c'erano molti bambini.

 11 Ascolta i ricordi della Signora Porta e controlla quello che hai scritto. Dice cose simili?

12 Ora tocca a voi. A coppie, pensate alla vostra vita da bambini e dite cosa è cambiato.

13 ▶▶ | **Alla scoperta della lingua** |- **Osserva l'esempio e completa la spiegazione.**

| *Imperfetto* | *Passato prossimo* |

Ieri sera mentre **mangiavo**   **è suonato** il telefono.

.... si usa nelle frasi che descrivono azioni in svolgimento.

.... si usa nelle frasi che descrivono azioni che interrompono azioni in svolgimento.

14 Cosa è successo a Filippo ieri sera? Ascolta i rumori e fa' delle frasi come nell'esempio.

Esempio: Ieri sera mentre mangiava, sua madre lo ha chiamato.

Ti presentiamo qui una storia di un famoso autore italiano. Ci saranno parole che non conosci, ma spesso non saranno fondamentali per capire il senso. Usa il dizionario solo per cercare le parole indispensabili per la comprensione. Vedrai anche che per capire un testo non solo le parole sono importanti, ma anche la struttura interna. E ci sono, come già hai visto, varie strategie per aiutarti a capire di più; ad esempio: pensare in anticipo al contenuto del testo e usare le conoscenze che ognuno possiede, non solo quelle linguistiche.

 1 Leggi il titolo. Secondo te, di cosa parla la storia?

 2 Guarda le immagini e scrivi sotto forma di appunti la storia che rappresentano.

 **3 Ora prova a raccontare
a un compagno la tua storia.**

 Gianni Rodari
(Omegna, Novara 1920 - Roma 1980).
Giornalista e scrittore per ragazzi.

 4 Leggi i paragrafi della storia scritta da <u>Gianni Rodari</u> e mettili in ordine.

(Il palazzo del gelato)

1 Un bambino piccolissimo si era attaccato a un tavolo e gli leccò le zampe una per una, fin che il tavolo gli crollò addosso con tutti i piatti, e i piatti erano di gelato al cioccolato, il più buono.

2 E giù tutti a leccare più presto, per non lasciar andare perduta una sola goccia di quel capolavoro.

3 Ancora adesso, quando i bambini chiedono un altro gelato, i genitori sospirano: - Eh, già, per te ce ne vorrebbe un palazzo intero, come quello di Bologna.

4 Una volta, a Bologna, fecero un palazzo di gelato proprio sulla Piazza Maggiore, e i bambini venivano di lontano a dargli una leccatina.

5 Un generoso pompiere corse a prenderle una poltrona di gelato alla crema e pistacchio, e la povera vecchietta, tutta beata, cominciò a leccarla proprio dai braccioli.

6 Una guardia del Comune, a un certo punto, si accorse che una finestra si scioglieva. I vetri erano di gelato alla fragola, e si squagliavano in rivoletti rosa.

7 Il tetto era di panna montata, il fumo dei comignoli di zucchero filato, i comignoli di frutta candita. Tutto il resto era di gelato: le porte di gelato, i muri di gelato, i mobili di gelato.

8 - Una poltrona! - implorava una vecchiettina, che non riusciva a farsi largo tra la folla, - una poltrona per una povera vecchia. Chi me la porta? Coi braccioli, se è possibile.

9 - Presto, - gridò la guardia - più presto ancora!

10 Fu un gran giorno, quello, e per ordine dei dottori nessuno ebbe il mal di pancia.

[da Gianni Rodari, Favole al telefono, Einaudi 1971]

lessico

1 Completa gli schemi.

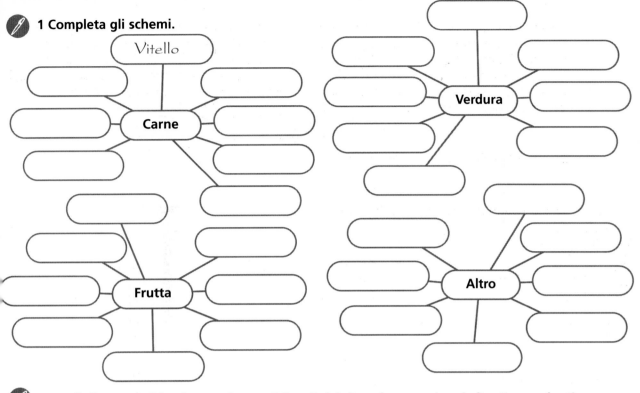

Carne — Vitello

Verdura

Frutta

Altro

2 Quali di questi cibi usi normalmente? Scegli dal riquadro e aggiungi altre 3 cose che ti piacciono.

vino, birra, acqua, piselli, carne di maiale, carne di manzo, pesce, pane, biscotti, verdura, uova, formaggio, pollo, salumi, tacchino, burro, cipolle, aglio, pasta, riso, frutta, caffè, tè, latte, olio, aceto, sale, pepe, zucchero

1 - ………………………………   2 - ………………………………   3 - ………………………………

3 Abbina i verbi del riquadro ai disegni.

………………… ………………… ………………… ………………… ………………… ………………… …………………

tagliare, bollire, friggere, mescolare, arrostire, cuocere al forno, assaggiare

4 Ascolta un cuoco italiano che spiega come si cucina e completa la ricetta.

Il pollo arrosto

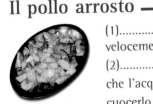

(1)………………… il pollo in parti più o meno piccole per cucinarlo meglio e più velocemente.

(2)………………… in un tegame. Ricoprirlo d'acqua e farlo (3)………………… fino a che l'acqua si sia completamente assorbita. (4)………………… il pollo al forno e cuocerlo. Nel frattempo, se si desidera, preparare le patate. (5)………………… le patate in olio o (6)………………… al forno. (7)………………… ogni tanto per evitare che si attacchino.

Non dimenticare il condimento sia per il pollo che per le patate.

civiltà — Alla ricerca del negozio perduto

Abituati a supermercati sempre più grandi, ipermercati, centri commerciali dove troviamo ogni tipo di oggetto e alimento, quasi non ci accorgiamo che alcuni negozi e mestieri di un tempo non ci sono più o stanno scomparendo.

 1 Provate a fare una lista dei negozi e dei mestieri che non si trovano più, o il cui numero è comunque notevolmente diminuito con gli anni, nei vostri paesi.

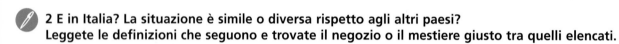 **2 E in Italia? La situazione è simile o diversa rispetto agli altri paesi?**
Leggete le definizioni che seguono e trovate il negozio o il mestiere giusto tra quelli elencati.

1 In questo tipo di negozio si potevano acquistare spezie (una volta si chiamavano droghe), tè, caffè, prodotti per la pulizia della casa e generi alimentari di uso non comune.

2 Chi faceva questo mestiere poteva avere un negozio, ma più spesso era un ambulante, cioè girava per le città con un carretto che conteneva tutti i suoi attrezzi. Il suo lavoro consisteva nel fare diventare nuovi tutti gli oggetti che servivano per tagliare: forbici, coltelli, ecc. Oggi, quasi sempre, preferiamo buttare le forbici che non tagliano più.

3 In questo negozio si comprava tutto il necessario per cucire i vestiti: ago, filo, bottoni, nastri, cerniere, ecc.

4 In questo negozio si trovavano soprattutto oggetti di ferro per la casa o per fare piccoli lavori: chiodi, viti, martelli, ecc.

5 Questo mestiere non è completamente scomparso, ma sono senz'altro diminuite le persone che lo fanno. Molti dei grandi stilisti italiani lo hanno fatto prima di diventare famosi o avevano genitori che lo facevano. Cucivano vestiti su misura per i clienti e allora si poteva essere sicuri che il vestito fatto da loro era davvero unico. Oggi, i pochi rimasti, sono carissimi e solo le persone molto ricche possono permetterseli.

6 Il numero di questi negozi è lentamente diminuito con gli anni e ha cambiato aspetto, spesso vi si comprano oggetti più sofisticati ed eleganti che difficilmente si trovano nei supermercati, oppure vi troviamo soprattutto materiale per ufficio. Un tempo invece quaderni, penne, matite, gomme, fogli colorati, si potevano acquistare solo lì.

7 Fortunatamente, anche se un po' diminuiti, ci sono ancora tanti negozi di questo genere. Una volta però c'era quello "di fiducia" dove potevi trovare quel tipo di prosciutto particolare o quel formaggio caratteristico che solo lui aveva…

grammatica

L'IMPERFETTO

I - ARE: *amare*	II - ERE: *perdere*	III - IRE: *dormire*
(io) am - **avo**	(io) perd - **evo**	(io) dorm - **ivo**
(tu) am - **avi**	(tu) perd - **evi**	(tu) dorm - **ivi**
(lui, lei) am - **ava**	(lui, lei) perd - **eva**	(lui, lei) dorm - **iva**
(noi) am - **avamo**	(noi) perd - **evamo**	(noi) dorm - **ivamo**
(voi) am - **avate**	(voi) perd - **evate**	(voi) dorm - **ivate**
(loro) am - **avano**	(loro) perd - **evano**	(loro) dorm - **ivano**

Verbo *essere*
(io) **ero**
(tu) **eri**
(lui, lei) **era**
(noi) **eravamo**
(voi) **eravate**
(loro) **erano**

> Nell'imperfetto l'accento cade sulla penultima vocale, ad esempio:
> io traduc**e**vo, voi am**a**vate, noi av**e**vamo, ecc.
> La terza persona plurale (loro) ha l'accento sulla terzultima vocale, ad esempio:
> loro tradu**ce**vano, am**a**vano, av**e**vano, ecc.

Alcuni verbi irregolari.

> Sono verbi che nell'imperfetto riprendono le origini latine: facere, dicere, ecc.

Dire > dicevo
Fare > facevo
(Pro)porre > (pro)ponevo
Tradurre > traducevo.
Bere > bevevo

L'**imperfetto** si usa
1 - per esprimere azioni in *svolgimento* nel passato, "interrotte" da altre espresse con il passato prossimo (o il passato remoto. Vedi Unità 11):

- Mentre **camminavo, sono caduto.**

> In questo caso si usano spesso espressioni come: quando ero piccolo/giovane, da piccolo/giovane, quando avevo 15 anni, quando andavo a scuola, ecc.

2 - per esprimere azioni *ripetute* o *abituali* nel passato:

- Quando **andavo** all'università, non mi **piaceva** mangiare in mensa.

3 - per esprimere due o più azioni di durata indeterminata, *contemporanee* nel passato:

- Ieri sera io **giocavo** a carte con alcuni amici, mio figlio **dormiva** e mia moglie **guardava** la tv.

4 - per descrivere persone, ambienti, luoghi, situazioni:

- Mio zio Luigi **era** molto simpatico e si **vestiva** sempre di blu.
- La casa della mia infanzia **era** molto grande, **c'erano** molte stanze.
- Ieri sono andata al mare, il tempo **era** bello, **c'era** il sole, il mare **era** calmo.

| Stare + gerundio - l'imperfetto |

Il verbo **stare + gerundio** indica un'azione *in svolgimento*.

Si può usare anche all'imperfetto per descrivere le azioni nei casi del punto 1 sopra.

- Ieri sera **stavo dormendo** davanti alla televisione, quando è iniziato un film che mi interessava.

L'uso di questa forma non è obbligatorio. Al suo posto si può usare l'imperfetto.

Attenzione però: si usa solo con certi verbi! Cioè con i verbi che esprimono un'azione e normalmente non si usa con quelli di sentimento o opinione, essere, avere, dovere, volere, potere, sapere, stare, ecc.

1 Completa il testo con un verbo all'imperfetto.

Ieri mattina in piazza ....c'erano........ molte persone. Subito non (2).......................... perché,
(3).......................... tanta gente entrare e uscire dai negozi. Poi (4).......................... un gruppo di tifosi
in festa che (5).......................... La gente (6).......................... felice.
Io (7).......................... a pensare mentre mi (8).......................... all'università. (9)..........................
fare un esame, i miei studenti mi (10).......................... . L'orologio (11).......................... le otto e un
quarto: (12).......................... il tempo per un caffè, giusto per svegliarmi e sentirmi meno debole dopo
l'influenza dei giorni scorsi. Il bar (13).......................... pieno di gente, chi con un bicchiere di vino, chi con
un amaro o una grappa; "Va bene che fa freddo!" ho pensato "Ma fare colazione con una grappa, mi sembra
troppo! Strana gente gli italiani.
E ancora più strani mi (14).......................... ieri, dopo la colazione a base di grappa e vino,
(15).......................... tutti in fila davanti al cinema, alle otto e mezza di mattina. Forse l'influenza
(16).......................... ricominciando? Davanti all'università, luogo di scienza, ho improvvisamente capito
tutto: avevo dormito tutta la notte e tutto il giorno, (17).......................... in ritardo di dodici ore.

2 Cos'è cambiato nella vostra vita? Lavora con un compagno. Fatevi delle domande e date le risposte.

	Oggi	Da bambino
Cosa/piacere/mangiare?		
Cosa/fare/nel tempo libero?		
Cosa/fare/in estate?		
Quali sport/praticare?		
Quali programmi televisivi/guardare?		
Quali libri o giornali/leggere?		
A che ora/alzarsi/e/cosa/fare/ al mattino?		

3 Scegli tra passato prossimo e imperfetto, cerchiando la forma corretta.

1 Quando la sveglia è suonata/suonava, sono saltato/saltavo giù dal letto.

2 Da bambino, sono andato/andavo al mare tutte le estati.

3 Quando siamo arrivati/arrivavamo al cinema, il film stava iniziando.

4 Ho comprato/compravo un gatto per mia sorella.

5 Ho parlato/parlavo con Mario del suo nuovo lavoro.

6 Ho aperto/aprivo la finestra e ho visto/vedevo che stava piovendo.

4 Completa le frasi con il passato prossimo o l'imperfetto.

1 Ieri …*ho preparato*.. (*preparare*) una nuova ricetta vietnamita.

2 Ogni volta che Silvia mi (2)………………… (*vedere*), (3)………………… (*ricordare*) sempre delle nostre vacanze a Parigi.

3 Quando (4)………………… (*essere*) bambino, (5)………………… (*andare*) spesso in piscina.

4 A vent'anni (6)………………… (*andare*) a studiare un anno negli Stati Uniti.

5 Ieri sera mentre (7)………………… (*aspettare*) il telegiornale, (8)………………… (*guardare*) un documentario interessante.

6 Quando (9)………………… (*essere*) al liceo, non (10)………………… (*capire*) niente di matematica.

5 Fa' delle frasi come nell'esempio.

1 Mangiare / bussare alla porta.

…*Quando stavo mangiando, qualcuno ha bussato alla porta.*………………

2 Uscire / pioveva.

……………………………………………………………………………………

3 Arrivare a teatro / l'opera iniziare.

……………………………………………………………………………………

4 Entrare nella mia camera / mia madre leggere il mio diario.

……………………………………………………………………………………

Ripasso e ampliamento delle espressioni di luogo.
 6 Metti l'espressione di luogo sotto la figura giusta.

     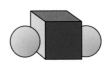

1 …*Sopra*… **2** ………… **3** ………… **4** ………… **5** ………… **6** …………

   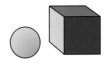

7 ………… **8** ………… **9** ………… **10** ………… **11** …………

> davanti a, dentro a, di fianco a, dietro, fra/tra, fuori di, lontano da, attraverso, sotto, su/sopra, vicino a

Nota le preposizioni che alcune di queste espressioni richiedono.

7 Completa la tabella con i contrari.

Sopra	Sotto
Dietro	
Innanzi	
Vicino	
Dentro	

 8 Completa le frasi con un'espressione di luogo.

1 Guarda! Ho trovato un braccialetto ....*dentro all'*...... uovo di Pasqua.

2 Mi è caduto un libro .... armadio. Non riesco più a prenderlo.

3 Ho messo il giornale .... televisione. Puoi prendermelo per favore?

4 Dopo un po' di tempo non è bello vivere .... casa, soprattutto durante le feste.

5 Chi è quel signore seduto .... il sindaco e il prefetto?

6 Parigi è .... Londra, ma .... Sidney.

7 Ho nascosto il regalo per Fausto .... letto. Speriamo che non lo trovi.

8 Smettila di stare tutto il tempo .... specchio!

fonologia • L'italiano parlato nel Nord Italia • /tʃ/ vs. /ttʃ/ • /dʒ/ vs. /ddʒ/

1 Nell'attività 11 hai ascoltato la signora Porta parlare del cibo e della sua infanzia. La signora Porta è un parlante dell'Italia del nord, più precisamente di Milano. Vediamo alcune caratteristiche di questa varietà di italiano.

• I suoni vocalici /e/ /ɛ/ tonici ("e" chiusa/aperta) tendono a essere pronunciati in modo diverso dalla pronuncia standard, o dalla pronuncia di un parlante dell'Italia centrale. Infatti, alle orecchie di un fiorentino o di un romano, sembra quasi che un parlante lombardo scambi la "e" chiusa con la "e" aperta e viceversa.
Ad esempio, mentre la parola *bene* è pronunciata da un romano /'bene/, da un milanese è pronunciata /'bene/.
Una parola come *freddo* è pronunciata /'freddo/ da un parlante lombardo e /'freddo/ da un parlante toscano.
Questa caratteristica vale anche per i parlanti dell'Emilia Romagna, Piemonte, Liguria.

• Raddoppiamento sintattico. Nelle varietà di italiano del nord il raddoppiamento sintattico non esiste.
Puoi osservare la cartina geografica nella sezione fonologia dell'UD10 per vedere meglio in quali parti d'Italia puoi ascoltare questa caratteristica.

> Hai notato che gli italiani parlano con molte pronunce diverse? Da questa unità cominceremo a esaminare alcune pronunce regionali. Continueremo a studiarle anche nel terzo volume.
> Per ora è importante cominciare a distinguere tra le pronunce dell'Italia del nord, del centro e del sud.

2 Ascolta questi brevi monologhi pronunciati da persone provenienti da diverse città del nord, del centro e del sud.

a Ciao, mi chiamo Stefano, ho 23 anni e sono di Milano. Studio scienze politiche all'università e il pomeriggio faccio il pony express per una ditta di spedizioni. Nel tempo libero mi piace fare passeggiate all'aria aperta.

b Ciao, io sono Francesca. Ho 36 anni. Sono nata a Firenze dove lavoro, faccio il medico dentista. Nel tempo libero mi piace rilassarmi leggendo un buon libro.

c Mi presento, sono Giovanna, sono di Napoli e ho 19 anni. Sono al primo anno di lingue all'università. Nel tempo libero mi piace vedermi con gli amici, andare al mare e prendere il sole.

d Ciao, io sono Carlo, ho 34 anni e vivo in un paesino vicino Bologna. Ogni giorno vado a lavorare a Bologna, dove ho un piccolo negozio di oggetti di antiquariato. A me piace molto il mio lavoro, anche se qualche volta mi secca prendere il treno per andare a lavorare.

3 Ascolta le parole e fa' un segno accanto alla parola che riconosci.

passeggero	☒
passegero	☐
passeghero	☐

gochia	☐
goccia	☐
gocia	☐

viagiare	☐
viaghiare	☐
viaggiare	☐

villagio	☐
villaggio	☐
villago	☐

Sergio	☐
Sergo	☐
Serghio	☐

lachi	☐
lacci	☐
laci	☐

posteggi	☐
posteghi	☐
postegghi	☐

salsiche	☐
salsice	☐
salsicce	☐

agiato	☐
aggiato	☐
aghiato	☐

annunci	☐
annunchi	☐
annuncci	☐

carcciofo	☐
carciofo	☐
carchiofo	☐

capace	☐
capacce	☐
capache	☐

abbracchio	☐
abbraco	☐
abbraccio	☐

proteggere	☐
protegghere	☐
protegere	☐

seggiola	☐
segiola	☐
segghiola	☐

congelare	☐
conggelare	☐
conghelare	☐

aggitare	☐
agitare	☐
aghitare	☐

Ti ricordi dei suoni intensi /ttʃ/ e /ddʒ/?
Devono essere pronunciati con più forza rispetto ai corrispondenti suoni
brevi /tʃ/ e /dʒ/. Inoltre, hai notato che prima di pronunciare
i suoni /tʃ/ e /dʒ/ nella parola c'è una brevissima pausa? Quando
pronunci i suoni /ttʃ/ e /ddʒ/ questa pausa è leggermente più lunga.

4 Insieme a un compagno leggi le parole dell'esercizio precedente.

sommario

 Abbina le frasi o espressioni alla descrizione sotto.

1 Ieri sera io giocavo a carte con alcuni amici, mio figlio dormiva e mia moglie guardava la tv.

2 Ieri sera stavo dormendo davanti alla televisione, quando è iniziato un film che mi interessava.

3 Mentre camminavo, sono caduto.

4 Quando andavo all'università, non mi piaceva mangiare in mensa.

5 Una volta solo i ricchi avevano la macchina, ora tutte le famiglie hanno una o più macchine.

6 Mio zio Luigi era molto simpatico e si vestiva sempre di blu.

In questa unità abbiamo imparato a:

4	**a** Esprimere azioni ripetute o abituali nel passato.	....
b Parlare di un'azione in svolgimento nel passato.	....
c Descrivere luoghi, situazioni, persone al passato.	....
d Esprimere azioni contemporanee nel passato.	....
e Esprimere azioni nel passato, interrotte da altre.	....
f Confrontare il passato e il presente.	....

UN CRUCIVERBA IMPERFETTO...
In questo cruciverba sono compresi tutti gli imperfetti che hai trovato negli esempi in questa pagina.
Prova a sistemarli nelle caselle giuste

1 Trova le 6 espressioni di luogo nascoste nella tabella.
Possono essere scritte in orizzontale verticale o in diagonale. Osserva l'esempio.

A	D	F	U	T	D	U	A	S	O	F
N	U	T	S	A	C	O	V	S	I	O
B	L	M	*D*	*I*	*E*	*T*	*R*	*O*	A	C
C	O	L	F	D	H	E	R	T	N	U
E	O	V	D	A	V	A	N	T	I	P
S	O	P	R	A	I	B	U	O	Z	A
P	B	R	R	A	C	A	S	D	G	P
A	C	T	E	A	I	M	D	A	U	B
E	T	Z	D	A	N	M	T	C	I	O
A	I	S	A	I	O	F	U	O	R	I

..... / 5

2 Associa a ogni alimento le caratteristiche più corrispondenti.

Maturo								
Crudo								
Intero								
Invecchiato								
Secco								
Dolce								
Piccante								
Forte								
Aspro								
Scremato								

..... / 19

3 Associa il verbo alla definizione.

1 Soffriggere   **a** Cuocere mediante bollitura nell'acqua.
2 Lessare   **b** Cuocere in olio, in burro o grasso bollente.
3 Rosolare   **c** Cuocere a fuoco lento fino a ottenere una sottile crosta dal caratteristico colore dorato.
4 Friggere   **d** Cuocere a fuoco basso in olio o grasso bollente.

1	2	3	4

..... / 4

4 Associa i verbi agli alimenti corrispondenti. Osserva l'esempio.

Tagliare		×				
Versare						
Fondere						
Pelare						
Tritare						

..... / 6

5 Completa il testo con l'imperfetto, *stare* più gerundio o il passato prossimo dei verbi tra parentesi.

Elena: - Pronto Luisa, sono Francesca, ti disturbo?

Luisa: - No, figurati (*guardare*) .... un film noioso alla televisione. Dimmi tutto.

E: - Senti questa. Oggi, mentre (*aspettare*) .... l'autobus per tornare a casa, qualcuno mi (*chiamare*) .... dall'altra parte della strada. Al primo momento non (*riconoscere*) l'...................., poi (*vedere*) .... che (*essere*) .... Annie... Annie Stratford. Ti ricordi?

L: - Come no, Annie, di Toronto, che sorpresa!

E: - Proprio lei. Adesso lavora in Italia per una ditta canadese. (*venire*) .... a vivere a Firenze. Non ci (*telefonare*) .... perché non (*avere*) .... più il nostro indirizzo. Mi (*dire*) .... che (*cercare*) .... un ristorante e così (*inviare*) l'.................... a casa mia.

L: - Le (*dare*) .... il mio telefono? Mi piacerebbe rivederla. Certo, Annie mi (*chiedere*) .... tanto di te. Comunque mentre (*mangiare*) ...., (*decidere*) .... di fare qualcosa insieme sabato prossimo. Ci stai?

E: - Certo, Annie mi è molto simpatica. Dai, allora ci vediamo sabato tutte e tre.

L: - D'accordo, ciao.

E: - Ciao, buonanotte.

..... / 16

6 In base alle vignette scrivi una breve storia utilizzando il passato prossimo e l'imperfetto.

Il signor De Marchi aveva una grande passione per il cibo. Amava molto andare al ristorante dove...

....
....
....
....
....
....
....
....
....
....

..... / 10

| NOME: |
| DATA: |
| CLASSE: |

totale ..... / 60

1 Osserva le foto. Secondo te che mestiere fa Cinzia Preite? Fa' alcune ipotesi.

unità 5
telelavorando

 2 Pensi di aver avuto una buona idea? Lavora con due compagni. Confrontate le vostre idee e scegliete la più originale.

 3 Leggi velocemente il testo e completa le frasi che lo riassumono.

1 Si tratta di un testo ....

2 La ditta si trova ....

3 La ditta produce ....

4 La ditta vende i suoi prodotti ....

L'ape

Spesso abbiamo sentito dire che l'ape è un insetto sociale. Forse non abbiamo mai capito bene perché: cos'è che rende l'ape così speciale in natura? L'ape dimostra capacità organizzative straordinarie che le permettono di condurre una vita ben strutturata e ordinata. Vive nell'alveare, che è una vera e propria colonia formata da migliaia di individui. All'interno dell'alveare i singoli individui hanno compiti diversi. Le api operaie portano all'alveare il cibo che viene trasferito da un individuo all'altro. Per la ricerca del cibo in modo organizzato le api esploratrici trasmettono il messaggio necessario agli altri individui dell'alveare. L'ape regina, invece, è la madre di tutte le api dell'alveare ed è stimolata a produrre le uova a seconda della disponibilità di cibo dell'ambiente esterno. La cera che le api producono serve per la costruzione dei favi necessari alla regina per deporre le uova. La crescita della colonia porta all'aumento degli individui nell'alveare, fino a che un gruppo si stacca per dar vita a un nuovo alveare. Una colonia d'api è costituita dalla regina e da un numero di api operaie che possono variare a seconda della stagione da 10.000 durante l'inverno a 50.000-90.000 durante l'estate. Ci sono anche i maschi, dai 200 ai 1000 presenti solo durante la primavera e l'estate quando sono allevate le nuove api regine. Oltre agli adulti esistono anche le api giovani che sono allevate nelle piccole celle fatte di cera. Ognuno ha un compito essenziale nell'alveare e mentre lavora per garantire la vita della società, garantisce anche la propria esistenza.

I nostri prodotti

Noi abbiamo imparato a conoscere e ad amare le api e i loro prodotti, ed è con questo amore e rispetto che vi offriamo la nostra linea di prodotti unica in Italia per la sua completezza. Ormai da diversi anni, nella natura incontaminata delle colline toscane lavoriamo uniti dalla passione per la natura, ma soprattutto per le api e per il loro mondo: piante, fiori, ecc. Le api producono miele, pappa reale, propoli e cera e noi ve li offriamo per la vostra salute e per la vostra bellezza, ma anche per rendere sempre più dolce la vostra vita e più bella la vostra casa.

Linea dolcezza
Il miele.
Il miele esiste da sempre e da millenni l'uomo utilizza questo meraviglioso frutto della natura per nutrirsi, per curarsi, ma prima di tutto per il suo delizioso sapore! Abbiamo vari tipi di miele, ma tutti sono garantiti! Il nostro miele è un prodotto naturale e genuino al 100%.

Linea bellezza
Costituita dai prodotti biologici naturali delle api. Tutti i nostri prodotti sono a base di Miele, Pappa Reale, Propoli.
Per i capelli: shampoo al miele o alla pappa reale.
Per il corpo: crema da giorno e da notte alla pappa reale e pollini. Bagno schiuma al miele.
Per il viso: latte detergente al miele e propoli.

Linea salute
E per la vostra salute:
Propoli: l'antibiotico naturale. In gocce, compresse e spray. Le Api usano questa sostanza per difendere l'alveare dalle malattie. Ha grandi proprietà antisettiche e rappresenta quindi il mezzo naturale per l'igiene dell'alveare.
Pappa reale: contro l'affaticamento e la stanchezza. In gocce e compresse. È prodotta dalle api per nutrire la futura regina. Potenzia le risorse naturali dell'organismo.

Linea casa
Tre tipi di cera per la vostra casa.

La nostra cera utilizza il prodotto che rimane dopo aver raccolto il miele.
Cera pavimenti: è una cera liquida che protegge e nutre i pavimenti di legno. Ideale per ogni tipo di legno, è a base esclusivamente di sostanze naturali. Completamente atossica.
Cera mobili: è una cera solida ottima per i mobili antichi, ma adatta anche ai mobili moderni in vero legno.
Cera per cotto: è il prodotto ideale per i pavimenti in cotto. E la novità assoluta di quest'anno. Abbiamo riscoperto e riproposto un'antica ricetta rinascimentale. Lascia un profumo delizioso, per utilizzarla basta aggiungere un po' d'acqua e si lucida senza fatica.

Le nostre api. **Sulle colline della provincia di Lucca, da anni produciamo e vendiamo in tutto il mondo i migliori prodotti italiani.**
Contattateci o visitate il nostro sito.
Tel. 0583 986755 - Fax 0583 986754 - E-mail: commerciale@lenostreapi.it - www.lenostreapi.it

[Adattato da www.lenostreapi.it]

4 Leggi attentamente la parte di testo che si intitola *L'ape* e se necessario correggi le affermazioni.

1 La vita dell'ape è ben strutturata e organizzata.

.................*Va bene*...

2 L'ape regina lavora per procurare il cibo per tutto l'alveare.

....

3 Nell'alveare ognuno ha compiti diversi.

....

4 La cera che le api producono serve per crescere alcuni individui giovani

....

5 Niente e nessuno può dividere l'alveare.

....

6 L'ape regina è in grado di generare migliaia di nuovi individui.

....

> *Essere in grado/Essere capace = potere/sapere.*
> *Le api sono in grado di produrre miele, propoli, pappa*
> *reale. Io non sono capace di nuotare.*

5 Leggi il testo che riguarda i prodotti della ditta *Le nostre api* e rispondi alle domande.

1 Nessuno può resistere alla dolcezza di questo prodotto......*Miele*...

2 In natura esistono alcuni tipi di questa sostanza...

3 Qualcuno usa questa sostanza per curarsi quando ha il mal di gola o il raffreddore. ....

4 Molti la usano per lucidare e proteggere il pavimento o i mobili...

5 Qualcuno lo mette nel tè o nel caffè al posto dello zucchero...

6 Quando qualcuno si sente stanco, la può prendere al posto delle medicine.......................................

6 Cinzia parla del proprio lavoro. Ascolta quello che dice e indica se le affermazioni sono vere o false.

	Vero	Falso
1 Cinzia è laureata.	☒	☐
2 Quando ha finito di studiare ha trovato un lavoro facilmente.	☐	☐
3 I genitori di Cinzia le hanno lasciato una casa in campagna.	☐	☐
4 Cinzia non sopporta le api.	☐	☐
5 Cinzia non sa usare i computer.	☐	☐
6 Cinzia vende i prodotti della sua ditta in tutto il mondo.	☐	☐

7 ▶▶ | **Alla scoperta della lingua** | Ascolta nuovamente la registrazione e completa le nuvolette.

> Tutti .... dicevano che era un momento difficile.

> Io .... ripetevo sempre che non mi interessava.

> Ho detto basta e .... sono andata.

8 Cinzia sta lavorando con la sua segretaria. Completa il dialogo.

Cinzia: Allora, Francesca, c'erano varie cose da fare oggi. Hai parlato al Sig.Ferraro dell'ultima spedizione?

Francesca: Sì, ... questa mattina.

Cinzia: Hai mandato il fax con l'offerta alla Ditta Antonioli?

Francesca: No, ...

Cinzia: E quando lo farai?

Francesca: Lo sto scrivendo. .... tra dieci minuti.

Cinzia: Ah, devi telefonare a quelli dell'assistenza dei computer per dirgli che il server è rotto.

Francesca: Guardi che .... ieri. Vengono oggi verso le 6.

Cinzia: E quando ce lo riportano?

Francesca: Dicono che .... possono riportare fra tre giorni.

9 Adesso ascolta il dialogo e fa' la parte di Francesca.

10 Ascolta nuovamente il dialogo e controlla la parte di Francesca.

> ▶▶ **Alla scoperta della lingua**
>
> Osserva le frasi:
> - Ce lo possono riportare domani.
> - Possono riportarcelo domani.
> Con potere (ma anche dovere, volere, sapere) ci sono due modi possibili di costruire una frase.

abilità

▶▶▶▶ *Se non l'hai mai fatto, usare il telefono in una lingua straniera può diventare un'esperienza piuttosto imbarazzante. In questa unità ti presentiamo una serie di strategie utili per poter utilizzare il telefono, per lavoro, ma non solo. Naturalmente la pratica della lingua è sempre indispensabile.*

1 Ascolta la conversazione telefonica tra il Sig. Del Re e la segretaria del Dott. Aloisio. Sottolinea le espressioni che senti.

2 Il Sig. Del Re riesce a risolvere il suo problema? Ascolta nuovamente la conversazione.

3 Ora tocca a voi. A coppie, seguite lo schema proposto e provate a creare una conversazione telefonica.

A

B

Il Dott. Bianchi della Mirax chiede di parlare con il Direttore.

Dice che è in riunione.

Chiede quando sarà libero.

Non lo sa, offre di prendere un messaggio.

Preferisce richiamare più tardi.

Offre di passargli il Vicedirettore, se è libero.

Dice che è urgente.

Gli chiede di aspettare in linea.
L'interno è occupato.

Chiede di riferire al direttore che il Dott. Bianchi
ha bisogno urgente di parlargli.

Prende il messaggio e dice che glielo darà
appena lo vede.

Ringrazia e saluta.

Si scusa e saluta.

4 Ripetete la conversazione invertendo i ruoli.

5 Ascolta i messaggi e scrivili.

1

PER: Francesca	**DATA:**
messaggio:	

2

PER:	**DATA:**
messaggio:	

3

PER:	**DATA:**
messaggio:	

Divani & Co. S.r.l.
di Mario Piola
Via Romualdi 5
Roma

A:	Sig. Serena	**Fax:**	06 64453881
Da:	Divani & Co di Mario Piola	**Data:**	6-03-2001
Ogg.:	Richiesta di preventivo	**Pagine:**	1
CC:			

☒Urgente　☐Da approvare　☐Richiesti commenti　☐Risposta necessaria　☐Da inoltrare

Nota

Gent. Sig. Serena,

Come da accordi presi telefonicamente con la sua segretaria, le invio la presente richiesta per un preventivo per una fotocopiatrice digitale, in sostituzione della nostra vecchia macchina.

Le caratteristiche principali che richiediamo sono:
copie all'anno: circa 20 000;
fogli A3 e A4;
possibilità di raccogliere i fogli in fascicoli;
possibilità di utilizzo come stampante nel computer.
La nostra vecchia macchina, come potrete verificare nei vostri archivi, è stata acquistata nove anni fa e ha fatto circa 150 000 copie. La prego di inserire nel preventivo anche una quotazione della macchina usata che vi consegneremmo.
Il preventivo ci occorre entro e non oltre dopodomani.
Ringraziando anticipatamente e in attesa di una sua pronta risposta, porgo
distinti saluti
Mario Piola

1 È la riga in cui si dice che cosa sarà il contenuto del fax o della lettera.	*oggetto*
2 È una forma per rivolgersi alla persona cui si scrive.	
3 È un modo per introdurre il motivo per cui si scrive.	
4 È la riga che chiude il testo della lettera e precede i saluti finali.	
5 È uno dei modi per salutare in modo cortese e formale.	

un altro modo formale e gentile per salutare è **Cordiali saluti**

Altri modi:
Spett. = Spettabile, quando si scrive a una ditta, oppure **Egr.** = Egregio, quando si scrive a un uomo, al posto della forma **Gent.** = Gentile che si usa ormai sia per gli uomini che per le donne.

7   Ora tocca a te. Rispondi al fax elaborando gli appunti del Sig. Serena.

▶▶   **Alla scoperta della lingua**

A che cosa serve DATO CHE?
a Indicare la causa.
b Esprimere il tempo.
c Introdurre un'ipotesi.

Com'è il verbo che segue?
a All'infinito
b All'indicativo
c Al gerundio

DATO CHE serve per introdurre la causa.
È cioè una congiunzione causale.
È seguito da un'intera frase con il verbo
all'indicativo.
*Altre espressioni con lo stesso significato
sono:* **VISTO CHE, SICCOME, POICHÉ.**

- *Dato che/visto che/siccome/poiché*
  piove, oggi pomeriggio resto
  in casa.

- *Oggi pomeriggio resto in casa,*
  dato che/visto che/siccome/poiché
  piove.

 ATTENZIONE!
Significano "*perché*", ma "*perché*" non si
usa nello stesso modo.
La frase con "*perché*" viene dopo.

 - *Oggi pomeriggio resto in casa*
   perché *piove.*

Patrizia,
dato che sarò fuori ufficio Tutto il giorno, per favore
mi puoi inviare un fax alla ditta del Sig. Piola,
di cui hai i dati, con queste informazioni. Se vuoi
Telefonagli e chiedi alla centralinista se hanno
un indirizzo e-mail per mandargli una foto a
colori. MI RACCOMANDO NON DIMENTICARTENE!
Lo vuole entro domani.
MODELLO: BJ2001.
CASSETTI: A4 e A3 con raccoglitore e fascicolatore.
COPIE CONSIGLIATE: fino a 30000 all'anno.
GARANZIA DI UN ANNO
POSSIBILITA' DI CONTRATTO D'ASSISTENZA DA
RINNOVARE OGNI ANNO CON NOI
PREZZO DELLA MACCHINA: 1800 euro IVA INCLUSA
IL PREZZO COMPRENDE ANCHE LA SCHEDA
E IL SOFTWARE PER L'UTILIZZO COME
STAMPANTE DA COMPUTER.
COME REGALO METTI DUE TONER GRATIS.
PAGAMENTO A 30 GIORNI DALLA DATA DELLA
FATTURA CON BONIFICO BANCARIO.
LA CONSEGNA E' IMMEDIATA, IL TRASPORTO E
IL MONTAGGIO SONO INCLUSI NEL PREZZO.
PER LA LORO VECCHIA FOTOCOPIATRICE
OFFRI 150 euro o 1 ANNO DI ASSISTENZA
GRATUITO DOPO IL PRIMO DI GARANZIA.

Imposta sul Valore
Aggiunto,
di solito al 20%

FAX

A:	Da:
Fax:	Pagine:
Tel.:	Data:
Ogg:	CC:

· **Commenti**

lessico

1 Abbina le foto alle parole del riquadro.

....

....

dischetto, fax, segreteria telefonica, stampante, tastiera, telefonino, fotocopiatrice

2 Com'è il lavoro? Pensa a un mestiere e scegli una serie di aggettivi per descriverlo.

creativo   stressante   *manuale*

a tempo parziale   pericoloso

in nero   noioso   *qualificato*

di responsabilità

ben pagato   **a tempo pieno**   mal pagato

stimolante   eccitante   con orari pesanti

3 In piccoli gruppi, cercate di indovinare il mestiere cui avete pensato.

**4 Lavora con un compagno. Uno di voi è A e va a pag. II, l'altro è B e va a pag. IV.
Abbinate le parole alle definizioni.**

5 Ora a turno uno legge una delle definizioni e l'altro cerca di indovinare la parola cui si riferisce.

1 Completa la conversazione con le risposte della segretaria.

Direttore: Camilla, mi scusi, ha dato all'Ingegner Marchione i listini prezzi di quest'anno?

Segretaria: .... Sì, glieli ho dati ieri. .... *(ieri)*

Direttore: E l'e-mail che doveva mandare alla Ditta Deltasud?

Segretaria: .... *(tra un paio d'ore)*

Direttore: C'era anche da consegnare la posta di oggi all'ufficio clienti.

Segretaria: .... *(già)*

Direttore: Ha detto a Milanese di essere puntuale per la riunione di stasera?

Segretaria: .... *(quando arriva)*

Direttore: Ha mostrato le fotografie che le ho dato al responsabile dell'ufficio pubblicità?

Segretaria: .... *(quando torna dalle ferie)*

Direttore: Ancora una cosa: ha chiesto agli addetti alle pulizie se possono cambiare orario?

Segretaria: .... *(domani)*

Direttore: Molto bene. Se ho dimenticato qualcosa, me lo dica quando ritorno. Arrivederci.

Segretaria: .... *(sicuramente)*

2 Rispondi alle domande.

1 Sandra ti ha dato l'invito per il teatro?   Sì,..... me l'ha dato...................................

2 Il vostro insegnante vi ha spiegato questa regola?   Sì,...

3 Vi hanno già consegnato la posta?   Sì,...alle 9.

4 Mi presenti la tua ragazza?   Sì,...subito.

5 Hai detto ai tuoi che ti sposi?   Sì,...

6 Non ci hai detto che vuoi cambiare lavoro.   Sì,...ieri.

3 Completa le frasi.

1 Dato che Giuliana non sapeva che Cristiano è in prigione, ieri sera

........................gliene ho parlato..*(parlare)*

2 Visto che a mia moglie piacciono i fiori, più tardi

.... *(comprare un mazzo)*

3 Siccome Pablo non ricorda come si usa il futuro in italiano, domani

.... *(spiegare)*

4 Dato che Vittorio non ricorda mai il mio numero di telefono, l'ho appena chiamato e

.... *(ripetere)*

5 Dato che Michela adora i libri di Camilleri, la settimana scorsa

.... *(regalare uno)*

6 Visto che non so usare il computer ieri mattina ho chiesto a Matteo di scrivere la lettera e

.... *(dettare)*

Ti presentiamo alcune parole che in parte già conosci. Si chiamano INDEFINITI.

Qualche , alcuni e un po'

Sono sinonimi, indicano una quantità piuttosto piccola, inferiore a *molto/tanto*.
Osserva come si usano:
- Ho alcun**i** ami**ci** = Ho un po' di ami**ci** = Ho qualch**e** ami**co**.
Qualche non cambia mai e si usa sempre con un nome al singolare. *Alcuni/e* cambia al maschile e al femminile, ma si usa sempre al plurale. Si può usare anche come pronome:
- Ho molti amici stranieri, **alcuni** vivono in Italia.

Poco

Indica una quantità superiore a 0 (zero), ma insufficiente.
Cambia al maschile e al femminile. Si usa come aggettivo **1** e come pronome **2**.
-1 Ci sono **pochi** film interessanti oggi al cinema.
-2 Ho visto molte case belle a Roma, ma nella zona dove vivo ce ne sono **poche**.

Nessuno, niente/nulla

Indicano una quantità 0 (zero). *Nessuno* si usa solo al singolare, cambia al maschile e al femminile.
Se segue il verbo vuole la negazione *non*.
- **Non** ho **nessun** amico cinese.
Si può usare anche come pronome:
- Sono andato a casa di Franco, ho suonato, ma non c'era *nessuno*.
Niente/nulla sono sinonimi.
Significano *nessuna cosa*. Non cambiano mai.
Se seguono il verbo vogliono la negazione *non*.
- C'è stato un incidente dove abito, ma non ho visto **niente/nulla**.

> *Quando è aggettivo segue la regola dell'articolo indeterminativo un/uno/una. Nessun amico, nessun libro, nessun'amica, nessuna ragazza.*

Ognuno

Significa *tutti*, è usato solo al singolare e cambia al maschile e al femminile.
- **Ognuno** deve (*tutti devono*) portare qualcosa da bere o da mangiare per la festa di Antonio.

Qualcosa/qualcuno

Hanno un significato indeterminato. Sono invariabili e si usano sempre al singolare. Significano *qualche cosa* e *qualche persona*.
- C'è **qualcosa** (*qualche cosa*) da mangiare in casa?
- C'è **qualcuno** (*qualche persona*) che mi sa spiegare l'imperfetto?

---

4 Completa le frasi con *niente/nulla* o *nessuno*.

1 ....Nessuno...............studente ha superato l'esame, era troppo difficile?

2 ....amico è venuto a trovarmi all'ospedale.

3 Ieri sera ero molto stanco e non ho fatto...

4 Non mi piace ....di quello che hai cucinato.

5 Sono andato a casa di Patrizia ma non c'era...

6 Non mi ricordo.......................................di quello che ho letto sul Risorgimento italiano.

---

5 Completa le frasi con *ogni, ognuno, qualcosa, qualcuno, qualche* o *alcuni*.

1 Mia madre mi ha detto che da piccolo ......ogni..............giorno facevo .... di male.

2 ....di noi ha ....di interessante da raccontare.

3 ....volta mi sembra che in Italia vada tutto storto.

4 C'è ....in casa?

5 ....studenti non fanno mai i compiti.

6 Devo lavorare ancora ....anni prima di andare in pensione.

6 Scegli la parola corretta.

1 Il mese scorso ho visto ....alcuni.......... programmi interessanti alla tv. *Qualche, ognuno, alcuni, qualcosa*

2 Sta piovendo .... Penso che uscirò in bicicletta. *Nessuno, poco, ogni, qualche*

3 .... mi ha detto che domani c'è il concerto di Pavarotti a Bologna. *Qualcosa, ognuno, un po', qualcuno*

4 Non sono andato a far spesa e non c'è .... da mangiare in casa. *Alcuni, qualcuno, nessuno, niente*

5 Perché non vieni alla mia festa di compleanno con .... amico? *Qualche, un po', ognuno, alcuni*

6 Sono stato a Roma .... volte, mi piacerebbe tornarci. *Nessuna, qualche, poche, nulla*

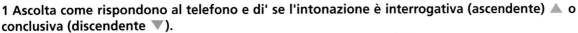

fonologia   • Come rispondere al telefono   • /r/ vs. /rr/   • /l/ vs. /ll/

1 Ascolta come rispondono al telefono e di' se l'intonazione è interrogativa (ascendente) ▲ o conclusiva (discendente ▼).

	▲	▼
a		
b		
c		
d		
e		

2 Nella prima colonna ci sono le frasi dell'attività precedente. Abbina a ciascuna di esse la risposta corrispondente.

a Pronto?
b Sì?
c Istituto Gamma buonasera!
d Pronto? Qui casa Noto!
e Avete chiamato il numero verde delle Ferrovie dello Stato, attendere prego!

1 Vorrei parlare con il direttore!
2 Buonasera, sono Luca, volevo parlare con Marco
3 Ciao sono Luigi! Antonella è da voi?
4 Buonasera mi serviva un'informazione...
5 Pronto sono Davide!

3 Leggi i dialoghi dell'attività precedente con un compagno.

4 Ascolta le parole e fa' un segno nella colonna corrispondente.

	1	2	3	4	5	6	7	8	9	10	11	12	13	14	15	16
/l/																
/ll/	×															
/r/																
/rr/																

*Ti ricordi?
I suoni intensi /ll/ e /rr/?
Si pronunciano allungando la durata del corrispondente suono breve /l/ o /r/.*

Abbina le frasi o espressioni alla descrizione sotto.

1 Dato che sarò fuori ufficio tutto il giorno, per favore mi puoi…

2 Se vuole può lasciare un messaggio.

3 Vorrei parlare con il Dott. Aloisio, per favore.

4 Posso fissarle un appuntamento se desidera.

5 Mi dispiace, in questo momento non c'è

6 Attenda in linea, vedo se è disponibile.

7 Posso esserle utile?

8 Mi raccomando non dimenticartene!

9 Pronto.

10 Mi dispiace ha l'interno occupato.

In questa unità abbiamo imparato a:

9	**a**	Attivare una conversazione telefonica.	....
	b	Offrire di prendere un messaggio.	....
	c	Chiedere di aspettare in linea.	....
	d	Offrire aiuto o disponibilità.	....
	e	Offrire di fare qualcosa.	....
	f	Dimostrare dispiacere.	....
	g	Chiedere di parlare con qualcuno.	....
	h	Dire che una persona è assente.	....
	i	Indicare la causa di qualcosa.	....
	j	Richiedere attenzione particolare.	....

Certe volte puoi usare queste espressioni anche per ridere un po'… metti la frase che hai trovato sopra al posto del numero indicato nel fumetto!

Anch'io vorrei parlare...

1 Completa i brevi dialoghi delle vignette con i pronomi combinati. Osserva l'esempio.

Francesca, scusi mi ha stampato i fax di ieri?

Certo, glieli ho messi sulla scrivania.

Francesca, dica a Vecchi e Martini di venire da me.

Sì, Dottore, ... dico subito.

Dottor Serra, vuole vedere adesso le fatture?

No, ... farà vedere nel pomeriggio.

Senta, avrei bisogno di due giorni di ferie.

Non .... avevo già dati la settimana scorsa?

Gianni, hai per caso un dischetto vuoto da darmi?

Sì, ... do subito.

Per favore Francesca, ci porti una bottiglia d'acqua.

Certo, ... porto subito.

Franco, hai tu la lista dei clienti?

Sì, ... do subito.

..... / 6

2 In questi brevi dialoghi ci sono 5 errori. Trovali e scrivi a fianco la forma corretta.

- Marco, quanto hai pagato il tuo cellulare?
- Non lo so, ce lo ha regalato Sara per il mio compleanno.   ....

- Laura, ci hai cucinato un risotto veramente ottimo, ci dai la ricetta?
- Non ve la posso dire, è un segreto.   ....

- Franca, hai detto alla mamma che parti per la Cina?
- No, non le l'ho detto, altrimenti si preoccupa.   ....

- Proprio carino questo ristorante, come lo avete trovato?
- Ce la fatto scoprire Francesca. Lei ci viene spesso.   ....

- Non riesco più a trovare i miei occhiali da sole.
- Forse te li sei dimenticati in treno.   ....

- Paolo, ti ricordi il numero di telefono di Giovanni?
- Sì, se vuoi telo scrivo su un foglietto di carta.   ....

- Sono Cauli, avrei bisogno urgentemente della fattura dei libri.
- Certo, glie la mando subito via fax.   ....

..... / 5

3 **Riordina la conversazione telefonica numerando le frasi nella colonna a sinistra come nell'esempio.**

	Segretaria: Buongiorno studio legale Merlino
	Lenzi: Buongiorno, mi chiamo Lenza, c'è l'avvocato per favore?
	S: Glielo dirò senz'altro, vuole fissare già un appuntamento?
	L: Glielo do immediatamente. È lo 03491630665, mi raccomando…
	L: Me lo immaginavo. Senta, può dirgli quando rientra di chiamare subito Lenza? Lui mi conosce. Gli dica che è per un problema urgente.
	L: No, ho bisogno di un consiglio urgente, devo sentirlo prima. Senta, non a mica il numero del cellulare?
	L: Per quando me lo darebbe?
	S: L'avvocato riceve domani dalle 15 alle 18.
	S: Mi dispiace, l'avvocato in questo momento è fuori studio.
	S: Non si preoccupi, glielo metto subito sulla sua scrivania. Appena torna La chiamerà subito.
	S: Se vuole glielo do, ma quando è in udienza lo spegne e non è possibile raggiungerlo, se mi lascia un recapito telefonico la faccio richiamare appena rientra.
12	*L:* La ringrazio molto.
13	*S:* Si figuri, arrivederci.
14	*L:* Arrivederci.

..... / 11

4 **Trova i sette aggettivi o pronomi indefiniti che si nascondono nella tabella. Possono essere scritti in orizzontale, in verticale o in diagonale. Osserva l'esempio.**

Q	S	A	**U**	**N**	**P**	**O'**	C	O	A	E	E
U	F	B	O	M	O	N	B	G	T	O	P
A	E	Q	U	I	C	G	C	N	S	R	A
L	E	U	C	E	O	R	E	U	S	A	N
C	L	A	O	F	D	I	A	N	E	A	T
O	A	L	C	U	N	I	D	O	L	E	A
S	A	C	E	N	S	A	V	L	U	O	T
A	C	H	A	R	I	C	U	L	T	E	N
N	N	E	S	S	U	N	O	A	U	S	P

1...
2...
3...
4...
5...
6...
7...

..... / 7

5 **Completa i seguenti messaggi di segreteria telefonica con gli aggettivi e i pronomi indefiniti:** *qualche, alcuni, nessuno, ognuno, qualcosa, qualcuno.*

Buongiorno, parla De Vito. Volevo sapere se è pronta la stampante che ho mandato a riparare.....................
settimana fa. Io sono stato via per .... giorni, ma non ho più avuto .... notizia da
parte vostra. Se è pronta vi prego di avvisarmi. Eventualmente posso mandare .... a prenderla.
Grazie.

Buongiorno, sono della Rosetti export. Vi pregherei di mandare appena possibile .... dei vostri
tecnici nel nostro ufficio di via Togliatti 27, perché i nostri computer hanno .... che non funziona e qui da noi .... ci capisce .... di informatica. È urgente, grazie.

Buonasera, parla la Travel express. Volevamo sapere se organizzate .... corso di computer.
Stiamo per aprire una nuova agenzia con sei impiegati e .... di loro deve saper usare almeno
.... programmi di base. Se può ritelefonare, il nostro telefono è 064834443. Grazie.

..... / 11

NOME:	
DATA:	
CLASSE:	

totale ..... / 40

1 Cosa è successo alle persone? A coppie osservate la figura e rispondete alla domanda, usando i verbi del riquadro.

cadere, far male, tagliarsi, rompersi, farsi male, colpire

▶▶ **Alla scoperta della lingua**

▶▶ | **Alla scoperta della lingua**

Completa le frasi con
farsi male o far male.
• Giorgio è caduto e.........................
.... a una gamba.
• Ieri mi ....
la testa tutto il giorno.

Mentre camminava gli è caduto un vaso in testa.

🖥 **2 Ascolta le conversazioni e individua le persone che parlano nella figura.**

🖥 **3 Quali parti del corpo fanno male ai due pazienti?**
Ascolta nuovamente le conversazioni e rispondi alla domanda.

🖥 **4** ▶▶ | **Alla scoperta della lingua** | **Che verbo usa il medico per dare consigli ai due pazienti?**
Ascolta nuovamente le conversazioni e completa le frasi.

1 Per il momento .... tenerlo coperto con una fascia.

2 Signora, ... cercare di stare calma.

Quando si danno suggerimenti o consigli si usa il verbo dovere al condizionale.

Dovrei...
Dovresti...
Dovrebbe...
Dovremmo...   ...smettere di fumare e bere alcolici.
Dovreste...
Dovrebbero...

5 Siete in forma? Avete qualche chilo di troppo?
A coppie datevi qualche consiglio per mantenervi sempre in forma.

6 Sai come si fa per mantenersi in forma? Leggi velocemente l'articolo e scegli un titolo per ogni paragrafo.

SALUTE E BELLEZZA/FITNESS

di **Giulia Mattioli**

Alla ricerca della forma perduta
Passato l'inverno, è facile ritrovarsi con qualche chilo di troppo. Niente di drammatico, per carità, però sotto i vestiti leggeri e aderenti, si vede. Per non aspettare il momento in cui metteremo piede in spiaggia, ecco alcuni facili esercizi per ritrovare la forma ideale. Che si possono fare a casa. Ma ci vuole costanza: ovvero, almeno dieci minuti di fitness tutte le mattine e un po' di movimento durante il fine settimana. E in tre mesi, la pancia non c'è più!

Il primo esercizio prevede l'uso di un elastico (lo trovate nei negozi specializzati). In piedi, schiena dritta, gambe aperte e leggermente flesse (per non sollecitare la schiena), impugnare l'elastico alle due estremità tenendo le braccia alzate sopra la testa. Piegate il braccio destro con la mano vicino alla nuca e il gomito aperto in fuori. Restate così per una trentina di secondi, poi invertite lentamente la posizione delle braccia: stendete il destro e contemporaneamente piegate il sinistro. Ripetete, sempre lentamente, l'esercizio, senza inarcare la schiena e sollevare le spalle.

Se non avete l'apposito attrezzo (lo step da casa, si trova nei negozi di sport e si può usare dieci minuti al giorno, magari davanti alla tivù), fate questo esercizio: salite e scendete da un gradino.
Dopo dieci volte, aumentate a due gradini. Ripetete l'esercizio almeno dieci volte.

Sdraiate per terra, mettete le mani sotto la nuca. Adagio, alzate la testa solo cercando di andare verso i piedi e le gambe (non alzate assolutamente il bacino). Ripetete dieci volte. Poi con una sola mano dietro la nuca, fate lo stesso esercizio ruotando la testa nel senso opposto al braccio, sempre "tirando" i muscoli addominali.
Dieci volte per parte.
Ora in posizione verticale, divaricate verso l'esterno una gamba, alzando contemporaneamente il braccio opposto verso l'alto (se possibile con un peso leggero in mano) e rimanete in questa posizione per cinque secondi.
Ritornate nella posizione iniziale e ripetete lo stesso movimento con l'altra. Ripetete almeno dieci volte per parte.

L'esercizio migliore è sempre quello della bicicletta: in posizione supina, flettete le gambe a candela e simulate una pedalata, per almeno due minuti. Ritornate nella posizione di riposo e ripetete almeno tre volte.

Eliminare pasta e carne è un errore: meglio ridurne le quantità. I cibi ideali per i primi caldi? Quelli che contengono potassio: banane e legumi (fave, ceci, fagioli), ma anche tanta frutta (meloni, albicocche, kiwi, mirtilli, fragole) e verdura (lattuga, melanzane, spinaci, carote). E per uno spuntino energetico senza il rischio di ingrassare, preparatevi un buon frullato: al posto del latte, acqua e ghiaccio.

[Salute e bellezza/fitness da D di Repubblica di martedì 27/4/99]

Braccia toniche e ben modellate	Ginnastica per gambe e glutei	La dieta dello sportivo
Pancetta, addio	Per migliorare la circolazione linfatica	

7 Leggi nuovamente l'articolo e rispondi alle domande.

1 Cosa si può fare dopo l'inverno se si è un po' ingrassati?

....

....

2 Come si deve utilizzare l'elastico per rafforzare le braccia?

....

....

3 Cosa si può fare se non si ha l'attrezzo per lo step?

....

....

4 Come si può eliminare la pancetta?

....

....

5 Cosa si deve mangiare quando comincia a far caldo?

....

....

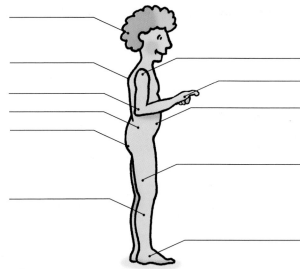

8 Leggi ancora una volta il testo e sottolinea le parole che indicano parti del corpo. Poi scrivile negli spazi a fianco della figura.

lessico

 1 Guarda la foto e scrivi le parole negli spazi.

I plurali delle parti del corpo

Alcune parole che indicano parti del corpo cambiano dal maschile al femminile quando sono al plurale:

il braccio	le braccia
il ginocchio	le ginocchia
il dito	le dita
il labbro	le labbra

 2 Ora tocca a voi. Vi ricordate le parti del corpo?
A coppie, guardate per due minuti la figura dell'esercizio 1 e poi a libri chiusi, a turno uno indica una parte del corpo, fingendo che gli faccia male e l'altro ne dice il nome.

Esempio:
A - Cosa ti fa male? Ti fa male la gola?
B - Esatto.
A - No, mi fa male il collo.

 3 Indovina!

1 Li usi per correre: .... Piedi ....

2 Li usi per vedere: ....

3 Li usi per ascoltare la musica: ....

4 Li usi per masticare: ....

5 La parte che permette al braccio di piegarsi: ....

6 La parte che permette alla gamba di piegarsi: ....

7 La parte che permette al piede di piegarsi: ....

8 Ce ne sono cinque in ogni mano: ....

4 Quali parti del corpo sono le più importanti per ognuna delle seguenti persone.

1 Nuotatore: ....

2 Direttore d'orchestra: ....

3 Macellaio: ....

4 Scrittore: ....

5 Calciatore: ....

6 Pittore: ....

7 Cuoco: ....

8 Poliziotto: ....

 5 In piccoli gruppi confrontate le vostre scelte.

 6 Cosa c'è che non va? A coppie guardate le figure e fate dei brevi dialoghi come nell'esempio.

Esempio:
A - Cosa c'è che non va?
B - Mi fa male la testa.
A - Dovresti smettere di lavorare e prendere un'aspirina.

abilità

Prendere appunti e fare riassunti sono attività che possono essere molto utili nella tua vita di studente, ma non solo. In questa unità cominciamo a presentarti alcuni esercizi che ti aiuteranno a farlo in italiano.

1 Elena era stanca della sua vita in Europa e ha deciso di andarsene in Mozambico per due anni a insegnare. Leggi cosa ha trovato in Internet su quel paese africano e completa la tabella.

Situazione sanitaria del paese	
Norme per le persone	
Le strutture sanitarie	
Consigli per gli italiani	

© VIAGGIARESICURI

Indietro Avanti Interrompi Aggiorna Pagina iniziale Riempimento autom. Stampa Posta

Indirizzo http://www.viaggiaresicuri.mae.aci.it/indice_big_nazioni.asp?ricerca=MOZAMBICO Vai

AUTOMOBILE CLUB D'ITALIA
VIAGGIARESICURI

Generali
Geografia
Mappa
Clima
Visti e Valuta
Sanità
Sicurezza
Documenti auto
Viabilità
Ricettività
Recapiti
Norme Varie

Preferiti Cronologia Cerca Raccoglitore Contenitore pagine

Situazione Sanitaria

Nelle regioni interne e nelle zone rurali del centro e del nord del Paese sono presenti malattie endemiche, quali malaria, epatite, dissenteria, tubercolosi, mentre nei grandi centri abitati, seguendo le elementari norme igieniche da adottare in tutti i Paesi dal clima caldo-umido, non si corrono rischi di contrarre tali patologie. Per l'ingresso in Mozambico non sono previsti vaccini obbligatori. È tuttavia consigliato, specialmente se si rimane per un lungo periodo, il vaccino contro la febbre gialla e l'epatite A e B. Nel corso degli ultimi due anni, soprattutto nella capitale, si è comunque notato un costante, generale miglioramento del servizio offerto dalle strutture sanitarie, sia pubbliche che private, che sembra possano assicurare la diagnosi e la cura delle più comuni patologie. Nel resto del Paese la situazione è ancora molto arretrata. Nella capitale esistono alcune cliniche private che dispongono di medici di buon livello, cui si può ricorrere per problemi sanitari non seri per analisi di base. Anche se meno frequentemente che in passato, può talvolta risultare difficoltoso reperire particolari farmaci. Queste strutture sanitarie sono comunque in grado di consentire rimpatri d'emergenza che possono essere effettuati via terra con autoambulanza o per mezzo di aerei opportunamente attrezzati per il trasporto di malati verso il Sudafrica dove esistono centri adeguati per ogni necessità. I connazionali che intendono andare in Mozambico dovrebbero valutare l'opportunità di fare un'assicurazione sanitaria privata che preveda la copertura delle spese di rimpatrio. Generalmente è comunque sufficiente seguire le comuni misure igieniche di prevenzione.
Si raccomanda di non mangiare verdure ed alimenti crudi e di non bere acqua corrente e bibite con ghiaccio (i principali alberghi della capitale e le strutture turistiche esistenti offrono sufficienti garanzie igieniche). In tutto il Paese, comprese alcune zone della capitale, è tuttavia presente la malaria, perciò per permanenze di breve periodo si suggerisce di sottoporsi ad adeguata profilassi (sconsigliata quella a base di sola clorochina). In ogni caso, se nel corso del soggiorno in Mozambico o nei primi sei mesi dopo il ritorno ci fosse febbre, si raccomanda di fare immediatamente un test per la ricerca del "plasmodio della malaria", che viene effettuato in Mozambico con estrema facilità, presso **qualsiasi** centro sanitario. Secondo informazioni diramate dall'OMS, si segnala un aumento di casi di colera e di morti nei Paesi dell'Africa sud-orientale tra i quali il Mozambico.

Qualsiasi centro sanitario = qualunque = tutti, non importa quale... Qualsiasi/qualunque sono degli aggettivi indefiniti e sono sempre seguiti dal verbo al singolare. Si usano sia con le cose che con le persone: – Mio fratello pensa che qualunque calciatore italiano di serie A potrebbe giocare nel campionato inglese.

Malattie prevalenti
Malaria clorochino-resistente, anche di tipo "cerebrale". Epatite, dissenteria, tubercolosi.
Vaccinazioni
Consigliate: febbre gialla e profilassi antimalarica (anche per brevi soggiorni), epatite A/B. Meningite (da giugno a settembre).

Attenzione

STAMPA   MOZAMBICO   VAI

Internet zone

[Adattato da www.viaggiaresicuri.mae.aci.it]

2 Trova nel testo parole o espressioni che hanno lo stesso significato di quelle che seguono.

Campagna.	*zone rurali*
Malattie sempre presenti.	
Città.	
Regole igieniche che si devono applicare in ogni paese.	
Prendere queste malattie.	
Che sembrano poter individuare le malattie più comuni e curarle.	
Cliniche dove si può andare per problemi non molto gravi e che hanno medici preparati.	
A volte può essere difficile trovare alcune medicine.	
Queste strutture possono rimandare le persone ammalate nel loro paese o verso altri paesi sia in ambulanza che con aerei adatti per il trasporto di malati.	
Gli italiani che vanno in Mozambico dovrebbero avere un'assicurazione sanitaria privata che copra le spese per tornare in Italia.	
Soggiorni.	

 3 Usa gli appunti della tabella dell'esercizio 1 e le spiegazioni dell'esercizio 2 per scrivere un breve riassunto del testo.

Prima di iniziare a scrivere prepara una breve "scaletta" con i punti che intendi toccare, così come è stato fatto nell'esercizio 1.
Le scalette possono essere molto utili soprattutto per migliorare l'organizzazione del testo che si vuole scrivere.

 4 Ci sono altre cose che Elena dovrebbe sapere prima di andare in Mozambico? Insieme a un compagno scrivetele alcuni consigli.

civiltà Il linguaggio del corpo

Gli italiani sono conosciuti in tutto il mondo per la loro eleganza; la cucina italiana ci è invidiata da molti, per non parlare dei nostri tesori artistici e della bellezza delle nostre città, delle nostre spiagge e altri luoghi di vacanza. Tesori di tutta l'umanità!
Ma c'è un'altra caratteristica per la quale gli italiani si riconoscono dappertutto: gli italiani gesticolano, si muovono in continuazione e usano soprattutto le mani, parlano con i gesti.

 1 Hai mai visto degli italiani fare gesti? Quali? Ne conosci il significato? Discutine con i compagni e l'insegnante.

2 Osserva le immagini e abbina a ognuna il significato e le parole che possono accompagnare o che descrivono ogni gesto.

Non è indispensabile, anche se è frequente, accompagnare i gesti con le parole, dato che questi gesti parlano da soli. Si tratta spesso di espressioni colorite, se non proprio volgari, quindi bisogna fare molta attenzione a come e in che situazione si utilizzano.

Un consiglio: non usate questi gesti in contesti formali

☐   ☐   ☐   ☐   ☐   ☐

A *"Che vuoi?"; "Ma che fai?"; "Chi ti ha chiesto qualcosa? Fatti i fatti tuoi!!"; "E allora?".*
Gli italiani usano questo gesto quando qualcuno li guarda con insistenza e non vogliono essere disturbati, oppure quando viene fatta una richiesta giudicata troppo grossa, o ancora quando davvero non capiscono cosa viene chiesto loro.

B *"Chi se ne importa!"; "Chi se ne frega!"; "Non me ne importa un fico secco."*
Si usa questo gesto per esprimere indifferenza verso qualcosa o qualcuno.

C *"Che buono! Ottimo!", "Al bacio!" (si dice di un cibo); "Perfetto! Eccellente!"; "Molto bello!".*
Con questo gesto si esprime un grosso apprezzamento per qualcosa o qualcuno. Purtroppo questo gesto è spesso usato anche dagli uomini per esprimere un giudizio estetico su una bella donna!

D *Sono le famose "corna".*
Sono spesso usate dagli automobilisti nei confronti di chi non rispetta le regole del traffico o semplicemente di chi ostacola il loro cammino in automobile. "Accidenti a te!", "Ti venisse un accidente!"

E *Questo tipo di "corna"* non sono rivolte verso qualcuno, ma servono per allontanare da sé il male o la cattiva fortuna, spesso si fanno anche se non si crede veramente nella loro efficacia, anche se non si è particolarmente superstiziosi. "Speriamo di no!"; "Tiè!!"

F *Famoso gesto dell'avambraccio* che indica una risposta negativa a un ordine, oppure lo si fa nei confronti di qualcuno a cui si è fatto o si intende fare uno sgarbo. *"Non ci penso nemmeno!"; "Neanche a parlarne!"; "Figurati! (se lo faccio!!); "Col cavolo!".*

 3 Provate a mostrare ai compagni e all'insegnante alcuni gesti tipici della vostra cultura e spiegatene il significato.

 **4 Abbiamo chiesto alla dottoressa Silvia Manfredi, studiosa di antropologia culturale, di parlarci del perché gli italiani usano tanto i gesti. Ascoltate l'intervista e rispondete alle domande.**

1 In quale situazione la Dott. Manfredi descrive i vari comportamenti di persone di diverse nazionalità?
2 Come descrive la Dott. Manfredi il comportamento di un inglese?
3 E quello di un tedesco?
4 Com'è il comportamento di un francese?
5 E l'italiano come si comporta?
6 Per quali motivi storici e culturali gli italiani usano tanto i gesti?
7 Come è definito il carattere degli italiani?
8 Cosa fanno spesso gli italiani quando parlano con qualcuno?

grammatica

Il condizionale semplice: verbi regolari e irregolari

Come il futuro semplice il condizionale si forma a partire dall'infinito.

I - ARE: *amare*	II - ERE: *perdere*	III - IRE: *dormire*
(io) am - **erei**	(io) prend - **erei**	(io) dorm - **irei**
(tu) am - **eresti**	(tu) prend - **eresti**	(tu) dorm - **iresti**
(lui, lei) am - **erebbe**	(lui, lei) prend - **erebbe**	(lui, lei) dorm - **irebbe**
(noi) am - **eremmo**	(noi) prend - **eremmo**	(noi) dorm - **iremmo**
(voi) am - **ereste**	(voi) prend - **ereste**	(voi) dorm - **ireste**
(loro) am - **erebbero**	(loro) prend - **erebbero**	(loro) dorm - **irebbero**

> Nella III coniugazione (-**ire**) non c'è differenza tra i verbi del tipo di **partire** e quelli del tipo di **finire**.

Verbi *avere* e *essere*

(io) avrei	(io) sarei
(tu) avresti	(tu) saresti
(lui, lei) avrebbe	(lui, lei) sarebbe
(noi) avremmo	(noi) saremmo
(voi) avreste	(voi) sareste
(loro) avrebbero	(loro) sarebbero

> Al condizionale semplice i verbi regolari della I coniugazione trasformano in **E** la **A** dell'infinito -**ARE**, ad esempio: cant**erei**, trov**erei** ecc.

Verbi irregolari

Sono gli stessi che presentano irregolarità al futuro semplice.

Verbi che perdono la vocale dell'infinito	And**are**	An**drei**
	Dov**ere**	Do**vrei**
	Pot**ere**	Po**trei**
	Sap**ere**	Sa**prei**
	Ved**ere**	Ve**drei**
	Viv**ere**	Vi**vrei**
Verbi che perdono la vocale dell'infinito e trasformano la l o la n del tema in **rr**	Rima**nere**	Rima**rrei**
	Te**nere**	Te**rrei**
	Ve**nire**	Ve**rrei**
	Vo**lere**	Vo**rrei**
	Be**re**	Be**rrei**
Verbi che mantengono la a dell'infinito	Dare	Da**rei**
	Fare	Fa**rei**
	Stare	Sta**rei**

> Nei verbi in -**CARE** e -**GARE** si aggiunge una **H** prima della **E**, ad esempio: spie**gare** > spie**gherei**, cer**care** > cer**cherei**.
> I verbi in -**CIARE** e -**GIARE** perdono la **i**, ad esempio: annun**ciare** > annun**cerei**, man**giare** > man**gerei**.

Il **condizionale semplice** si usa per esprimere una **richiesta 1** o un **desiderio 2** in modo più gentile:

- **1** Signora Raffaella, ci **passerebbe** il vino per favore?
- **2** Mi **piacerebbe** vivere a New York per un po'.

Il condizionale si usa anche per esprimere un **consiglio 1**, un'**opinione personale 2**, o un **dubbio 3**:

- **1 Dovresti** cominciare a studiare l'inglese se vuoi andare a vivere a New York.
- **2** Secondo me, lo stato italiano **potrebbe** dare più aiuti ai paesi poveri.
- **3** Non sappiamo se **passeremmo** l'esame di storia senza sapere nemmeno una data.

Il condizionale è spesso usato nel linguaggio giornalistico per riportare una **notizia non confermata**:

- Secondo quando ci ha detto un importante uomo politico, il governo italiano **starebbe** per inviare aiuti umanitari ai paesi africani colpiti dalla siccità.

1 E' bello essere gentili!
Trasforma le frasi al condizionale per dire le stesse cose in modo più cortese.

1 Mi puoi passare l'acqua?

.... *Mi potresti passare l'acqua.* ....

2 Dovete smettere di fumare.

....

3 Venite al cinema con noi?

....

4 Parli con il tuo direttore per quel posto da giornalista?

....

5 Giovanni, accompagni la nonna dal medico domani mattina? Hai tempo?

....

6 Mi sa dire se c'è una banca qui vicino?

....

 2 Rispondi alle domande.

1 Ragazzi, perché non studiate?   (è primavera e…)

.... *Studieremmo, ma è primavera e ci sentiamo stanchi.* ....

2 Perché non guardi la partita?   (ho un esame domani e…)

....

3 Perché non venite da noi a mangiare una pizza stasera?   (ma Silvia…)

....

4 Vieni a ballare sabato sera?   (è il compleanno di Paolo e…)

....

5 Potresti darmi il tuo indirizzo?   (sto cambiando casa e…)

....

6 Vuoi un bicchiere di vino bianco?   (mi fa male lo stomaco e…)

....

 3 Se un giorno… Sei al mare e trovi una bottiglia con dentro una busta chiusa, la apri e trovi questo biglietto:

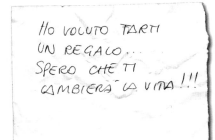

…e un assegno da 1.000.000 di euro.

Cosa faresti in questa situazione? Scrivi alcune frasi.

Esempio:
- Con un assegno da 1.000.000 di euro potrei smettere di lavorare…

importante è la salute

4 Insieme a un compagno confrontate quello che avete scritto.

Volere, potere, dovere, sapere

> *Questo avviene in tutti i tempi del verbo*

Al condizionale **volere**, **potere**, **dovere**, **sapere** si usano spesso per fare un'offerta o esprimere un desiderio, fare una richiesta o dare un consiglio.
Quando insieme a questi verbi c'è un pronome in italiano sono possibili due costruzioni diverse.

• Potresti dar**mi** il tuo numero di telefono?	*oppure*	• **Mi** potresti dare il tuo numero di telefono?
• Vorrei scriver**ti** una lettera, ma non so come cominciare.	*oppure*	• **Ti** vorrei scrivere una lettera, ma non so come cominciare.
• Se devi fare ginnastica prima di andare a lavorare dovresti alzar**ti** più presto.	*oppure*	• Se devi fare ginnastica prima di andare a lavorare **ti** dovresti alzare più presto.
• Sapresti dir**mi** come si scrive il plurale di ciliegia?	*oppure*	• **Mi** sapresti dire come si scrive il plurale di ciliegia?

<u>**Osserva**</u> che il verbo all'infinito perde la **E** finale quando è seguito da un pronome: dare + mi = dar**mi**

5 Forma delle frasi usando tutte e due le costruzioni possibili.

1 Barba/fare/la/ti/dovresti/ogni/giorno,/se/lavorare/con/devi/gente/molta.

 .. *Ti dovresti fare la barba ogni giorno, se devi lavorare con molta gente.* ....

 .. *Dovresti farti la barba ogni giorno se devi lavorare con molta gente.* ....

2 Potresti/passare/il/pane/ci/per/favore?

 ....

 ....

3 Saprebbe/dire/mi/quando/il/per/Firenze/parte/prossimo/treno?

 ....

 ....

4 Domani/alzare/devo/mi/presto.

 ....

 ....

5 Giorgia,/perché/piangi?/vorresti/cosa/successo/è/raccontare/ci?

 ....

 ....

6 Se/amate/vi,/sposare/vi/dovreste.

 ....

 ....

• Negazione: elementi per
sottolineare il contrasto (**2**)
• Cambio della vocale tematica nel
condizionale semplice dei verbi in -ARE
• /m/ vs. /mm/ e
/n/ vs. /nn/

1 Ascolta di nuovo queste due battute tratte dal dialogo iniziale tra il medico e il paziente.

Dottore:
Ha preso qualche pillola per dormire o altre medicine?

Paziente:
Ma no, si figuri, con quattro figli appena arrivo a letto mi addormento subito e non mi alzerei più.

**2 Ti ricordi dei modi per esprimere un contrasto che abbiamo visto nell'unità 1?
Nell'attività precedente ne abbiamo ascoltato un altro, ma con registro formale.
Confrontalo con quello informale dell'unità 1.**

A *Maria:* Allora, come ti sembra? Ho fatto degli errori?
B *Sandro:* Errori? **Ma figurati!** Sei bravissima!

**3 Hai fatto caso che i verbi della prima coniugazione al condizionale semplice cambiano la
vocale del tema -are- in -E-? Osserva i seguenti esempi.**

mangi**a**re	guard**a**re	parl**a**re
mang**e**rei	guard**e**rei	parl**e**rei
mang**e**resti	guard**e**resti	parl**e**resti
mang**e**rebbe;	guard**e**rebbe	parl**e**rebbe
mang**e**remmo	guard**e**remmo	parl**e**remmo:
mang**e**reste	guard**e**reste	parl**e**reste
mang**e**rebbero	guard**e**rebbero	parl**e**rebbero

4 Ascolta i gruppi di parole e fa' un segno nella colonna corrispondente.

	uguali	diverse
1		×
2		
3		
4		
5		
6		
7		
8		

5 Ascolta i gruppi di parole e fa' un segno nella colonna corrispondente.

	uguali	diverse
1	×	
2		
3		
4		
5		
6		
7		
8		

Ti ricordi?
I suoni intensi /**mm**/ e /**nn**/ si
pronunciano allungando la
durata del corrispondente suono
breve /**m**/ o /**n**/.

sommario

✎ **Abbina le frasi o espressioni alla descrizione sotto.**

1 Cos'è successo?

2 Cosa ti/le fa male?

3 Secondo me, lo stato italiano potrebbe dare più aiuti ai paesi poveri.

4 Mi fa male la testa.

5 Secondo quanto ci ha detto un importante uomo politico, il governo italiano starebbe per inviare aiuti umanitari ai paesi africani colpiti dalla siccità.

6 Non sappiamo se passeremmo l'esame di storia senza sapere nemmeno una data.

7 Cosa c'è che non va?

8 Dovresti cominciare a studiare l'inglese se vuoi andare a vivere a New York.

9 Mentre camminava gli è caduto un vaso in testa.

✎ **In questa unità abbiamo imparato a:**

8	**a** Esprimere un consiglio.	....
	b Esprimere un'opinione personale.	....
	c Esprimere un dubbio.	....
	d Dire quali problemi fisici uno ha.	....
	e Chiedere quali problemi fisici uno ha.	....
	f Chiedere quali problemi in generale uno ha.	....
	g Chiedere cosa è successo.	....
	h Dire cosa è successo.	....
	i Riportare una notizia non confermata.	....

"Mi fa male la testa"

1 Oltre all'esempio, in questo riquadro si nascondono altri 7 nomi che si riferiscono a parti del viso. Trovali e scrivili a fianco.

C	I	G	L	I	A	B	O	F	S	S	O
A	G	V	N	A	D	I	O	I	L	D	H
L	C	H	C	U	H	T	G	I	U	E	L
A	S	C	I	C	H	P	S	F	O	N	I
B	O	A	C	E	B	E	M	E	N	T	O
B	D	E	U	T	N	O	I	H	A	E	Z
R	R	F	I	D	H	N	E	C	S	N	A
O	C	C	H	I	O	O	C	I	O	V	D
S	A	F	L	T	M	V	A	D	A	Z	O
C	Z	B	M	O	H	B	O	C	U	D	E

1 .... *ciglia* ....
2 ....
3 ....
4 ....
5 ....
6 ....
6 ....
7 ....
8 ....

..... / 7

2 Osserva le parti del corpo umano indicate e completa il cruciverba. Osserva l'esempio.

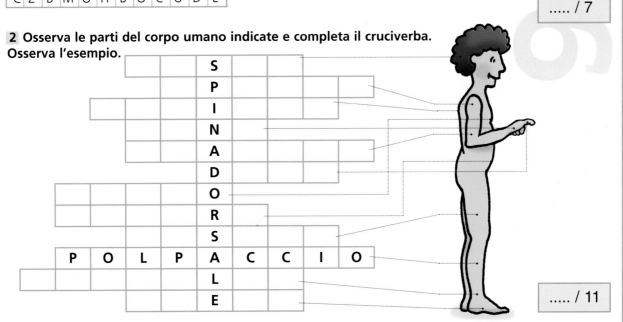

```
          S
          P
        [ ]
          I
          N
          A
          D
          O
          R
          S
  P O L P A C C I O
          L
          E
```

..... / 11

3 Leggi il dialogo e completalo con i verbi al condizionale presente.

Franca: Maria, sono Franca, ciao.

Maria: Ciao Franca, come va?

F: Si tira avanti, grazie; senti, mi *(fare)* .... un piacere?

M: Se posso… dimmi…

F: *(essere)* .... così gentile da prestarmi la tua bicicletta per domenica? Io e Francesco *(volere)* .... andare a fare un giro fuori città, tanto per mantenerci un po' in forma, però abbiamo una bicicletta sola.

M: Te la *(dare)* .... volentieri, ma l'ho prestata a Laura perché la sua si è rotta, forse *(potere)* .... chiederla a Gianni, so che lui ne ha due.

F: Mah! non *(sapere)* ...., non siamo così amici…

M: Io al tuo posto non mi *(fare)* .... tanti problemi, al limite, se vuoi, *(potere)* .... chiedergliela io…

F: No, *(preferire)* .... di no, lascia perdere, è troppo complicato… pazienza, niente sport per questa settimana.

M: Come vuoi, mi dispiace.

F: Non fa nulla, ciao.

M: Ci sentiamo, ciao.

..... / 9

4 Rileggi la conversazione tra Franca e Maria e colloca i verbi al condizionale nella tabella secondo il senso.

Dubbio	Offerta	Desiderio	Consiglio	Richiesta

..... / 9

5 Trova l'elemento che non c'entra.

dito	occhio	labbro	ginocchio

chirurgo	meccanico	neurologo	cardiologo

raffreddore	influenza	febbre	sonno

dente	mano	gomito	piede

..... / 4

6 Trasforma queste frasi liberamente in modo più cortese usando le forme del condizionale. Osserva l'esempio.

Esempio: - Marco, mi dai un passaggio?
- Marco, ti dispiacerebbe darmi un passaggio?

Senta, che ore sono? 1 ....

Mi passi il pane? 2 ....

Avete diecimila lire? 3 ....

Paola, dov'è via Gramsci? 4 ....

..... / 4

NOME:
DATA:
CLASSE:

totale ..... / 45

1 Quante cose conosci della vita quotidiana dei tuoi compagni?
In piccoli gruppi, a turno fatevi alcune domande per scoprire

1 il mezzo di trasporto per arrivare a scuola o al lavoro;
2 la distanza da casa a scuola o al lavoro;
3 la durata del viaggio da casa a scuola o al lavoro;
4 il costo del viaggio.

2 Ora andate a pag. IV per controllare le vostre domande e risposte.

Con i mezzi di trasporto occorre la preposizione **in**:
in macchina, **in** bicicletta, **in** treno, **in** aereo, ecc.
ma ci vuole **a** nell'espressione **a** piedi.

3 Continuate a farvi delle domande per ottenere più informazioni sulle abitudini dei vostri compagni. La figura può darvi qualche suggerimento.

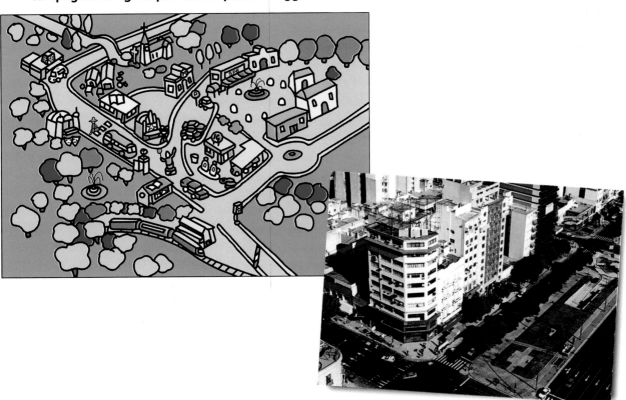

4 Pensa alle tue abitudini e fa' una lista dei luoghi pubblici che frequenti ogni settimana.

5 Confronta la tua lista con quelle di due tuoi compagni.

6 Dove si svolgono i seguenti dialoghi?

7 Ascolta e completa la conversazione.

Sandro: - Dai Maria, il treno ......sta per........ partire! Altrimenti non ce la facciamo!

Maria: - Sono stanca e non (2)........................ più io! Quanto ci vuole per arrivare in stazione?

Sandro: - Se corriamo, 5 minuti.

Maria: - Non si (3)........................ prendere un taxi o un autobus? Guarda, ce n'è uno là, fermo all'angolo.

Sandro: - Tanto sta per chiudere le porte e poi non si (4)........................ prendere i biglietti sull'autobus.

Maria: - Ma bisogna proprio prendere questo treno, non ce n'è un altro, non si (5)........................ chiedere alla stazione?

Sandro: - Sì, ma si (6)........................ cambiare due treni e poi per il prossimo occorre la prenotazione. Dai che ci riusciamo, ancora un piccolo sforzo.

8 ▶▶ Alla scoperta della lingua

Osserva queste due domande:
1 - Quanto tempo ci metti per arrivare a scuola?
2 - Quanto tempo ci vuole per arrivare in stazione?

In quale delle due frasi il soggetto è *tu* e in quale il *tempo*?

Al posto di *volerci* si può usare *occorre*:
2 - Quanto tempo occorre per arrivare in stazione?

Completa le frasi con *metterci* o *volerci*.

1 Quante ore ...ci vogliono/occorrono.... da Roma a New York in aereo?

2 Da casa al parco di corsa io .... dieci minuti, mia moglie meno di otto.

3 Renato, quanto .... di solito per arrivare a scuola?

4 Per fare quegli esercizi .... molto tempo.

5 Non mi ricordo quanto .... per andare al Lago di Garda in bicicletta. Il mio gruppo è arrivato per ultimo, ... dalla mattina alla sera.

9 ▶▶ Alla scoperta della lingua

Tanto. Quale di queste parole ti sembra sinonimo di *tanto* in questo caso?

- Non so dove parcheggiare, faremo tardi al cinema!
- Non ti preoccupare, tanto il film è già iniziato.

☐ Anche perché   ☐ Quando   ☐ Così

Tanto significa *anche perché*, introduce una causa, ma in modo più enfatico rispetto a *perché*; si usa spesso per trarre delle conclusioni.

Collega le frasi della colonna A a quelle della colonna B con tanto.

A	B
1 Non sono andato alla festa di Tommaso,	**a** ho solo un'ora di traduzione.
2 Non ho ancora finito di stirare,	**b** non ho più fame.
3 Puoi prendere la mia penna,	**c** alle sue feste c'é sempre la solita gente.
4 Domani non vado a lezione,	**d** ho tempo fino a stasera.
5 Se vuoi puoi finire il prosciutto,	**e** adesso non mi serve.
6 Mia sorella ha preso la macchina,	**f** a me non occorre: oggi non esco di casa.

TANTO

10 Alla stazione. Metti in ordine il dialogo.

Ce n'è uno alle 12,20 diretto per Ancona che arriva alle 14,25.

Da che binario parte?

Sono 63 euro in tutto. Pagate in contanti o con carta di credito?

Perfetto, due andata e ritorno, seconda classe.

Partenza dal binario 16. E buon viaggio.

In contanti, eccole 65 euro.

Non fumatori.

Per questo treno occorre la prenotazione; guardo se c'è posto.

Allora, sì c'è posto. Fumatori o non fumatori?

1 Mi scusi. Mi saprebbe dire quando parte il prossimo treno per Ancona?

Questi sono i due biglietti.

11 Adesso, a coppie fate dei dialoghi simili. A è il passeggero e va a pag. II, B è l'impiegato delle ferrovie e risponde alle domande di A guardando l'orario dei treni che segue.

Soluzioni di viaggio

Scegli	Partenza	Arrivo	Treni	Durata	Acquista
1 ▶	11:30 ROMA TE	16:00 MI C.LE	ES*	04:30	
2 ▶	12:05 ROMA TE	17:50 MI C.LE	IC	05:45	
3 ▶	12:30 ROMA TE	17:00 MI C.LE	ES*	04:30	
4 ▶	13:30 ROMA TE	18:00 MI C.LE	ES*	04:30	
5 ▶	14:02 ROMA TE	19:55 MI C.LE	IC	05:53	

Legenda stazioni
ROMA TE .... Roma Termini
MI C.LE .... Milano Centrale

12 Come sono i treni nel tuo paese? Usando la tabella che segue, fa' una lista dei vantaggi e degli svantaggi del viaggiare in treno nel tuo paese.

	Nel tuo paese	In Italia
Vantaggi		
Svantaggi		

13 Leggi il testo che segue e completa la tabella con i dati sull'Italia.

Viaggiare in treno: vantaggi e svantaggi.

Il nostro giornale pubblica oggi i risultati di un'indagine svolta intervistando 1000 italiani di diverso sesso, età, professione e provenienza. Ecco quanto è emerso. Viaggiare in treno sembra suscitare sentimenti ed emozioni contrastanti, a volte le opinioni tendono a evidenziare soprattutto gli aspetti positivi, quali l'assenza di stress da traffico. Per alcuni, poi, i treni, oltre a evitare gli ingorghi o gli incidenti in autostrada, sono veloci e si viaggia comodi e rilassati, si può lavorare, riposare, mangiare un boccone o un pasto completo in ristoranti a volte decisamente buoni. E all'arrivo si è più freschi e molto più di buon umore. La ricerca dimostra però come a pensarla così sono soprattutto persone che hanno preso il treno poche volte nella loro vita e che per loro fortuna non hanno mai avuto disavventure. Ritardi a volte di varie ore, incidenti, incontri spiacevoli, sporcizia, treni sovraffollati sono gli aspetti negativi che maggiormente vengono sottolineati, ma sicuramente è la scarsa puntualità dei treni italiani che più colpisce e irrita i viaggiatori. Statistiche alla mano, tuttavia, un dirigente delle ferrovie ci spiega che questa situazione negli ultimi anni è andata sempre più migliorando, anche se non si è ancora riusciti a eliminare il problema. I viaggiatori intervistati non si sono dimostrati tutti d'accordo su questo punto, anzi! Come unico dato veramente positivo quasi per tutti, hanno indicato invece il prezzo dei biglietti che viene ancora considerato relativamente economico se confrontato con i mezzi privati.

In automobile, infatti, al prezzo del carburante e a quello di gestione del mezzo si devono aggiungere l'autostrada e il parcheggio, se la destinazione è una città. Il treno, se risulta spesso scomodo per chi deve raggiungere la stazione di partenza in auto, diventa per la stessa ragione utile per chi deve arrivare in centro. Le stazioni di quasi tutte le città italiane si trovano infatti in centro o molto vicine ad esso. Infine, la ricerca dimostra che per gli italiani il problema dei numerosi scioperi che hanno caratterizzato la storia delle ferrovie nei decenni passati è ormai solo un lontano ricordo.

lessico

1 Completa lo schema con le parole del riquadro.

Persone

Parti del treno

VIAGGIARE IN TRENO

Verbi

Biglietti

Altro

andata, passeggero, supplemento, capotreno, scendere, seconda classe, andata e ritorno, controllore, binario, scompartimento, prendere, macchinista, salire, carrozza ristorante, prima classe, fare il biglietto, bigliettaio, prenotazione, stazione, perdere, vagone

2 Con i termini del riquadro forma delle coppie di parole legate tra loro.
Poi usale insieme in una frase.

Semaforo	Stazione	Autobus	Biglietto	Prendere	All'angolo
Scendere	Motore	Uscita	Pieno	Garage	Prima classe
Perdere	Benzinaio	Bicicletta	Cambiare	Strada	Ritardo
Vagone	Banca	Marciapiede	Ultima chiamata	Strisce pedonali	Macchina
Binario	Incrocio	Biblioteca	Parcheggio	Senso unico	Rotonda
Prenotazione	Parco	Fermata	Camminare	Ponte	Volo

Esempio: Sono sceso dal treno perché non avevo la prenotazione.

3 Conosci tutti i mezzi di trasporto? Scrivi il nome sotto le figure.

1............................. 2............................. 3............................. 4............................. 5............................. 6.............................

7............................. 8............................. 9............................. 10............................. 11............................. 12.............................

13............................. 14............................. 15............................. 16............................. 17.............................

4 Abbina i verbi ai disegni.

....

salire, scendere, arrivare, partire, camminare, correre, navigare, nuotare, volare, guidare

abilità

FABRIZIA RAMONDINO
IN VIAGGIO

EINAUDI

▶▶▶ *Scoprire come un testo è costruito spesso aiuta non solo ad apprezzarlo da un punto di vista letterario, ma anche a comprenderlo da un punto di vista linguistico.*

Ti presentiamo un testo da un libro di racconti di viaggio:
Fabrizia Ramondino, *In viaggio*, Einaudi, Torino 1995, pp.41-42.

1 Leggi il testo e rispondi alle domande.

L'aereo ti evita quelle transizioni lente da un paese all'altro, che ti restituiscono al passato mentre vai verso il futuro, a te stesso mentre vai verso l'altro. L'aereo ignora le terre e i mari che sorvola. Quando entri in aereo, volontariamente ti sottometti al suo potere. In qualunque altro veicolo puoi immaginare di poter padroneggiare la macchina, se si presenta un guasto o un ostacolo. Quando l'aereo decolla si percepisce lo sforzo immane dei motori volti a vincere la forza di gravità. Quella stessa che ti terrà inchiodato alla poltrona. Sali in cielo, ma ingabbiato in un salotto di albergo. Ti vengono serviti di continuo cibi - anche le linee aeree hanno studiato la fase orale. Ti vengono elargiti a tutto spiano sorrisi. Le hostess nei momenti di emergenza devono mantenere la calma, come le brave babysitter se il bambino fa i capricci. Eppure, una volta, ho desiderato di poter regalare un biglietto d'aereo. In un luogo di villeggiatura sedevo spesso al crepuscolo sulle dune, all'estremità della pineta. Il luogo era sempre a quell'ora deserto perché non c'erano più bagnanti. Incontrai qualche volta la filippina. Piangeva in piedi e si lamentava rivolta al mare. Badava a due bambini senza madre in uno dei villini, e la sera, appena il padre tornava dalla città, le erano concessi quei momenti di riposo. Abbandonata dal marito, aveva lasciato i figli alla sorella ed era venuta in Europa per trovare lavoro e mantenerli. Invocava i figli che non vedeva da tre anni.

1 Quali sono i protagonisti?

....

2 Quali sono i soggetti dei primi quattro paragrafi?

Primo paragrafo: ....   Secondo paragrafo: ....

Terzo paragrafo: ....   Quarto paragrafo: ....

3 Che cosa sono i primi quattro paragrafi?
   ☐ Il ricordo del narratore;   ☐ i momenti di una storia;   ☐ le riflessioni del narratore.

4 Spesso il soggetto è *tu*. A chi si riferisce il narratore?

....

5 Quale parola usa l'autore per cambiare la narrazione?

....

6 Quali sono i soggetti principali dell'ultimo paragrafo?

....

7 Che cosa è l'ultimo paragrafo?
   ☐ Il ricordo del narratore;   ☐ i momenti di una storia;   ☐ le riflessioni del narratore.

Narratore: è la voce che parla nel testo.

grammatica

La forma impersonale

Ci sono vari modi per rendere la forma impersonale, cioè per non esprimere in modo determinato la persona che compie l'azione.

Loro
- Questa mattina **hanno** rapinato la filiale della mia banca.
La parola **Loro** spesso non è espressa esplicitamente.

Uno
- **Uno** può avere molti soldi, ma la felicità non si può comprare.

Tu
- Se in Italia **viaggi** in treno, **risparmi**.
Nel caso degli esempi il soggetto **tu** indica una persona qualsiasi, un soggetto indeterminato.

1 Fa' delle frasi con la forma impersonale (*tu*, *uno*, *loro*).

1 Quando/bere/non/potere/guidare.
  Quando uno beve, non può guidare/quando bevi, non puoi guidare.

2 Lavorare/tutto/l'anno/andare/volentieri/in vacanza/quando.

3 Aprire/un/nuovo/ieri/locale.

4 Vendere/quadro/di/un/Modigliani/due/milioni/di/per/euro.

5 Studiare/tanto/non/lavoro/poi/trovare.

6 Dall'anno/volere/prossimo/musei/tutti/i/aprire/la/domenica.

2 Fa' delle domande con la forma impersonale.

1 *Cosa hanno messo in questo piatto, non riesco a riconoscere il sapore..* (in questo piatto)?
Secondo me, ci hanno messo un po' di vino bianco.
2 .... (alle piste da sci)?
Arrivi a Bolzano in treno e poi devi prendere la corriera.
3 .... (il Festival di Cannes)?
Sì, l'ha inaugurato Tornatore con un film interessante.
4 .... (la Banca Popolare)?
Sì, hanno rubato 2 milioni di euro

Si

1 - Nella maggior parte delle città italiane **si registra** un forte inquinamento da traffico.
2 - In Italia **si devono** comprare i biglietti dell'autobus in tabaccheria, all'edicola o in altri posti, ma non direttamente sull'autobus.
3 - Per avere informazioni sugli orari dei treni **si può** chiamare il servizio telefonico delle ferrovie.

Esistono diversi tipi di si (si passivante, si impersonale), ma qui non tratteremo le loro differenze "tecniche".

Dopo il **si** abbiamo il verbo alla terza persona singolare se il nome a cui si riferisce è singolare (1), o alla terza persona plurale se il nome a cui si riferisce è plurale (2). Dopo il **si** il verbo è alla terza singolare se è seguito non da un nome, ma da un verbo (3).

Il **si** si può usare con tutti i tempi del verbo.
Al passato prossimo il verbo ausiliare è sempre *essere*.
Il participio passato a volte si accorda, a volte no.

Riesci a capire la regola?
- La settimana scorsa in tutta Italia si sono avute temperature molto alte.
- Non c'erano molte possibilità, ma alla fine si è trovata una soluzione per la formazione del nuovo governo.
- L'estate scorsa si è viaggiato molto bene con le offerte delle ferrovie.

Abbiamo visto che nei tempi composti l'ausiliare è sempre *essere*; il participio passato si accorda in genere e numero con il sostantivo cui si riferisce, cioé con il complemento oggetto che segue.

Il **si** con il verbo *essere* + un *aggettivo*.
Nelle frasi con si + il verbo essere, l'aggettivo ha sempre la forma del plurale maschile.

- In Italia quando **si è contenti**, spesso si canta o si fischia una canzone.

3 Osserva i cartelli e fa' delle frasi.

1 .Non si può/deve fumare...
2 ....
3 ....
4 ....
5 ....
6 ....

4 Metti i verbi.

1 In Italia si ....*beve*..................... (bere) molto vino.

2 In Spagna si .... (trovare) molte persone gentili.

3 Negli Stati Uniti si .... (viaggiare) sicuri sulle autostrade.

4 In Brasile si .... (ballare) la samba.

5 In Francia si .... (produrre) formaggi molto buoni.

6 In Romania si .... (parlare) una lingua romanza.

 5 Completa i verbi.

1 Ieri sera si è parlat.o............. a lungo di lavoro.

2 Al matrimonio di Giacomo si sono bevut.............. molti alcolici.

3 L'estate scorsa a Rimini si sono vist.............. molti tedeschi.

4 Si è stanch.............. dopo aver corso per mezz'ora.

5 La settimana scorsa sulle Alpi si sono avut.............. nevicate molto abbondanti.

6 Nel ristorante da Antonio si è mangiat.............. molto bene.

Stare per + infinito

La forma **stare per + infinito** esprime un'azione che comincerà tra poco tempo.

- Guarda che nuvole, **sta per** piovere!
- Guarda che nuvole, tra poco comincia/comincerà a piovere!

Questa forma si trova con il presente e l'imperfetto e anche, raramente, con il futuro o il condizionale.

 6 Osserva le figure. Cosa sta per succedere?

1   2   3   4   5   6

1 *Sta per andare a letto.* ....

2 ....

3 ....

4 ....

5 ....

6 ....

Gerundio

Viaggi - **are**	Viaggi - **ando**
Prend - **ere**	Prend - **endo**
Part - **ire**	Part - **endo**

È un modo del verbo che non ha mai il soggetto espresso.
Può avere varie funzioni:
1 - **Viaggiando** in macchina è possibile fermarsi in qualsiasi momento.
   - **Quando si viaggia** in macchina è possibile fermarsi in qualsiasi momento.

2 - Alla sera, dopo il lavoro, mi rilasso **leggendo** libri.
   - Alla sera, dopo il lavoro, mi rilasso **con la lettura** di libri.

Prova a farti una domanda con **quando** o con **in che modo** e scoprirai la funzione del gerundio negli esempi seguenti.
- Facendo ginnastica si riesce a dimagrire.
- Passeggiando nel parco ho incontrato un vecchio amico.

 7 Trasforma le frasi usando un gerundio.

1 Mentre lavavo la macchina, mi sono fatto male a un ginocchio.
   Lavando la macchina mi sono fatto male a un ginocchio.

2 Mentre guardavo la partita, ho fatto gli esercizi d'italiano.
....

3 Con un buon disco uno si rilassa.
....

4 Quando cammino per il centro, guardo sempre i monumenti di cui mi hai parlato.
....

5 Con un buon film uno si diverte sempre.
....

6 Passo il tempo con gli amici e parliamo di molte cose.
....

Preposizioni con i verbi di movimento o di stato

Ormai conosci varie preposizioni di luogo e come sai a volte non c'è una regola per il loro uso.
L'unico modo è cercare di impararle.

In o A

Con i verbi di movimento (andare, venire, correre, ecc.) o di stato (essere, stare, rimanere, ecc.) si usa:

A
Casa
Letto
Lezione
Scuola
Teatro

IN
Albergo
Banca
Biblioteca
Campagna
Classe
Città
Piscina
Montagna
Ufficio

Si può dire:
- Vado **in** macelleria.
    oppure
- Vado **dal** macellaio.

Al
Bar
Centro
Cinema
Mare
Ristorante

in
Con i nomi di negozi:
Libreria
Pizzeria

Con i nomi di città si usa **a**:
- Ieri sono andato **a** Bologna.

Con i nomi di nazione o regione si usa **in**:
- Sono nato **in** Italia.
- Vivo **in** Veneto.

Da

Da si usa per indicare la provenienza:
- Vengo **da** Firenze.

Oppure quando **da** è seguito da un nome
di persona significa a casa di:
- Andiamo **da** Roberta domani sera?

IN Veneto

A Bologna

IN Italia

civiltà > **Italiani con la valigia**

Come forse molti sanno gli italiani sono spesso definiti "un popolo di santi, poeti e navigatori". Come dimenticare infatti ad esempio le imprese di Cristoforo Colombo e Amerigo Vespucci? Ma gli italiani non hanno solo navigato alla scoperta di nuovi continenti, per molti anni, soprattutto nella seconda metà del XIX e nella prima metà del XX secolo gli italiani sono stati emigranti. L'immagine degli italiani con la valigia di cartone che partono alla ricerca di fortuna, soprattutto verso i paesi del Nord e Sud America, è ancora molto viva nella memoria dei nostri anziani. È soprattutto dal dopoguerra in poi, con l'aumento del benessere economico, che gli italiani hanno cominciato a viaggiare come turisti. Oggi non c'è angolo del mondo che i nostri connazionali non abbiano visitato almeno una volta.

1 A molti di voi sarà capitato di osservare e incontrare i turisti italiani nei vostri paesi. A gruppi provate a discutere ed elencare le caratteristiche principali che avete notato nei turisti italiani poi confrontate le vostre opinioni con la classe e con l'insegnante.

2 Riconoscete nelle situazioni rappresentate sopra le caratteristiche dei turisti italiani che avete discusso? Leggete il brano che segue. Siete d'accordo con la descrizione che viene fatta del viaggiatore italiano?

[…] Siamo curiosi, e adoriamo i confronti tra la nostra condizione di italiani e quella dei popoli che visitiamo (perché stanno meglio o perché stanno peggio, non importa: quel che conta è avere un argomento di conversazione). […] Siamo indiscutibilmente generosi, quasi sempre, ad esempio rinunciamo a controllare i conti dei ristoranti, un'attività che occupa invece circa la metà delle ferie di uno svizzero o di un austriaco. Un'altra qualità dell'italiano in viaggio è questa: non soltanto non si innervosisce incontrando altri italiani, ma festeggia l'avvenimento, manifestando un orgoglio nazionale che in patria tiene ben nascosto. […] Un aspetto meno entusiasmante del turismo italiano è la sua rumorosità. È scientificamente provato che una comitiva di cinquanta bergamaschi produce gli stessi decibel di cento francesi, centocinquanta tedeschi e duecento giapponesi. Questa rumorosità spesso non ha nulla a che fare con la scortesia, ed è invece un'espressione del piacere di stare al mondo (soprattutto in un mondo pieno di *duty-free* shops). Altre volte è più sinistra e aggressiva. Lo scrittore Manganelli ha raccontato un episodio di circa trent'anni fa quando un gruppo di imprenditori è andato in Cina. Questa la partenza all'aeroporto di Fiumicino: "È la prima esposizione italiana, il viaggio è lungo, misteriosa la meta e poi gli operatori economici hanno idee assai vaghe su quello che può attenderli. Sono vigorosamente eurocentrici e incautamente estroversi. Nella folla si leva una voce milanese, rancorosa, oscuramente offesa, e chiede assicurazioni aggressive: non lo metteranno mica a dormire in una capanna? Un addetto alla compagnia aerea accenna alla millenaria civiltà, ma il sanguigno eurocentrico diffida. Qualcuno gli ha insegnato che fuori della Valle Padana prevale l'antropofagia e gli unici successi nell'opera di decannibalizzazione si debbono ai missionari che hanno imposto il venerdì di magro (…)".

[Beppe Servergnini, Italiani con valigia, Milano, Rizzoli, (1993) 1998, pag. 17-22]

Mangiare carne umana.

Cannibale è una persona che mangia carne umana. Decanibalizzazione: impedire il cannibalismo.

Nella religione cattolica il venerdì è proibito mangiare carne. (Mangiare di magro: non mangiare carne).

Persona dal carattere forte, violento.

3 Nel brano si fa riferimento anche a turisti di altre nazionalità, quali caratteristiche vengono attribuite alle nazionalità a:

svizzeri ....

tedeschi ....

francesi ....

austriaci ....

giapponesi ....

4 Adesso provate a pensare quali sono invece le caratteristiche dei vostri connazionali che viaggiano: in che cosa si differenziano dagli italiani?

> **fonologia** • *dai!* un'esclamazione per incoraggiare • /f/ vs /ff/

1 Ascolta questi brevi dialoghi tratti dall'attività 7.

Sandro: **Dai** Maria, il treno sta per partire! Altrimenti non ce la facciamo!
Maria: Sono stanca e non ce la faccio più io!

Sandro: **Dai** che ci riusciamo! Ancora un piccolo sforzo.

2 Ascolta le frasi. Fa' attenzione alle parole che le persone usano per incoraggiare gli altri.

1 *Sandro:* - Mamma mia, sono stanchissimo!
  Maria: - Forza! Siamo quasi arrivati!

2 *Maria:* - Mi devo fermare un attimo!
  Sandro: - Coraggio che manca poco!

3 *Sandro:* - Uffa, sono stanchissimo!
Maria: - Andiamo che siamo quasi arrivati!

4 *Sandro:* - Non ce la faccio più a camminare!
Maria: - Su! Ancora un paio di minuti!

 3 Sottolinea le parole che nei dialoghi dell'attività precedente sono usate per incoraggiare le persone.

 4 Giochiamo un po'. Dividiamoci in due squadre. La prima squadra deve trovare le 7 parole che sono nascoste nello schema A. La seconda deve trovare le 7 parole contenute nello schema B. Vince chi trova più parole. Fate attenzione, le parole possono essere in orizzontale o in verticale.

Schema A /f/

A	A	S	S	E	E	G	E
B	T	U	F	O	T	T	O	A
B	R	R	R	N	S	S	N	A
F	E	R	A	N	Z	F	F	F
F	**F**	G	G	I	T	P	I	A
T	**E**	L	E	F	O	N	O	R
Z	**T**	F	N	E	Q	R	C	F
A	**T**	F	Z	R	U	U	A	A
F	**A**	A	F	O	E	F	B	L
R	A	Z	S	S	I	F	B	L
A	F	O	S	A	T	T	P	A

Schema B /ff/

A	F	F	A	R	E	U	E	E
F	F	**E**	R	R	A	S	S	F
G	O	**F**	F	O	T	T	T	F
O	S	**F**	F	C	O	S	S	I
N	S	**E**	A	A	F	A	A	C
F	T	**T**	U	F	F	O	F	I
F	D	**T**	S	R	R	I	F	E
I	D	**O**	S	K	I	I	I	N
A	A	V	P	K	R	L	T	T
T	R	O	P	D	E	T	T	E
A	A	M	G	H	S	G	O	A

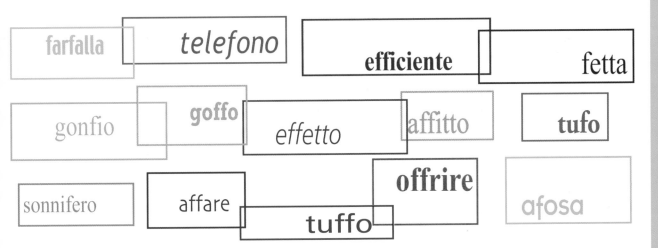

farfalla · telefono · efficiente · fetta · gonfio · goffo · effetto · affitto · tufo · sonnifero · affare · offrire · tuffo · afosa

 5 Ora ascolta le parole dell'attività precedente. Prima quelle dello schema A e poi quelle dello schema B. Controlla con quelle che hai trovato tu.

> *Ti ricordi?*
> Il suono intenso /**ff**/ si pronuncia allungando la durata del corrispondente suono breve /**f**/.

sommario

✎ **Abbina le frasi o espressioni alla descrizione sotto.**

1 Quanto (tempo) ci metti per arrivare a scuola?

2 Dai Maria, il treno sta per partire! Altrimenti
non ce la facciamo!

3 Non ti preoccupare, tanto il film è già iniziato.

4 Quanto è lontano casa tua da scuola?

5 (Ci metto) più o meno mezz'ora.

6 85 centesimi.

7 Sono circa 10 chilometri.

8 Guarda che nuvole, sta per piovere!

9 In autobus.

10 Sono stanca e non ce la faccio più!
Quanto ci vuole per arrivare in stazione?

11 Con che mezzo di trasporto vai al lavoro?

12 Quanto spendi per andare a scuola o al lavoro?

✎ **In questa unità abbiamo imparato a:**

11	**a**	Chiedere quale mezzo di trasporto si utilizza.	....
	b	Dire quale mezzo di trasporto si utilizza.	....
	c	Chiedere la distanza tra due luoghi.	....
	d	Dire la distanza tra due luoghi.	....
	e	Chiedere quanto tempo si impiega a fare qualcosa.	....
	f	Dire quanto tempo si impiega a fare qualcosa.	....
	g	Chiedere quanto si spende a fare qualcosa.	....
	h	Dire quanto si spende a fare qualcosa.	....
	i	Sollecitare, stimolare un'azione.	....
	j	Dichiarare incapacità a fare qualcosa.	....
	k	Introdurre una causa in modo più enfatico, trarre conclusioni.	....
	l	Esprimere un'azione che comincerà tra poco tempo.	....

1 Osserva le vignette e descrivi le azioni dei personaggi usando la forma
stare + *gerundio* o *stare per* + *infinito* dei verbi tra parentesi. Osserva l'esempio.

1 (guidare)
Sta guidando. ....
....

5 (incontrarsi)
....
....

2 (mangiare)
....
....

6 (calciare la palla)
....
....

3 (ascoltare)
....
....

7 (recitare)
....
....

4 (decollare)
....
....

..... / 6

2 Riordina le frasi.

1 si meglio quando è non è guidare stanchi
....

2 ora dello acquistare i possono spettacolo un' prima si biglietti
....

3 troppi nervoso se uno caffè diventa beve
....

4 si ormai trovare Internet in informazione può qualsiasi
....

..... / 4

3 Completa il testo con le preposizioni *in*, *a*, *al*.

Filippo: - Allora Marta, è dura tornare .... ufficio dopo le vacanze...

Marta: - Non me lo dire guarda, sarei rimasta volentieri .... montagna un altro po'

F: - Vi siete divertiti?

M: - Abbastanza, ma soprattutto ci siamo riposati. Eravamo .... un albergo tranquillo, i ragazzi
se volevano potevano andare .... piscina e la sera venivano con noi .... ristorante o
andavano con i loro amici .... pizzeria o .... qualche bar .... centro. Ormai sono
grandi e girano da soli... E tu cos'hai fatto? Sei andato .... Sardegna come al solito?

F: - No, quest'anno abbiamo deciso con Elena di restare .... città. Ci siamo presi le ferie in autunno. Sai che non è niente male? Qui .... biblioteca non veniva quasi nessuno e si lavorava poco. La sera andavamo sempre fuori un po' .... teatro o .... cinema all'aperto, abbiamo riscoperto la città.

M: - Certo che per noi che viviamo .... Venezia è sempre un piacere…

..... / 14

4 Associa le definizioni al mezzo di trasporto.
Attento: due definizioni non c'entrano. Osserva l'esempio.

	treno	metro	autobus	taxi
Si scende dalla porta centrale.			x	
Spesso le stazioni prendono il nome da un monumento o una persona celebre.				
Se sono prenotati la luce è spenta.				
In caso di nebbia usa il radar.				
Se la fermata non è obbligatoria, per salire bisogna fare un segnale con la mano al conducente.				
A volte la prenotazione è obbligatoria.				
Spesso attendono in luoghi precisi della città.				
Non si può mai abbassare i finestrini.				
Spesso si parla con il guidatore.				
Alcune fermate sono obbligatorie, altre a richiesta.				
Spesso si fa un biglietto andata/ritorno.				
A volte si può lasciare una mancia.				
In caso di maltempo non parte.				

..... / 12

5 Crea delle frasi come nell'esempio.

1 Aspettare/cantare
Ieri aspettando (mentre aspettavo) l'autobus, ho sentito un ragazzo che cantava molto bene.

2 guardare/mangiare
....

3 fare/ascoltare
....

4 andare/rompere
....

..... / 9

| NOME: |
| DATA: |
| CLASSE: |

totale   ..... / 45

1 Com'è complesso l'essere umano e quante parole occorrono per descriverlo!
A coppie, suddividete le parole in due gruppi.

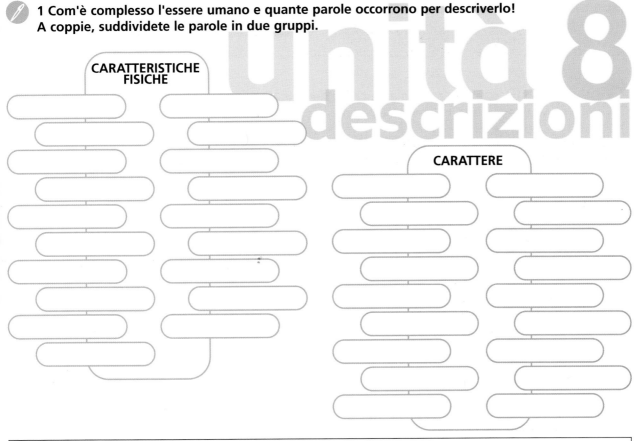

CARATTERISTICHE
FISICHE

CARATTERE

simpatico, estroverso, bello, moro, medio, romantico, brutto, pessimista, cattivo, castano, orgoglioso, grasso, intelligente, riccio, magro, robusto, debole, timido, calmo, biondo, educato, corto, in gamba, basso, introverso, carino, maleducato, forte, lungo, ottimista, pazzo, pigro, alto, serio, vivace, liscio, ondulato

2 Quali delle parole dell'esercizio 1 associ ai nomi che seguono?

barba	baffi	capelli	statura	corporatura
lunga				

3 Pensa ad altre parole simili che conosci già e scrivile. Poi confrontale con quelle di due tuoi compagni.

4 Su un foglietto scrivi tre aggettivi che descrivono il tuo carattere e tre che ti descrivono fisicamente. Poi consegna il foglietto all'insegnante e, insieme ai tuoi compagni, fagli domande per capire chi sono le persone dei biglietti.

Esempio: Com'è fisicamente?
Com'è di carattere?

5 Ora lavora con due compagni e scrivi il nome di un personaggio famoso e tre sue caratteristiche fisiche o del carattere. Di' ai tuoi compagni chi è il personaggio che hai scelto. Devono indovinare quali caratteristiche gli hai associato.

6 Lavora con un compagno. **A** va a pag. V e **B** a pag. VI. Completate la lettera con la descrizione della persona della foto nella vostra pagina.

Milano, 31 gennaio 2001
Gent. Sig.ra De Luca,
con la presente desidero confermarle la data e l'ora del mio arrivo a Roma. Arrivo all'aeroporto di Fiumicino alle 10.20
dell' 8 febbraio prossimo con il volo AZ 221. Le do alcune indicazioni sul mio aspetto fisico, affinché possiamo incontrarci.

....

....

....

....

7 Ora a turno uno legge la lettera che ha scritto e l'altro ascolta. Poi insieme guardate la foto della persona della descrizione. Ve la siete immaginata così? Il vostro compagno ha fatto una buona descrizione?

8 Ascolta il dialogo e osserva la figura.
Di quali personaggi parlano le due ragazze?

▶▶ **Alla scoperta della lingua**

Cosa vuol dire Carla quando dice che è
innamoratissima? *Che è la persona più*
innamorata al mondo o è un modo per
dire che è molto innamorata?

9 Ascolta nuovamente il dialogo e scegli la parola o le parole giuste.

Carla: Giorgia, sono innamoratissima!
Giorgia: Tu innamorata? Non ci posso credere.
Carla: Sì, vedi quel ragazzo con i capelli a) castani b) biondi c) mori che sta parlando con quell'altro un po' più a) basso b) grasso c) alto…
Giorgia: Quale? Quello a cui stanno versando da bere, con a) i baffi b) gli occhiali c) l'orecchino?
Carla: No, quell'altro con i capelli un po' a) ondulati b) ricci c) grigi e la barba.
Giorgia: Ah, sì… mmm, interessante! Ma, state insieme?
Carla: Sì, ormai da due mesi… È una persona a) eccezionale b) in gamba c) intelligente.
Giorgia: Dai, racconta!
Carla: Ha 28 anni, è laureato in economia e lavora nella ditta di suo padre.
Giorgia: Però, te lo sei scelto con i soldi questa volta.
Carla: Smettila! Lo sai che non me ne importa nulla dei soldi. Mi piace perché mi ascolta. È così a) timido e introverso, b) calmo ed educato c) serio e in gamba.
Giorgia: Che noia!
Carla: Ma no, è anche molto a) simpatico b) estroverso c) romantico e un po' pazzo. È sempre a) pigro e maleducato b) allegro e ottimista c) introverso e orgoglioso…
Giorgia: Beh, complimenti! Me lo fai conoscere?
Carla: Forse un'altra volta. Di te non mi fido!

▶▶ **Alla scoperta della lingua** | Negli esempi che seguono a che cosa si riferiscono *che* e *cui*?

- Vedi quel ragazzo con i capelli castani che sta parlando con quell'altro un po' più alto…
- Quale? Quello a cui stanno versando da bere, con gli occhiali?

Completa la tabella con *che* o *cui*.

Senza preposizione	Con preposizione

 10 Leggi il brano e discuti con un compagno. Siete d'accordo con i consigli che il giornalista dà nel testo? Quanto conoscete voi stessi? Fate un elenco delle vostre qualità e dei vostri difetti.

> Mamma mia!!
> Come sono timida, introversa, pessimista, seria. Riuscirò mai a cambiare?

> Sono proprio bello, gentile, simpatico, intelligente, vivace, calmo, educato, estroverso...

Conoscersi per accettarsi | | | | |

Per avere un buon rapporto con se stessi bisogna cercare uno stato di equilibrio e stabilità, mettendo in pratica queste tre regole:

> cerca di conoscere il tuo carattere;
> accettalo così com'è;
> usa il più possibile le tue qualità, cercando nello stesso tempo di limitare i tuoi difetti.

Non è un compito facile ma, piano piano, ti renderai conto che stai cominciando a conoscere e controllare meglio te stesso, cioè stai maturando. Molte persone hanno una grande opinione di sé e pensano che chi non è come loro sbaglia. Bisogna invece riuscire a rispettare nello stesso modo il carattere degli altri e il proprio. Questo atteggiamento si raggiunge attraverso la conoscenza e l'accettazione di sé.
Per capire bene il tuo carattere devi avere il coraggio di guardarti dentro, senza nascondere i tuoi difetti: non è nascondendo i propri lati negativi che questi spariscono.
Quando hai trovato le tue qualità e i tuoi difetti, devi imparare ad accettarti come sei. Può succedere che qualche lato del tuo carattere non ti piaccia, ma non devi odiarlo, devi solo imparare a controllarlo. Ricorda che

nessuno è perfetto, così come nessuno è un disastro in ogni campo. Hai sempre la possibilità, se ti conosci bene, di limitare i tuoi difetti attraverso l'uso delle qualità e dei lati positivi che sicuramente hai.
Devi quindi guardare dentro te stesso e trovare le tue qualità nascoste, forse dimenticate, e lavorare su queste per renderle più forti.

11 Ma tu che tipo sei? Emotivo o non emotivo? Fa' il test e trova i punti forti e deboli del tuo carattere.

ISTRUZIONI

Leggi le definizioni: troverai sempre descritti due comportamenti nettamente opposti, a uno corrisponde il punteggio 9, all'altro 1. In alcuni casi troverai anche un terzo comportamento intermedio che vale 5 punti.
Devi scegliere l'affermazione che meglio esprime il tuo carattere. Può succedere che tu non ti senta rappresentato da nessuna delle definizioni. In questo caso puoi segnare 5 punti, anche se il test non prevede una risposta intermedia. Fallo, però, solo in casi eccezionali e sforzati il più possibile di scegliere tra 9 e 1.
Alla fine del test, somma i tuoi punteggi. Più il totale ottenuto si avvicina a 90, più è marcata, in te, la tendenza a essere emotivo e attivo.

Misura la tua **E M O T I V I T À**

1 Ti capita di essere sconvolto per cose da nulla. 9
Solo gli avvenimenti gravi riescono a turbarti. 1

2 Ti entusiasmi o ti indigni con facilità. 9
Accetti le cose così come sono. 1

3 Sei suscettibile. 9
Sopporti le critiche senza esserne urtato. 1

4 Ti preoccupi facilmente per gli imprevisti. 9
Difficilmente resti turbato da qualcosa. 1

5 Spesso ti accalori mentre parli. 9
In genere parli in modo calmo e posato. 1

6 Di fronte a una novità ti agiti. 9
Affronti le novità con calma. 1

7 Ti basta poco per passare improvvisamente
dalla gioia alla tristezza e viceversa. 9
Il tuo umore è tendenzialmente costante. 1

8 Sei spesso oppresso da dubbi e da preoccupazioni
per cose di scarsa importanza. 9
Solo raramente ti capita di essere turbato o
preoccupato per situazioni di poco conto. 1

9 A volte ti accade di essere così emozionato
da non riuscire a fare ciò che desideri. 9
Ti capita di rado di essere bloccato dall'emozione. 5
Non ti è mai successo. 1

10 Hai spesso l'impressione di essere infelice. 9
Se le cose non vanno come vorresti, pensi di più
a cosa fare per migliorarle che a ciò che provi. 1

[testo adattato da Donna Italiana Moderna, 16.04.1999 sito web, www.mondadori.com/donnamoderna]

lessico Culture a confronto.

 1 Conosci la parola *furbizia*? Esiste una parola con lo stesso significato nella tua lingua?

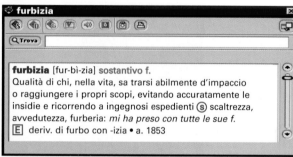

furbizia [fur-bì-zia] sostantivo f.
Qualità di chi, nella vita, sa trarsi abilmente d'impaccio
o raggiungere i propri scopi, evitando accuratamente le
insidie e ricorrendo a ingegnosi espedienti Ⓢ scaltrezza,
avvedutezza, furberia: *mi ha preso con tutte le sue f.*
Ⓔ deriv. di furbo con -izia • a. 1853

 **2 Per te essere *furbi* è
negativo o positivo?
E nel tuo paese?**

> Furbi = *Che sanno mettere in pratica
> accorgimenti sottili e abili,
> atti a procuragli vantaggi.*

 3 Adesso tocca a voi! Insieme a un compagno cercate di rispondere alle domande dell'esercizio 2.

 **4 Come ti sembrano queste parole? Completa lo schema secondo quanto pensi. Prova ad
aggiungere altri tre aggettivi.**

Caratteristiche fisiche: alto, basso, bello, biondo, brutto, carino, castano, grasso, magro, forte, robusto, debole.
Carattere: calmo, cattivo, educato, estroverso, in gamba, intelligente, introverso, maleducato, orgoglioso, ottimista, pazzo, pessimista, pigro, romantico, serio, simpatico, timido, vivace.

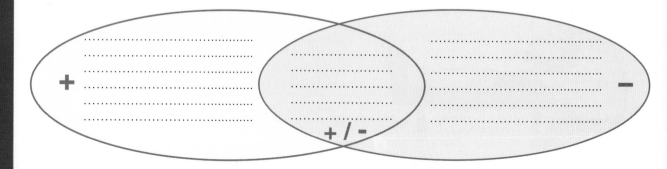

5 Ascolta l'intervista e rispondi alle domande.

1 Perché "*alto*" è positivo? ....

2 A cosa può essere associato l'aggettivo "*basso*"? ....

3 Quando usa l'aggettivo "*carino*"? ....

4 Le piacciono i magri? ....

5 "*Furbo*" è per lei un aggettivo positivo? ....

6 Lei è una persona calma? ....

7 Le piacciono le persone in gamba? ....

8 Quale altro significato attribuisce all'aggettivo "*intelligente*"? ....

9 Com'è a volte una persona orgogliosa, secondo lei? ....

10 Le piacciono i pigri e i romantici? ....

abilità

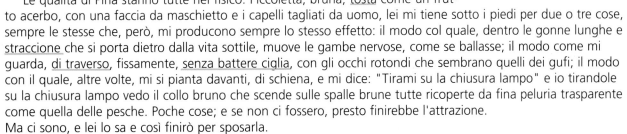

Le parole difficili o quelle che comunque non si conoscono non sempre sono fondamentali per la comprensione del testo. Applicando alcune strategie di lettura è possibile capirlo anche senza conoscere parte del lessico.
Ti presentiamo un brano da un racconto di Moravia, *Il godipoco*. Leggilo e poi fa' le attività che seguono.

Vorrei sapere perché quando una donna ci piace, anche le cose che in lei non ci piacciono, finiscono per piacerci. Vorrei sapere perché, sebbene l'abbia capito da un pezzo che Pina non fa per me, io la sposerò lo stesso, tra un mese o poco più.
Le qualità di Pina stanno tutte nel fisico. Piccoletta, bruna, <u>tosta</u> come un frutto acerbo, con una faccia da maschietto e i capelli tagliati da uomo, lei mi tiene sotto i piedi per due o tre cose, sempre le stesse che, però, mi producono sempre lo stesso effetto: il modo col quale, dentro le gonne lunghe e <u>straccione</u> che si porta dietro dalla vita sottile, muove le gambe nervose, come se ballasse; il modo come mi guarda, <u>di traverso</u>, fissamente, <u>senza battere ciglia</u>, con gli occhi rotondi che sembrano quelli dei gufi; il modo con il quale, altre volte, mi si pianta davanti, di schiena, e mi dice: "Tirami su la chiusura lampo" e io tirandole su la chiusura lampo vedo il collo bruno che scende sulle spalle brune tutte ricoperte da fina peluria trasparente come quella delle pesche. Poche cose; e se non ci fossero, presto finirebbe l'attrazione.
Ma ci sono, e lei lo sa e così finirò per sposarla.
Parliamo adesso di <u>difetti</u>, o meglio del difetto, perché ne ha soprattutto uno, ma grosso: le cattive maniere. Dire cattive maniere è troppo poco, bisognerebbe dire maniere da villana. C'è chi nella vita va piano, chi va al trotto, e chi va al galoppo: Pina galoppa. Va di fretta, insomma, con l'aria di dire: "Poche chiacchiere, veniamo al sodo, non ho tempo da perdere, io." E nei modi, conferma l'impressione: pare sempre che corra, che si <u>faccia largo a forza di gomiti</u>, impaziente, impulsiva, brusca, intollerante.
Io sono nato, invece, con le buone maniere. E sì che le cattive maniere potrei anche permettermele: sono grande, grosso, forte come un <u>toro</u>; peso novantacinque chili a ventott'anni; all'officina meccanica dove lavoro sono capace di <u>sollevare</u> da solo una macchina utilitaria. Ma appunto perché sono così forte, sto attento ai miei gesti, alle mie parole. E si capisce: più uno è forte e più uno deve essere gentile e non abusare della propria forza. Invece Pina che mi arriva con la testa al petto e di forte non ha che la voce grossa e rauca (altra cosa che mi piace in lei: lo dimenticavo), Pina, forse per questo, sente il bisogno di imporsi con la <u>prepotenza</u>.
La sposerò, non c'è nulla da fare.

[Da Alberto Moravia, Racconti romani, Bompiani 1986]

 1 Analizza le frasi che contengono parole o espressioni sottolineate. Il testo si capisce anche se si eliminano le parti sottolineate?

2 In alcuni casi queste parole o espressioni sono indispensabili per la comprensione. Cerca di stabilire a cosa servono nel testo. Segui i nostri suggerimenti che ti mostreranno alcune possibili strategie:

Prendiamo la parola *difetti:*

si tratta di un verbo, di un aggettivo, di un sostantivo, di un avverbio? ....

(Guarda come termina, che cosa possiamo aspettarci dopo il verbo *parlare di*?)

Si tratta di qualcosa di positivo o di negativo? ....

(Leggi il resto della frase e prova a pensare:

il grosso difetto sono le cattive maniere. Ti sembra positivo?)

Quali altre domande puoi fare a te stesso per capire la parola difetti?

 3 Leggi il testo e scegli la parola o l'espressione che ha lo stesso significato delle seguenti, secondo il contesto del brano di Moravia.

tosta:	**a** debole, fragile	**b** dura, soda	**c** rilassata e riposata
straccione:	**a** povere	**b** ricche	**c** colorate
di traverso:	**a** con amore	**b** con interesse	**c** in modo ostile, non benevolo
senza battere ciglia:	**a** senza chiudere gli occhi	**b** senza battere il piede in terra	**c** senza sorridere
difetti:	**a** imperfezioni fisiche o morali	**b** virtù	**c** passioni
si faccia largo			
a forza di gomiti:	**a** si fermi con le braccia incrociate	**b** aspetti con calma	**c** si apra la strada con forza
toro:	**a** macchina agricola	**b** uccellino tropicale	**c** animale bovino maschio adulto
sollevare:	**a** alzare	**b** rompere	**c** guidare
prepotenza:	**a** pazienza	**b** disponibilità	**c** volontà di dominare con le minacce

civiltà Piccoli, grassi e neri

 1 Chiudete gli occhi per circa un minuto. Pensate agli stereotipi che conoscete sull'aspetto fisico degli italiani e pensate a film che avete visto in cui i c'erano personaggi italiani. Com'è il tipico maschio italiano e la tipica donna italiana? Adesso aprite gli occhi e scrivete gli aggettivi per descriverli. Confrontate le vostre liste con quelle dei compagni e insieme fate le due liste definitive.

Uomo italiano	Donna italiana

2 Adesso pensate agli italiani che avete visto se siete andati in Italia, oppure pensate agli italiani che conoscete o che avete visto alla televisione o sui giornali. Sono veramente così? Quanto c'è di vero nell'immagine dello stereotipo? Discutetene con i compagni.

3 Leggi il brano e inserisci negli spazi della cartina le seguenti indicazioni.

È molto difficile disegnare un ritratto dell'italiano e dell'italiana tipici. Si può dire che in Italia sono presenti tutte le caratteristiche fisiche e che sono distribuite su tutto il territorio nazionale. Sono stati molti i popoli e le etnie che si sono susseguite nel nostro paese nel corso della storia e ognuna ha lasciato il segno. In alcune zone del nord è possibile trovare più facilmente persone con i capelli e gli occhi chiari e la carnagione pallida, questo perché per molti secoli vi hanno abitato popolazioni del Nord Europa. Questi popoli sono però arrivati anche in alcune zone del Sud e perfino in Sicilia, quindi non è difficile trovare anche lì persone con caratteristiche nordiche. Inoltre non tutti i popoli provenienti dal Nord Europa erano formati da persone bionde e alte. Alcuni popoli celtici, per esempio, erano generalmente scuri di capelli e molti di loro si sono stabiliti nell'Italia centro-settentrionale.

È anche vero che il Sud della penisola è stato, più di altre parti dell'Italia, invaso da popolazioni arabe che avevano caratteristiche diverse. Si trattava di persone generalmente più basse, scure di capelli e di carnagione e queste caratteristiche si possono ancora trovare nella gente del Meridione.

I fattori che hanno contribuito a creare gli stereotipi sull'aspetto fisico degli italiani sono tanti e alcuni hanno una base nella realtà. Dalla fine dell'800 fino a dopo la seconda guerra mondiale sono stati molti gli italiani, soprattutto del Sud, che sono emigrati all'estero in cerca di lavoro. Molti di loro si

■ popolazioni del Nord Europa
□ popolazioni celtiche
■ popolazioni arabe

sono stabiliti nel Nord America dove forse erano più evidenti che in altre parti del mondo le differenze fisiche tra italiani e americani bianchi (generalmente con caratteristiche nordiche). Così, soprattutto attraverso il cinema hollywoodiano, sempre alla ricerca dell'esotico e di conseguenza dello stereotipo, si è venuta a creare questa immagine dell'italiano bruno, più piccolo della media, grassoccio e scuro di carnagione. La tipica donna italiana deve essere invece molto prosperosa, dalle forme abbondanti e dagli occhi scuri e ammaliatori.

Rodolfo Valentino, nome d'arte di Rodolfo Guglielmi (Castellaneta (TA) 1895 - New York 1926), il più popolare divo del cinema muto, l'amante latino per eccellenza.

L'attrice italiana **Sophia Loren** protagonista di molti film italiani e anche hollywoodiani.

Gina Lollobrigida con la Loren na impersonato per anni la tipica bellezza italiana nel cinema.

grammatica

Pronomi relativi	
Senza preposizione	Con preposizione
CHE	**CUI**

Ascolta le due parole e scrivile.
1 ....   2 ....
Ascolta di nuovo le due parole e indica l'accento.

Che e **cui** sono *invariabili* e non prendono l'*articolo*.

- Il libro **che** mi hai consigliato è molto bello.
- La casa **in cui** vivo ha tre piani.

La preposizione **a** seguita da **cui** può essere eliminata.
- La ragazza **(a) cui** stai parlando è mia sorella.

Cui tra l'articolo determinativo e il nome indica *possesso*.

- Quella signora, **il cui** nipotin**o** sta giocando nel parco, è una mia vicina.

L'articolo è quello richiesto dal nome a cui si riferisce.

Chi significa *le persone che, quelli che*.

Il verbo va sempre alla terza persona singolare.

- **Chi** dice che l'Italia non è bella, non l'ha mai visitata bene.
- Esco solo **con chi** non parla sempre di calcio.

Ciò che significa la *cosa che, quello che*.
- Non mi ricordo **ciò che** mi hai detto ieri sera sul tuo viaggio in Namibia.

1 Unisci le frasi delle due colonne con un pronome relativo.

1 Ieri ho incontrato un'amica ....*che*.....   **a** mi è sempre piaciuto.

2 Madrid è una città in ....   **b** hai fatto l'esame, è francese.

3 Il Portogallo è un paese ....   **c** non vedevo da anni.

4 Il professore con ....   **d** sono andato dal medico, è che non mi sentivo bene.

5 La ragione per ....   **e** mi piacerebbe vivere.

6 L'Indonesia è il paese da ....   **f** proviene quello studente.

2 Unisci le frasi usando un pronome relativo.

1 Roberta lavora in un ospedale. L'ospedale si trova in centro.
Roberta lavora in un ospedale che si trova in centro.

2 Questo è il mio appartamento. Vivo qui dal 1991.

3 Roma è una città bellissima. A Roma ci sono monumenti meravigliosi.

4 Questa è la macchina della ditta. Con questa macchina ho fatto un incidente la settimana scorsa.

5 Sto cercando una persona. Questa persona sta nella stanza 232.

6 Mariella sta parlando con alcuni signori. Li ha conosciuti ieri.

3 Metti il pronome relativo, scegli tra *ciò che* e *chi*.

1 Non ho capito bene ...*ciò che*...... mi hai detto. Puoi ripetere, per favore?

2 Sembra che .... segue la dieta mediterranea viva più a lungo.

3 Puoi prendere i nomi di .... vuol fare l'esame oggi?

4 .... mi hai raccontato è terribile.

5 Potete andare a casa. Ma solo .... ha finito e consegnato il test!

6 In Italia .... vuole comprare un francobollo, può andare dal tabaccaio.

7 .... è successo ieri sembra impossibile.

8 .... deve partire in aereo oggi può avere problemi a causa dello sciopero dei controllori di volo.

4 Completa le frasi con *il/la/i/le cui*.

1 La ragazza, ...*il cui*........ modo di comportarsi non ti piace, è tornata a lezione ieri.

2 Il libro, ... autore non conoscevo, è veramente carino.

3 Quello è lo studente americano .... genitori hanno fatto il viaggio in aereo con noi.

4 Ho votato per il candidato sindaco .... idee politiche mi sembravano più vicine alle mie.

5 Vorrei vivere in una società .... valori fossero meno ispirati al consumismo.

-issimo

- Il tuo ragazzo mi piace molto. È simpaticissimo.
- Quel quadro di Modigliani è bellissimo.
- Ho conosciuto un petroliere arabo ricchissimo e con quattro mogli! Non so se invidiarlo almeno un po'.

Ritroverai questa forma dell'aggettivo nell'Unità 10. *Simpaticissimo* nel primo esempio vuol dire *molto, molto simpatico*.
Ma detto così, con *simpaticissimo*, è più enfatico, più espressivo. Questa forma, che è molto frequente in italiano, serve per sottolineare, dare più forza all'aggettivo.

5 Metti l'aggettivo giusto dal riquadro.

1 Giuseppe, mio nonno, quando è morto era ....*vecchissimo*........... .

2 San Marino è un .... stato indipendente.

3 Volevo comprare un paio di scarpe nuove, ma erano ....

4 Ho sentito l'ultimo disco del gruppo di cui mi hai parlato; mi sembra un tipo di musica ....

5 Quando Patrizia si è sposata era ...., ma si è già divorziata.

6 Sto facendo un progetto di solidarietà con il Burundi, perché è un paese .... e ....

vecchissimo, carissimo, nuovissimo, giovanissimo, poverissimo, innamoratissimo, bellissimo

6 Rispondi alle frasi come nell'esempio, usando l'aggettivo che ritieni appropriato.

1 Quel ragazzo ha smesso di andare a suola e lavora dal mio macellaio.
........................*Ma è giovanissimo!*..

2 Prendi, questo è il mio regalo per il tuo compleanno.
....

3 Signora, queste scarpe costano 300 euro.
....

4 Ti vedo in forma. Come stai?
....

L'alterazione del nome

Alterare significa modificare, cambiare. Ti presentiamo alcune parole alterate.

- Che bel **gattino**!

Ci sono vari modi di modificare i nomi, tra cui: **-ino**, **-one**, **-accio**.
Ogni modo esprime un'idea diversa.
Ad esempio:
Un ragazzino   =   un ragazzo piccolo.
Un gattino   =   un gatto piccolo.

Un ragazzone = un ragazzo grande.
Un librone = un libro grande.

Un ragazzaccio = un ragazzo brutto e cattivo.
Un momentaccio = un brutto momento.
Una giornataccia = una giornata brutta e sfortunata.

L'alterazione dell'aggettivo

- Lo trovo **bellino**, interessante!

L'aggettivo così modificato dà un'idea di qualcosa di piccolo e grazioso:
- La tua casa è proprio **carina**.

O a volte serve per rendere meno duro un aggettivo.
- Il film che abbiamo visto ieri sera è **bruttino**.

Ma attenzione! Gli aggettivi alterati sono piuttosto rari e soprattutto non cercare di modificare tu gli aggettivi. Potresti avere brutte sorprese o almeno bruttine!
Te ne diamo alcuni da utilizzare: *carino, bellino, piccolino, bruttino, sciocchino*.
Anche con i nomi alterati occorre fare molta attenzione. Ti consigliamo di imparare a riconoscerli, ma di evitare di crearne tu, usa quelli che ti presentiamo.

7 Completa con l'aggettivo o il nome corretto.

1 In estate vivo in un ....*paesino*............... sulle Alpi, dove ci sono solo trecento abitanti.

2 Non riesco a prepararmi per l'esame di italiano, è enorme, è veramente un ....

3 Lo so che è una casa molto piccola. Ma è una .... così graziosa.

4 La mia gatta ha fatto i cuccioli e ora ho cinque .... da regalare.

5 Ho visto la tua nuova ragazza. Complimenti, è veramente .... e sembra molto intelligente.

6 Non so più cosa fare con mio figlio. Ha 15 anni e mi dà un sacco di problemi. È proprio un ....

Esercizi di ripasso: le preposizioni

Ti presentiamo un esercizio con cui potrai ripassare un po' le preposizioni che hai già incontrato in questo libro e nel primo volume.

8 Metti la preposizione corretta.

1 John è americano. Viene ....*da*......... Chicago.

2 Ti sei ricordato .... parlare .... Maria .... cena .... domani.

3 C'è bisogno .... molti soldi .... vivere .... Italia.

4 Mi sa dire come arrivo .... stazione .... qui.

5 Hai telefonato .... tua nonna .... farle gli auguri?

6 .... inverno è bello andare .... sciare.

7 .... agosto dovrei andare .... Buenos Aires.

8 .... che ora devi andare .... scuola domani mattina?

9 Vado .... ortolano. Devo comprarti qualcosa?

10 .... un paio d'ore vorrei andare .... letto.

11 Vedi quell'uccello .... quell'albero. Mi sembra una gazza.

12 I supermercati .... mia città sono solitamente aperti .... martedì .... sabato, ... 9 .... 22 e il lunedì mattina sono chiusi.

fonologia
- **Che** esclamativo
- /p/ vs /pp/
- /b/ vs. /bb/

1 Ascolta questo brano tratto dal dialogo iniziale.

Carla: Smettila, Lo sai che non me ne importa nulla dei soldi. Mi piace perché mi ascolta. È così calmo e educato.
Giorgia: **Che noia!**

2 Leggi le battute dell'esercizio 1 con un compagno. Fa' attenzione all'intonazione.

> Hai notato che soprattutto nell'italiano parlato molto spesso si usa *che + sostantivo /aggettivo* per esprimere uno stato d'animo? L'intera espressione è accompagnata da un'intonazione discendente.

3 Con un compagno, forma delle esclamazioni con *che*, scegli gli aggettivi o i sostantivi dalla lista che ti diamo. Fa' attenzione all'intonazione.

Esempio: **che noia!**

Che pizza!

Che noia!

spettacolo, bello, brutto, noia, stupido, carino, ragazzo/a, forza, simpatico, bellezza, scemo, schifo

4 Ascolta i gruppi di parole e fa' un segno nella colonna corrispondente.

	uguali	diverse		uguali	diverse		uguali	diverse		uguali	diverse		uguali	diverse
1	×		3			5			7			9		
2			4			6			8					

5 Giochiamo un po'. Trova le parole nascoste nel riquadro. Fa' attenzione possono essere in orizzontale, o in verticale.

A	P	B	P	B	A	B	B	A	A
C	U	B	I	C	O	T	A	A	B
B	B	C	D	A	V	V	B	A	B
S	B	A	M	B	I	N	I	S	A
A	L	C	R	I	Z	E	L	L	N
A	I	N	B	N	B	B	A	R	D
S	C	R	M	A	M	B	I	T	O
B	I	T	E	B	U	I	E	B	N
O	T	R	B	W	S	A	B	I	A
B	A	B	B	O	N	I	A	S	R
I	S	D	E	P	P	A	B	B	E

abbandonare
ambito
babbo
bambini
cabina
cubico
ebbe
nebbia
pubblicità

> Ti ricordi dei suoni intensi /pp/ e /bb/? Devono essere pronunciati con più forza e intensità rispetto ai corrispondenti suoni brevi /p/ e /b/. Inoltre, hai notato che prima di pronunciare il suono /p/ o /b/ nella parola c'è una brevissima pausa? Quando pronunci il suono /pp/, o /bb/ questa pausa è leggermente più lunga.

6 Ora ascolta le parole dell'attività precedente, prima le orizzontali e poi le verticali. Controlla le parole che hai trovato tu.

sommario

Abbina le frasi o espressioni alla descrizione sotto.

1 È molto timido.

2 Complimenti!

3 Com'è di carattere?

4 Com'è fisicamente?

5 Tu innamorata? Non ci posso credere.

6 Giorgia, sono innamoratissima!

7 È alto e biondo.

In questa unità abbiamo imparato a:

4	**a**	Chiedere com'è una persona fisicamente.	....
	b	Dire com'è una persona fisicamente.	....
	c	Chiedere com'è una persona di carattere.	....
	d	Dire com'è una persona di carattere.	....
	e	Utilizzare un aggettivo in modo enfatizzato.	....
	f	Esprimere sorpresa e incredulità.	....
	g	Congratularsi.	....

**Le espressione scritte in alto possono raccontarci una bella storia d'amore.
Metti il numero corrispondente alle espressioni nei fumetti qui sotto.**

1 Osserva le vignette e descrivi le caratteristiche fisiche dei personaggi.
Per ognuno di loro puoi trovare almeno cinque caratteristiche.

Gino   Sara   Attilia   Mauro

Gino: ....

Sara: ....

Attilia: ....

Mauro: ....

..... / 8

2 Scrivi il contrario dei seguenti aggettivi.

Buono ....*cattivo*............ Calmo ....

Educato .... Pessimista ....

Estroverso .... Triste ....

Fragile .... Dinamico ....

..... / 7

3 Associa gli aggettivi ai sinonimi corrispondenti. Osserva l'esempio.

	tranquillo	superbo	leale	fiero	soddisfatto	sonnolento	giusto	incivile	taciturno	svogliato
pigro										
orgoglioso			×							
onesto										
maleducato										
silenzioso										

..... / 9

4 Riordina le frasi e aggiungi il pronome relativo.

1 il parlavo questo è di ti libro

....

2 oggi alla ragazza Germania ho in scrivo conosciuto.

....

3 Marta chiama con vivo ragazza la si

....

..... / 3

5 **Un tuo compagno non capisce bene il significato di alcune parole.**
Prova a spiegarglielo tu con parole tue.

1 Introverso ▶ Una persona introversa è una persona che ....
....
....

2 In gamba ▶ Un tipo in gamba è uno che ....
....
....

3 Romantico ▶ Si dice che uno è romantico quando ....
....
....

..... / 6

6 **Completa il testo con i pronomi relativi.**

- Senti Laura, non ti secca se stasera porto a cena un'amica?
- No, figurati, ... *chi* ...... è?
- È una ragazza francese .... ho dato lezioni d'italiano, ... poi è diventata mia amica.
- Allora si potrebbe invitare anche Pierre…
- Quel tuo amico di Parigi .... mi parlavi tempo fa?
- Proprio lui. È una persona splendida .... si può parlare veramente di tutto.
- E .... hai avuto una storia, confessa…
- Bah! Acqua passata. Erano gli anni .... vivevo a Parigi. Adesso siamo buoni amici.
- Allora come mai è qui in Italia?
- Pierre è di origine italiana e ha dei parenti dalle parti di Verona .... visita spesso per le vacanze.
- A .... vuoi far credere che non ti interessa più?
- Ai curiosi come te!
- Ciao bella, a stasera.
- Ciao cara, a dopo.

..... / 8

7 **Completa i dialoghi con i superlativi assoluti o i nomi alterati.**

1 - Carino questo ristorante.
   - Sarà anche carino, però è .... !
2 - Gianni ti vedo giù, hai un brutto periodo?
   - Non me lo dire sto attraversando proprio un ....
3 - Lisa, come ti sembra Arturo?
   - Beh, non è certo bello, anzi, a dire la verità è un po' ...., però è di una simpatia unica.
4 - Giulio si arrabbia per tutto, grida sempre e non sorride mai.
   - Hai ragione, ha proprio un ....

momento, carattere, caro, brutto

..... / 4

| NOME: |
| DATA: |
| CLASSE: |

totale ..... / 45

1 Dove preferiresti passare un fine settimana in estate?

 2 Ora insieme a un compagno parla della tua scelta e motivala.

 3 Ascolta la prima parte del dialogo. Secondo te, Sandro dove vorrebbe portare Maria?

 4 Ascolta la seconda parte del dialogo e trova le differenze nel testo.

Maria: Io, in realtà, avevo pensato a un posto più emozionante di quello, dove rilassarmi e…

Sandro: A luglio in Italia lo sai che tutti sono in ferie e comunque qui possiamo stare in un piccolo agriturismo che mi hanno descritto come il più antico della zona, tra mucche, maiali e galline!

Maria: Però, un posto più interessante non potevi trovarlo!! Scherzo! Mi sembra una buona soluzione!

Sandro: Meno male, a me sembra una splendida idea.

Maria: Quando partiamo? Non vedo l'ora di andarmene da qui!

Sandro: È un posto un po' lontano. Cioè, non è il più vicino
e meno irraggiungibile in assoluto, ma da qua
ci vogliono comunque meno di quattro ore.

Maria: In macchina, vero?

Sandro: Beh! Ma con la mia nuova macchina si viaggia più sicuri e freschi.

Maria: Poverino! È vero adesso hai anche la macchina
con l'aria condizionata. E io sempre in bicicletta!

> Ti ricordi come si costruisce il verbo *piacere*? *Sembrare* funziona allo stesso modo.
> - I tuoi occhi oggi mi sembrano più chiari e mi piacciono molto.
> - L'italiano mi piace molto anche se mi sembra piuttosto difficile.

✏ **5 ▶▶** | **Alla scoperta della lingua** | — Comparativi e superlativi. Osserva le foto, rileggi il testo
del dialogo e completa le frasi.

1 B è .... tranquillo .... a.

2 A è .... tranquillo .... b.

3 C è .... tranquillo .... tutti.

6 Ecco dove vanno Sandro e Maria. Leggi il testo e rispondi alle domande.

BISMANTOVA

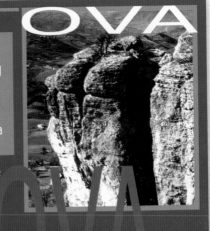

Dov'è: nel comune di Castelnuovo ne' Monti, in Provincia di Reggio Emilia.

In auto: da Reggio Emilia si prende la Statale 63 del Passo del Cerreto fino a Castelnuovo ne' Monti.

In autobus: da Reggio Emilia diversi autobus di linea raggiungono Castelnuovo ne' Monti.

Informazioni: Ufficio turistico del Comune, piazza Martiri della Libertà 12/b, tel. 0522/81.04.30.

Eccola una delle più belle palestre naturali dell'Appennino. La Pietra di Bismantova, la più originale e affascinante montagna del Reggiano, a pochi chilometri da Castelnuovo ne' Monti, con le sue pareti a strapiombo sembra fatta apposta per gli amanti della roccia e delle arrampicate. Ma non solo. Il posto si presta a passeggiate in mezzo alla natura e a interessanti osservazioni naturalistiche. Inoltre, chi è alla ricerca di suggestioni mistiche e di angoli di serenità, troverà vicinissimo alla parte meridionale della Pietra, un convento benedettino e una chiesetta del Seicento.

La forma maestosa e irregolare della Pietra si scorge improvvisamente arrivando dalla Statale al paese di Felina, ma dalla pianura attorno è comunque ben visibile, anche a diversi chilometri di distanza. Alta 1047 metri, la Pietra di Bismantova deve la sua forma insolita alle rocce che la compongono. L'origine si deve ricercare nel periodo del Miocene antico, quando a poco a poco si sedimentò un antico mare poco profondo e ricco di vita. Ne sono una testimonianza i numerosi fossili di vario genere che si possono trovare tra le rocce. Nella nostra era questo straordinario monumento naturale non mancò di colpire l'immaginazione dei poeti.

[Tratto e adattato da I segreti dell'Appennino, supplemento al numero 107 di giovedì 11 maggio 1995 dell'Unità. P 42]

1 Dove si trova Bismantova?

....

2 Che tipo di turismo si adatta meglio alle caratteristiche naturali di Bismantova?

....

3 A che cosa è dovuta la sua particolare forma?

....

 7 Cerca nel testo parole o espressioni di significato uguale alle seguenti.

1 Luogo dove si fa ginnastica o si praticano vari sport. .... *palestra* ....

2 Attraente ....

3 Scalate ....

4 È adatto ....

5 Monastero ....

6 Si comincia a vedere ....

7 Sono una prova ....

8 Epoca ....

8 Guarda la lista di aggettivi. Quali descrivono la vita in città? Quali descrivono la vita in campagna? Quali vanno bene per entrambe?

PICCOLO inquinato interessante a buon mercato

LENTO affollato isolato SICURO sano rilassante

tranquillo NOIOSO pulito veloce grande caro

rumoroso moderno caotico pericoloso vecchio stressante

Campagna	Città

9 E tu cosa ne pensi? Scrivi delle frasi come nell'esempio, usando gli aggettivi dell'attività precedente.

Esempio: La vita in città è più stressante.

10 Siete d'accordo? A coppie, fatevi delle domande e date risposte come nell'esempio.

A Secondo me, la vita in campagna è più rilassante.
B Anche secondo me.
A Invece, secondo me la vita in campagna è più stressante.

> Invece significa
> al contrario

11 Ora invita un compagno o una compagna a passare un fine settimana in qualche posto. Seguite le indicazioni e quando avete finito scambiatevi i ruoli.

A

Invita B a passare un fine settimana da qualche parte.

Spiega quando, dove e le caratteristiche del posto.

Gliele dà, offrendo varie possibilità: albergo, campeggio, agriturismo, ecc.

Gliele dà.

Gliele dà e propone un orario per partire.

Saluta.

B

Si dimostra interessato, ma chiede quando e dove.

Accetta l'invito, ma chiede informazioni su dove alloggeranno.

È d'accordo. Chiede informazioni sulla durata del viaggio, la distanza.

Chiede informazioni sul mezzo di trasporto e il costo.

Accetta e saluta.

12 Pasquale è un giovane di circa 30 anni che ha deciso di cambiare vita. Ascolta la sua esperienza e di' se le affermazioni sono vere o false.

	Vero	Falso
1 Pasquale era felice della sua vita in città.	☒	☐
2 Faceva l'amministratore di condominio.	☐	☐
3 Il suo lavoro consisteva nel risolvere i problemi dei suoi clienti.	☐	☐
4 Ora ha scritto un libro sul regolamento ideale del condominio.	☐	☐

13 Ora, a coppie pensate a come può essere cambiata la vita di Pasquale.

14 Raccontate alla classe le vostre idee sulla nuova vita di Pasquale e ascoltate quella dei vostri compagni. Qual è la più simpatica?

15 Ora ascoltate ciò che dice Pasquale. Qualcuno di voi ha indovinato?

16 Ascolta nuovamente la registrazione e scrivi il nome degli animali che senti.

lessico

1 Abbina i nomi degli animali alle figure.

- ☐ agnello
- ☐ asino
- ☐ cane
- ☐ cavallo
- ☐ coniglio
- ☐ gatto
- ☐ mosca
- ☐ mucca
- ☐ pecora
- ☐ pesce
- ☐ uccello
- ☐ zanzara
- ☐ maiale
- ☐ oca
- ☐ anatra
- ☐ tacchino
- ☐ gallina
- ☐ gallo
- ☐ pulcino
- ☐ vitello
- ☐ ape

2 Quali di queste parole riguardano la città e quali riguardano la campagna? Quali tutte e due?

Città	Campagna	Entrambe

trattore, carro, autobus, macchina, grattacielo, bicicletta, monumento, casa, ponte, bosco, orto, fattoria, fabbrica, paese, pollaio, cuccia del cane, stalla, albero, collina, contadino, coltivazione, parco, campo, fiume

abilità > **Culture a confronto**

1 Insieme a un compagno rispondi alle domande. Cosa si fa o cosa si dice nel tuo paese in queste situazioni?

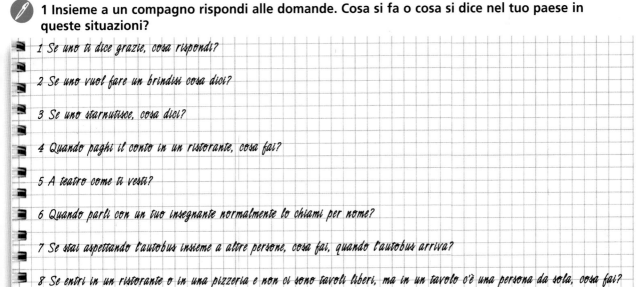

1 Se uno ti dice grazie, cosa rispondi?

2 Se uno vuol fare un brindisi cosa dici?

3 Se uno starnutisce, cosa dici?

4 Quando paghi il conto in un ristorante, cosa fai?

5 A teatro come ti vesti?

6 Quando parli con un tuo insegnante normalmente lo chiami per nome?

7 Se stai aspettando l'autobus insieme a altre persone, cosa fai, quando l'autobus arriva?

8 Se entri in un ristorante o in una pizzeria e non ci sono tavoli liberi, ma in un tavolo c'è una persona da sola, cosa fai?

9 Quando incontri un amico che non vedi da anni, cosa fai?

10 Quando ti presentano una persona, cosa fai?

11 Quando entri in casa di una persona, cosa fai e cosa dici?

12 Quando fai entrare una persona a casa tua, cosa fai e cosa dici?

13 Sei a piedi a un semaforo. C'è rosso ma non arrivano macchine. Cosa fai?

▶▶▶ *Prendere appunti quando qualcuno parla è un'abilità spesso necessaria soprattutto per gli studenti, ma non solo. Nota che è più semplice prendere appunti se uno sa già quali informazioni aspettarsi. Nel caso dell'esercizio che segue sono le domande a guidarti, ma spesso, come abbiamo visto in altre unità, è la tua capacità di prevedere ciò che l'altra persona dirà, utilizzando le tue conoscenze su questo tema, che ti può dare un aiuto.*

2 Ascolta un italiano che risponde a queste domande e annota le sue risposte.

3 Ci sono differenze con il tuo paese? Insieme a un compagno rispondi a questa domanda.

4 Adesso scrivi alcune regole di comportamento che riguardano il tuo paese e confrontale con quanto sai dell'Italia. Usa: *devi/bisogna, dovresti, puoi*.

5 I testi che seguono non sono in ordine. Da' un'occhiata veloce. Di che testi si tratta?

È vietato significa non si può, non è permesso. Es: nei cinema in Italia è vietato fumare.

È vietato raccogliere fiori.

Tutti devono rispettare il presente Regolamento.

È vietato toccare gli animali.

Non si può lasciar liberi i propri cani.

Non si possono esporre targhe o qualsiasi altro tipo di pubblicità.

Si devono chiudere i cancelli e i recinti.

Nessuno può usare gli spazi comuni per fini personali, se non autorizzato dagli altri.

Si devono rispettare gli animali.

È vietato tenere animali, quali cani, gatti, ecc.

Ogni condomino deve eseguire nella propria abitazione i lavori di riparazione necessari.

È vietato camminare sui campi coltivati.

Si deve fare riferimento alla legge per quanto riguarda ciò che non è previsto dal presente Regolamento.

Nessuno può modificare la struttura esterna del condominio.

Non si deve disturbare la vita degli altri esseri.

Non ci si può arrampicare sugli alberi.

Si devono evitare rumori molesti dalle 13.30 alle 15.30.

Non si possono stendere i vestiti o esporre altri oggetti sui balconi, se sono visibili dalla strada.

Non si deve gettare la spazzatura in terra.

6 Ora riordina i due testi, dividendoli.

Regolamento
CONDOMINIO

Regolamento
FATTORIA DI PASQUALE

7 Scrivi un regolamento per la tua scuola ideale.

Viaggio nell'Italia verde: i parchi nazionali

I **Parchi Nazionali** sono aree destinate a conservare (a fini scientifici, culturali, ma anche ricreativi, per il divertimento) risorse e aspetti naturalistici di particolare interesse, in ambienti tipici di una data regione.

 1 Nel tuo paese ci sono molti Parchi Nazionali? Quali? Li hai visitati? Parlane ai tuoi compagni.

 **2 Conosci alcuni Parchi Nazionali in Italia? Li hai mai visitati?
Discutine con i compagni e provate a fare una lista di quelli che conoscete.**

Parco del Gran Paradiso

Parco dello Stelvio

Parco Nazionale d'Abruzzo

Parco del Circeo

Parco della Calabria

I primi cinque Parchi nazionali sono stati istituiti in Italia dal 1922 al 1968.
- Gran Paradiso (1922),
- il Parco Nazionale d'Abruzzo (1923),
- il Parco del Circeo (1934),
- il Parco dello Stelvio (1935),
- il Parco della Calabria (1968).

3 Ascolta l'intervista e rispondi alle domande. Le foto dell'esercizio che segue possono aiutarti.

1 Di quali due parchi si parla?

....

2 In quali regioni si trova il primo parco?

....

3 Elenca i vari tipi di paesaggio che si possono ammirare.

....

4 Quale animale vive nel parco?

....

5 Di quale regione fa parte il secondo parco?

....

6 Di che tipo di territorio si tratta?

....

7 Quali animali è possibile vedere?

....

8 Quale grande personaggio della storia italiana ha vissuto nel parco?

....

4 Scrivi sotto ogni foto di che cosa si tratta.

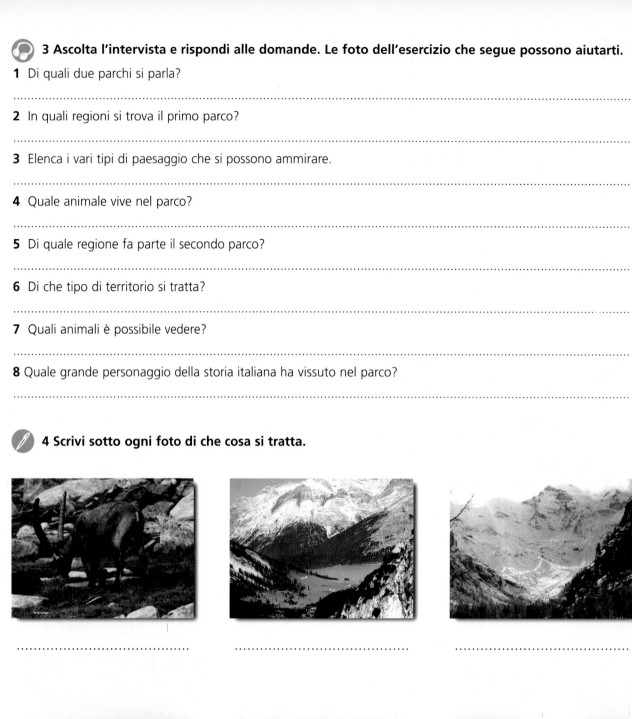

....

....

grammatica

I comparativi

- Il **comparativo** con gli aggettivi si forma con la parola **più** seguita dall'*aggettivo*.
  - L'Italia è **più popolata** della Svezia.

Uso di *che* e *di*

- **Di** o **che** introducono la seconda parte del paragone.
  - Milano è **più** grande **di** Como.

  Paragone: confronto, comparazione.
  Paragonare: mettere in relazione due o più cose, confrontare, comparare.

  - **Di** si usa quando la parola che segue è un
    pronome personale
    - Io sono **più** magro **di te**.
    sostantivo
    - Brasilia è **più** moderna **di Venezia**.

  - **Che** si usa quando la parola che segue è un
    aggettivo
    - Roma è **più** caotica **che inquinata**.
    avverbio
    - Bere liquori fa **più** male **che bene**.
    complemento con preposizione
    - In città si vive peggio **che in campagna**.
    verbo all'infinito
    - Abitare in campagna è **più** rilassante **che vivere** in città.

  Se vuoi rendere più forte il comparativo puoi usare
  molto,
  assai,
  notevolmente,
  estremamente.
  *Queste parole si mettono prima di **più**.*
  *- Napoli è **molto più** grande di Pompei.*

- Il **comparativo** si forma anche utilizzando la parola **meno** al posto di più.
  Naturalmente il significato cambia, meno è il contrario di più.
  - Venezia è **meno** moderna di Brasilia.

I superlativi

Esistono due tipi di superlativi: quello **relativo** e quello **assoluto**.

- Il **superlativo relativo** si forma utilizzando:
  l'articolo determinativo più il comparativo.
  - Roma è **la** città **più grande** d'Italia.
  - Il mare di Sardegna è il **meno inquinato** d'Italia.

  *La parola **superlativo** come aggettivo significa **estremo**, **massimo**. Qui è una categoria grammaticale.*
  *Il **superlativo relativo** esprime una qualità che si ha al grado massimo o minimo relativamente ad altri.*
  *Il **superlativo assoluto**, invece, esprime una qualità che si ha al grado massimo o minimo senza relazione con altri.*

- Il **superlativo assoluto** si forma aggiungendo **-issimo** all'aggettivo.
  - Firenze è bell**issima**.

Comparativi e superlativi irregolari			
	Comparativo	*Superlativo relativo*	*Superlativo assoluto*
Buono	**migliore**	**il migliore**	**ottimo**
Cattivo	**peggiore**	**il peggiore**	**pessimo**
Grande	**maggiore**	**il maggiore**	**massimo**
Piccolo	**minore**	**il minore**	**minimo**

Maggiore e **minore** si usano per indicare, mentre per parlare di dimensioni si utilizzano **grande** e **piccolo**.
- Mio fratello **maggiore** si chiama Maurizio, mio fratello minore Giovanni.
- La mia casa è **più piccola** di quella di mio fratello.

Si può fare il comparativo e il superlativo anche degli avverbi:
- Cerca di pronunciare le parole **più chiaramente**.
- George parla **benissimo** l'italiano.

Ci sono anche avverbi il cui comparativo è irregolare:

	Comparativo di maggioranza e minoranza
Bene	**Meglio**
Male	**Peggio**
Molto	**Più**
Poco	**Meno**

Nell'italiano moderno esistono altri modi per esprimere il superlativo assoluto oltre a *-issimo*.

Si usano davanti alle parole prefissi come **arci-**, **iper-**, **stra-**, **super-**, **ultra-**, **mega-**.

- Tuo zio è un uomo **straricco**.
- Questa è una **supermacchina**.

1 Trasforma le frasi mantenendo lo stesso significato.

1 Paolo è più alto di Daniela.

.... *Daniela è più bassa di Paolo.* ....
.... *Daniela è meno alta di Paolo.* ....

2 L'Italia è più ricca della Macedonia.

....
....

3 Palermo è più grande di Catania.

....
....

4 Vivere in città è più stressante che vivere in campagna.

....
....

5 Leggere un libro è più interessante che giocare a carte.

....
....

2 Completa con *di* o *che*.

1 Matteo è più magro ....di.......... Andrea.

2 Sciare è più pericoloso .... andare in bicicletta.

3 Questo romanzo è più lungo .... bello.

4 Fare un viaggio è più educativo .... rimanere sulla spiaggia tutta l'estate.

5 Fausto e Patrizia sono più vecchi .... noi.

6 Viaggiare in aereo è più comodo .... in treno.

7 Meglio tardi .... mai.

8 Palermo è più lontano da Torino .... Londra.

3 Continua le frasi con un comparativo.

1 Questo vino ha troppo alcool ne ordino uno .... *meno forte.*

2 La tua bicicletta è troppo vecchia, dovresti cercarne una ....

3 Tua sorella è molto carina ed è sicuramente .... di te.

4 Sai che sei veramente alto? Sei molto .... di me.

5 Sto cercando di imparare il cinese, ma è molto ....dell'italiano.

6 Mangiare carne fa male, mangiare pasta e verdura è ....

4 Metti in relazione le parole, facendo dei paragoni.

1 Roma/Madrid. .... *Roma è più caotica di Madrid.* ....

2 La Divina Commedia/un racconto di Moravia ....

3 Aereo/bicicletta. ....

4 Elefante/topo. ....

5 Città/campagna. ....

6 Mangiare a casa/mangiare al ristorante ....

5 Fa' delle frasi con i superlativi relativi.

1 La Germania ha un'economia molto forte.   (d'Europa)

.... *La Germania ha l'economia più forte d'Europa.* ....

2 La Cina è un paese molto popolato.   (del mondo)

....

3 Roma è una città molto grande.   (d'Italia)

....

4 Il Nilo è un fiume molto lungo.   (del mondo)

....

5 Silvia è un'insegnante molto preparata.   (della scuola)

....

6 Carla è una ragazza molto carina.   (della classe)

....

6 Riscrivi le frasi con un superlativo assoluto.

1 Questa pizza è molto buona.

Questa pizza è buonissima. ....

2 Questo libro è molto bello.

....

3 Questo film è molto interessante.

....

4 L'Italia è molto affascinante

....

Questa non è una pizza, è una PIZZISSIMA!!

Gli italiani hanno una grande fantasia
nell'inventare superlativi!

Se no, oppure e altrimenti

Se no, oppure e **altrimenti** sono sinonimi di **o**.
- Domani sera vado al cinema, **altrimenti** sto in casa.

Anzi e invece

Invece è sinonimo di **al contrario**.
- Salvatore viene dalla Calabria,
  invece Marino è di Bari.

Anzi si usa spesso quando si cambia idea o si vuole
sottolineare la differenza con quanto espresso prima.
- Vieni a cena da me stasera? **Anzi**, perché non
  andiamo in pizzeria?

Invece di significa **al posto di** ed è seguito da un infinito.
- **Invece di** guardare la tv, perché non mi aiuti?

7 Completa le frasi usando *anzi*.

1 In casa abbiamo solo un paio di limoni;............. *anzi non ne abbiamo più.* ....

2 Secondo me, mi rimangono solo pochi giorni di ferie quest'anno; ....

3 Siena è una città molto bella; ....

4 La Sicilia è molto interessante; ....

5 Forse stasera resto a casa; ....

6 Cameriere, mi porta una birra piccola, per favore?...

8 Trasforma le frasi usando *invece di*.

1 Juan non ha passato l'esame perché non ha studiato. È andato in giro tutto il giorno.
..... *Juan non ha passato l'esame perché invece di studiare* ....
..... *è andato in giro tutto il giorno.* ....

2 Mi piacciono i paesi tropicali perché la gente non lavora tanto e si gode la vita.
....
....

3 Sono arrabbiato con mia moglie perché non mi ha aspettato ed è andata a casa da sola.
....
....

4 Questa sera esco con gli amici e non starò in casa a guardare la televisione.
....
....

5 Ho scritto una lettera a Daisy e non le ho telefonato perché costa troppo.
....
....

6 Ho deciso di non comprare una macchina nuova; farò un viaggio di tre mesi.
....
....

9 Completa le frasi con *sembra* o *sembrano* più un pronome.

1 Questi esercizi non ....*mi sembrano*.. difficili.

2 L'imbianchino che Luciana mi ha consigliato .... bravo.

3 Carlo, come .... i miei spaghetti alle vongole?

4 Ragazzi, come .... i monumenti che abbiamo visitato oggi?

5 Lucia mi ha detto che .... che tu sia stato ingiusto con lei.

6 Daniele dice che i lavoratori statali in Italia .... tutti pigri.

fonologia
- Beh!
- dittonghi/trittonghi

 1 Ascolta questo brano del dialogo iniziale.

Sandro: **Beh**! Ma con la mia nuova macchina si viaggia più comodi e freschi.

 2 Nel brano iniziale Sandro usa l'interiezione *beh*, molto comune nell'italiano parlato. Forma dei brevi dialoghi abbinando alla prima colonna le risposte della seconda.

a Parli altre lingue straniere?
b Sei capace di usare il computer?
c Ti dispiace se fumo?
d Posso prendere questa cassetta?
e Le dispiace se faccio una telefonata urgente?
f Ti dispiace se apro un po'?

1 Beh, però apri il finestrino!
2 Beh, sì! Però quando me la riporti?
3 Beh, qualche programma!
4 Beh, no! Fa pure!
5 Beh, capisco un po' il francese.
6 Beh, se è breve...

 3 Ascolta le frasi e sottolinea le parole che vengono pronunciate.

1 mie	<u>miei</u>	**2** quei	qui	
3 poi	<u>puoi</u>	**4** suoi	sui	
5 voi	vuoi	**6** tuoi	tuo	
7 può	puoi	**8** quieto	chiedc	

4 Leggi le parole dell'attività precedente con un compagno.

sommario

✏ **Abbina le frasi o espressioni alla descrizione sotto.**

1 Permesso?

2 Invece, secondo me la vita in campagna è più stressante.

3 Meno male.

4 Cin, cin.

5 Secondo me, la vita in campagna è più rilassante.

6 Tutti devono rispettare il presente Regolamento.

7 Non si possono esporre targhe o qualsiasi altro tipo di pubblicità.

8 Salute!

9 Non vedo l'ora di andarmene da qui!

10 Anche secondo me.

11 È un posto un po' lontano. Cioè, non è il più lontano e meno raggiungibile in assoluto, ma…

12 Mi sembra un'ottima soluzione!

13 Prego.

✏ **In questa unità abbiamo imparato a:**

13	**a** Rispondere a un ringraziamento.	....
	b Fare un brindisi.	....
	c Ribadire a uno starnuto.	....
	d Entrare in casa di altri.	....
	e Esprimere un obbligo.	....
	f Esprimere un divieto.	....
	g Esprimere un'opinione.	....
	h Condividere un'opinione.	....
	i Esprimere un'opinione contrastante.	....
	j Esprimere un'opinione.	....
	k Esprimere sollievo.	....
	l Esprimere impazienza.	....
	m Rimarcare e spiegare un concetto appena espresso.	....

Quali battute inseriresti?

1 Osserva le vignette e completa
il crucigramma con i nomi di questi animali.

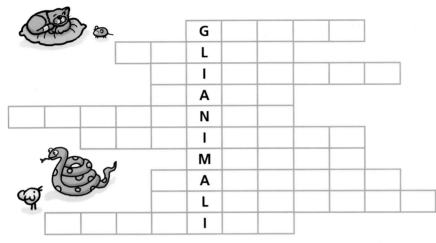

G
L
I
A
N
I
M
A
L
I

..... / 10

2 Osserva gli animali dell'esercizio 1 e scrivi delle frasi con i comparativi e i superlativi utilizzando gli aggettivi contenuti nel riquadro. Osserva gli esempi.

| furbo, pericoloso, grande, veloce, affettuoso, intelligente, buono, pauroso, agile, piccolo, lento |

Il gatto è **più** furbo **della** gallina.
Il cavallo è **meno** pauroso **del** coniglio.
L'elefante è **grandissimo**.

a .... f ....
b .... g ....
c .... h ....
d .... i ....
e .... l ....

..... / 10

3 Riordina le seguenti frasi.

1 più intelligenti è essere furbi che meglio

....

2 è lo italiani sport più il seguito dagli calcio

....

3 numerose nel le degli donne sono più uomini mondo

....

..... / 3

4 Completa i brevi dialoghi con i comparativi e i superlativi di *buono*, *cattivo*, *bene*, *male*.

1 - Luisa, il tuo maglione ha un colore bellissimo.

- Grazie, anche la qualità della lana è veramente ....

2 - Ieri ero stanchissimo, ho preso sonno davanti alla televisione.

- Ti sei perso un bel film; .... per te!

3 - Non so come scusarmi con Laura.

- Io le manderei dei fiori. Mi sembra la cosa .... da fare.

4 - Hai notizie di Claudia?

- No, è scomparsa. Si è comportata veramente nel modo ....

5 - Come stai Marco?

- Oggi un po' ...., grazie.

6 - Mauro mi è veramente antipatico, vuol sapere sempre tutto lui.

- Anch'io non lo sopporto, si crede .... di tutti.

..... / 6

5 Associa le seguenti espressioni come nell'esempio.

1 Buon appetito.		**a** Alla nostra.	
2 È permesso?		**b** Altrettanto.	
3 Salute!		**c** Ci conto, ciao.	
4 Ti disturbo?		**d** Alla prossima, saluta tutti.	
5 A presto allora.		**e** Figurati, entra pure.	
6 Allora ti scrivo.		**f** No, c'ero prima io.	
7 Tocca a me.		**g** Prego si accomodi.	

b						
1	**2**	**3**	**4**	**5**	**6**	**7**

..... / 6

6 Sei stato trasferito/a per lavoro in un'altra città e stai cercando una nuova casa. Hai trovato due ottime occasioni. Scrivi a tua moglie/marito una E-mail in cui spieghi i vantaggi e gli svantaggi. Ricordati che hai un cane. Osserva le vignette.

Caro/a..........................,
Ho trovato due occasioni molto interessanti
....
....
....
....
....
....
....
....
....

..... / 10

NOME:
DATA:
CLASSE:

totale ..... / 45

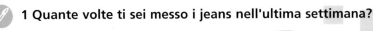

✏ **1 Quante volte ti sei messo i jeans nell'ultima settimana?**

📖 **2 Leggi l'articolo e rispondi alle domande.**

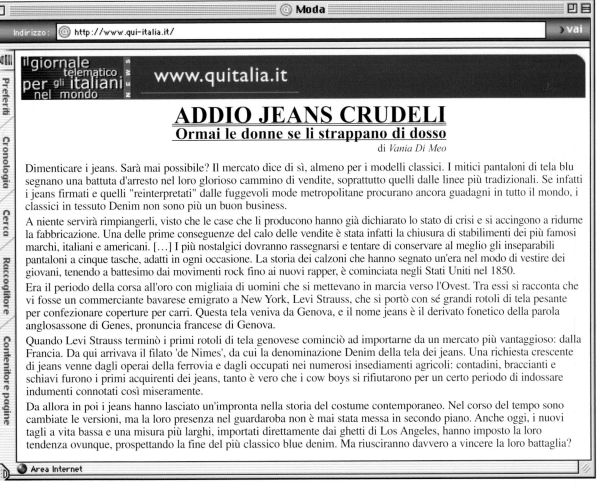

@ Moda

Indirizzo: @ http://www.qui-italia.it/   ›vai

il **giornale** telematico per gli **italiani** nel mondo   **www.quitalia.it**

ADDIO JEANS CRUDELI
Ormai le donne se li strappano di dosso
di *Vania Di Meo*

Dimenticare i jeans. Sarà mai possibile? Il mercato dice di sì, almeno per i modelli classici. I mitici pantaloni di tela blu segnano una battuta d'arresto nel loro glorioso cammino di vendite, soprattutto quelli dalle linee più tradizionali. Se infatti i jeans firmati e quelli "reinterpretati" dalle fuggevoli mode metropolitane procurano ancora guadagni in tutto il mondo, i classici in tessuto Denim non sono più un buon business.

A niente servirà rimpiangerli, visto che le case che li producono hanno già dichiarato lo stato di crisi e si accingono a ridurne la fabbricazione. Una delle prime conseguenze del calo delle vendite è stata infatti la chiusura di stabilimenti dei più famosi marchi, italiani e americani. [...] I più nostalgici dovranno rassegnarsi e tentare di conservare al meglio gli inseparabili pantaloni a cinque tasche, adatti in ogni occasione. La storia dei calzoni che hanno segnato un'era nel modo di vestire dei giovani, tenendo a battesimo dai movimenti rock fino ai nuovi rapper, è cominciata negli Stati Uniti nel 1850.

Era il periodo della corsa all'oro con migliaia di uomini che si mettevano in marcia verso l'Ovest. Tra essi si racconta che vi fosse un commerciante bavarese emigrato a New York, Levi Strauss, che si portò con sé grandi rotoli di tela pesante per confezionare coperture per carri. Questa tela veniva da Genova, e il nome jeans è il derivato fonetico della parola anglosassone di Genes, pronuncia francese di Genova.

Quando Levi Strauss terminò i primi rotoli di tela genovese cominciò ad importarne da un mercato più vantaggioso: dalla Francia. Da qui arrivava il filato 'de Nimes', da cui la denominazione Denim della tela dei jeans. Una richiesta crescente di jeans venne dagli operai della ferrovia e dagli occupati nei numerosi insediamenti agricoli: contadini, braccianti e schiavi furono i primi acquirenti dei jeans, tanto è vero che i cow boys si rifiutarono per un certo periodo di indossare indumenti connotati così miseramente.

Da allora in poi i jeans hanno lasciato un'impronta nella storia del costume contemporaneo. Nel corso del tempo sono cambiate le versioni, ma la loro presenza nel guardaroba non è mai stata messa in secondo piano. Anche oggi, i nuovi tagli a vita bassa e una misura più larghi, importati direttamente dai ghetti di Los Angeles, hanno imposto la loro tendenza ovunque, prospettando la fine del più classico blue denim. Ma riusciranno davvero a vincere la loro battaglia?

Area Internet

[Da http://www.qui-italia.it]

1 Cosa sta succedendo al mercato dei jeans?
2 Come sono nati i jeans?
3 All'inizio, quali persone in particolare compravano i jeans?
4 Perché si parla di Genova?
5 Qual è l'ultima tendenza?

👉 **3 Sei d'accordo con l'articolo: secondo te i jeans scompariranno? Quant'è importante la moda per te? Parlane con un compagno.**

4 Guarda le persone della figura e abbina i vestiti che indossano alle parole.

Scarpe **da** ginnastica,
vestito **da** sera,
scarponi **da** montagna,
tuta **da** ginnastica,
costume **da** bagno.
La preposizione è sempre
da.

scarpe <u>da</u> ginnastica

maglione   felpa   camicia   gonna   guanti   cappello

calze   cappotto   giacca a vento   scarpe   impermeabile   orecchini

pantaloni   stivali   giacca   collana   jeans

sciarpa   vestito da uomo   maglietta   cintura   cravatta

 5 Ascolta due delle persone della figura che descrivono i vestiti che indossano. Chi sono?

 6 Immagina di essere in un negozio d'abbigliamento sportivo.
Metti in ordine le frasi e poi confronta la tua versione con quella di un compagno.

1 Chiedi se puoi cambiarlo se non ti piace.
2 Ringrazi e saluti.
3 La commessa ti chiede come lo vuoi e che taglia porti.
4 Decidi di comprarlo e paghi.
5 La commessa dice di sì e ti indica il camerino.
6 Ne trovi uno che ti piace e chiedi se puoi provarlo.
7 La commessa ti dice il prezzo.
8 La commessa ti mostra vari tipi di costumi.
9 La commessa dice che i costumi da bagno non si possono cambiare.
10 La commessa ti dà lo scontrino e il resto, ti ringrazia e ti saluta.
11 Chiedi alla commessa di vedere un costume da bagno.
12 Lo provi, ti va bene e chiedi quanto costa.

11											

7 Come si possono dire queste cose?

1 *Potrei vedere un costume da bagno per favore?* ....
2 ....
3 ....
4 ....
5 ....
6 ....
7 ....
8 ....
9 ....
10 ....
11 ....
12 ....

8 Ora, a coppie fate delle conversazioni simili. Uno di voi è il commesso o la commessa, l'altro il cliente.

9 Ascolta la conversazione e completala.

Elisa: Non mi piace fare (1)..........spesa........... in questi posti…

Sara: Non ti preoccupare, vedrai che qui troveremo quello che cerchi.

Elisa: Questo è il reparto (2)...............................

Dov'è il reparto (3)............................. ?

Sara: Guarda, è là.

Elisa: Dammi un consiglio.

Gli prendo una (4)...............................

o un (5)............................... ?

Sara: Ascolta, prima guardiamo cosa hanno e poi decidi,

magari trovi un bel (6)...............................!

Elisa: Spiritosa! Guarda questo (7)...............................

in pelle. Ti piace?

Sara: Non saprei… Cosa ne dici di una (8)...............................?

Elisa: Dai, non scherzare. Sai che Mauro non è tipo da mettersi le cravatte.

Sara: Chiedi al commesso quanto costa questa cintura… Mi sembra proprio carina.

Elisa: È vero, non l'avevo vista? Ma è di (9)...............................!

Sara: No, è pelle, è solo un po' lucida.

Elisa: Signore, mi scusi, quanto costa questa cintura?

Commesso: 55 euro.

Elisa: Però, non è neanche troppo cara… Potete farmi una (10)............................... regalo?

Commesso: Certamente, me la dia.

Elisa: Posso pagare con il bancomat?

Commesso: Sì, come preferisce.

▶▶ | **Alla scoperta della lingua**

Il commesso dà del tu o del lei a Elisa?
Quando si dà del lei, al posto
dell'imperativo si deve usare
il congiuntivo presente (Rete! 2 Unità 13).

10 ▶▶ | **Alla scoperta della lingua** |—**Da' un'occhiata alla conversazione, poi completa le frasi e la tabella.**

.... (ascoltare), che musica è?

.... (prendere) qualcosa da bere. Offro io. Cosa vuoi?

Non .... (preoccupare/ti). Vedrai che l'esame ti andrà bene.

.... (finire) di mangiare con calma. Poi ti racconto tutto.

Imperativo affermativo	Imperativo negativo
- are	
- ere	
- ire	

11 Per te è importante l'apparenza? Fa' il test per determinarlo.

1 Un amico ti chiede cosa preferiresti come regalo per il tuo compleanno. Cosa scegli?

a Un maglione

b un libro

c 40 euro.

2 Devi andare a un matrimonio, cosa fai?

a Ti metti il vestito delle grandi occasioni che hai già in casa

b compri un vestito nuovo

c ti metti le prime cose che trovi.

3 Una nuova conoscenza che ti interessa ti invita a cena. Cosa fai?

a Ti vesti come sempre

b ti metti qualcosa di particolare per farti notare

c pensi a cosa dire in situazioni che potrebbero presentarsi.

4 La tua macchina vecchia non va più e devi comprarne una nuova. Cosa fai?

a Cerchi la macchina con il miglior rapporto qualità prezzo

b ne compri una che ti hanno consigliato perché va bene e consuma poco

c compri quella che ti piace di più e che puoi permetterti.

5 Fra un mese devi andare in vacanza al mare e secondo te non sei proprio in perfetta forma. Cosa fai?

a Ti metti a dieta e cominci a fare esercizi per dimagrire un po'

b continui la tua vita normale

c compri un costume da bagno più grande.

6 Suonano alla porta. Sei un po' in disordine. Cosa fai?

a Apri la porta

b fai finta di non essere in casa

c apri la porta e poi vai a metterti in ordine.

7 Sei al ristorante. Il cameriere fa cadere del cibo sui tuoi vestiti che si macchiano un po'. Cosa fai?

a Cerchi di pulirti con il tovagliolo, ma gli dici di non preoccuparsi

b con tono seccato, gli chiedi qualcosa per pulirti

c non fai niente e continui a mangiare.

8 Quando conosci una persona dell'altro sesso, l'aspetto fisico è

a molto importante

b insignificante

c un po' importante.

9 Quando conosci una persona dell'altro sesso, come questa persona si veste è

a molto importante

b insignificante

c un po' importante.

Quanti punti hai fatto?

1 a:1, b:0, c:0; 2 a:0, b:1, c:0; 3 a:0, b:1, c:0; 4 a:0, b:0, c:1; 5 a:1, b:0, c:0;
6 a:0, b:1, c:0; 7 a:0, b:1, c:0; 8 a:1, b:0, c:0; 9 a:1, b:0, c:0.

Se hai totalizzato da 7 a 9 punti per te l'apparenza è di fondamentale importanza nella vita.
Da 4 a 6 è importante.
Da 0 a 3 sei una persona che bada alla sostanza e non all'apparenza.

lessico

1 Guarda la figura e leggi le parole del riquadro. Quali oggetti mancano?

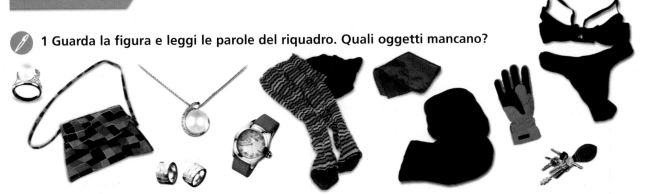

anello, borsetta, bottone, braccialetto, calza, cintura, collana, collant, costume da bagno, cravatta, fazzoletto, gioiello, scarpa, guanto, mutande, occhiali, ombrello, orecchino, orologio, reggiseno, sciarpa, stivale, portafoglio, portachiavi

2 Insieme a un compagno dite di che cosa sono fatti e che disegno hanno i seguenti oggetti.

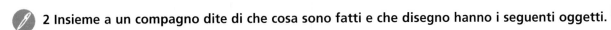

a righe, lana, seta, cotone, a fiori, a pois, a quadri, fantasia, a tinta unita, pelle

3 Roberto, Antonella e Francesca devono andare a un matrimonio. Hanno deciso che scarpe mettersi, ma tutto il resto? Scrivi una lista dei vestiti e degli accessori che tu sceglieresti per loro.

bianco,
rosso,
nero,
verde,
giallo,
blu,
azzurro,
marrone,

viola,
grigio,
rosa,
beige,
celeste,
chiaro,
scuro.

**4 Fa' il cruciverba.
Inserisci i nomi dei colori nelle righe e nelle colonne corrispondenti.**

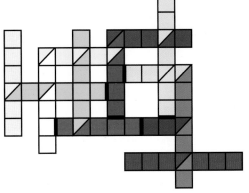

abilità

▶▶▶▶

leggere o ascoltare testi tecnici

Quando si deve ascoltare o leggere un testo tecnico è importante applicare le stesse strategie che abbiamo visto per qualsiasi altro tipo di testo. Con qualche accorgimento in più. Te ne ricordiamo due fondamentali. Prima della lettura o dell'ascolto: pensa alla situazione in cui ti troverai. Cerca sul dizionario i termini che pensi di poter incontrare e che non conosci.

Durante la lettura o l'ascolto: non preoccuparti se ti sfuggono delle parole. Cerca di capire soprattutto ciò che ti interessa: quando si parla ci sono tante parole "inutili".

 1 Conosci questi mezzi di pagamento? Scrivine il nome.

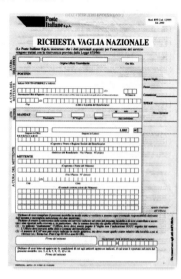

....

....

 2 Ora, a coppie parlate di questi mezzi di pagamento. Come si usano nei vostri paesi? E voi li usate? Quando li usate?

 3 Pensa ora alla banca. Quali termini ti vengono in mente nella tua lingua? Ne conosci l'equivalente in italiano?

 4 Vuoi aprire un conto corrente in Italia che ti permetta di usare assegni e bancomat. Leggi velocemente il testo della Banca Etica e scopri se il Conto Salvadanaio va bene per te.

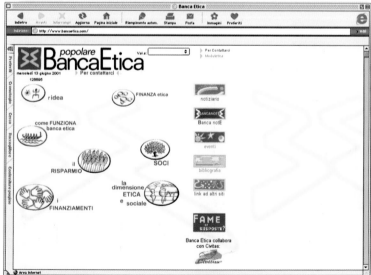

Progetto Banca Etica

L'idea

Una banca pensata come punto di incontro tra risparmiatori, che condividono l'esigenza di una più consapevole e responsabile gestione e amministrazione del proprio denaro, e le iniziative socio-economiche che si basano sui principi di un modello di sviluppo umano e sociale sostenibile, dove la produzione della ricchezza e la sua distribuzione siano fondati sui valori della solidarietà, della responsabilità civile e della realizzazione del bene comune.

Conto Salvadanaio
Il risparmio che investe in solidarietà

La Banca Popolare Etica ha voluto preparare uno strumento di risparmio adatto per chi desidera, **in modo etico**, **semplice** e **pratico**, sia depositare i propri risparmi, sia garantirsi quel minimo di rendimento che permetta di conservare il valore del proprio denaro e consenta di coprire i costi relativi alle imposte. […] I risparmiatori possono indicare, come nel caso dei certificati di deposito, verso quale settore indirizzare i propri risparmi. Sul **conto salvadanaio** non ci sono spese se ci si limita a un massimo di 50 operazioni annue. In particolare, di queste 12 possono essere prelievi e il resto depositi. Queste modalità sono adatte a chi vuole usare il conto essenzialmente per depositare i propri risparmi, attaverso stipendi e pensioni, oppure piccole rendite (es.: affitti) o altro, e dove si prevedono pochi movimenti. […] Il **conto salvadanaio** non metterà quindi a disposizione né assegni né bancomat, dato che è un conto di risparmio. **Per aprire il conto salvadanaio** è sufficiente compilare, firmare e inviare i moduli per posta alla sede di Padova di Banca Etica.

[Testo adattato da www.bancaetica.com]

 5 Leggi nuovamente il testo della Banca Etica e rispondi alle domande.

1 A quali principi risponde la Banca Etica?
2 Per quali persone va bene il Conto Salvadanaio?
3 Come possono intervenire i risparmiatori sulle decisioni della banca?
4 Quali operazioni permette il Conto Salvadanaio?

 6 Insieme a un compagno sottolineate le parole "tecniche" della banca e se non ne conoscete il significato, cercatele sul dizionario.
Poi riassumetele in una lista con le traduzioni nella vostra lingua.

 7 L'impiegato sta spiegando quali servizi sono disponibili per gli studenti stranieri in Italia.
Ascolta la registrazione e completa la tabella.

	Servizi disponibili per cittadini stranieri	
1		
2		
3		
4		

grammatica

L'imperativo

L'**imperativo affermativo** esiste alla seconda persona singolare (tu) e alla seconda plurale (voi).
Qui ti presentiamo anche la prima plurale (noi). Per le altre persone vedi Unità 13.

Verbi regolari

I - ARE: *amare*	II - ERE: *leggere*	III a - IRE: *dormire*	III b - IRE: *finire*
Am - **a!**	Legg - **i!**	Dorm - **i!**	Fin - **isci!**
Am - **iamo!**	Legg - **iamo!**	Dorm - **iamo!**	Fin - **iamo!**
Am - **ate!**	Legg - **ete!**	Dorm - **ite!**	Fin - **ite!**

Verbi *avere* e *essere*	
Abbi!	**Sii!**
Abbiamo!	**Siamo!**
Abbiate!	**Siate!**

Verbi irregolari

Andare	**Va'!** **Andiamo!** **Andate!**	Dare	**Di'!** **Diciamo!** **Dite!**	Sapere	**Sappi!** **Sappiamo!** **Sappiate!**
Dare	**Da'!** **Diamo!** **Date!**	Fare	**Fa'!** **Facciamo!** **Fate!**	Stare	**Sta'!** **Stiamo!** **State!**

L'**imperativo negativo**.

Tu = **non** + **infinito**.
Noi e voi = **non** + le forme dell'**imperativo affermativo**.

I - ARE: *amare*	II - ERE: *leggere*	III - IRE: *dormire* e *finire*
Non am - **are!** Non am - **iamo!** Non am - **ate!**	Non legg - **ere!** Non legg - **iamo!** Non legg - **ete!**	Non dorm - **ire!** Non dorm - **iamo!** Non dorm - **ite!**

Osserva gli esempi. Dov'è il soggetto?
- Ascoltate la conferenza e non chiacchierate!
- Prendi una sedia e siediti qui con noi!
Con l'imperativo non si mette il soggetto.

L'imperativo con i pronomi

I **pronomi atoni**, **ne** e **ci** vanno dopo l'imperativo.

- Parla**ci** un po' del tuo nuovo ragazzo.
- Racconta**lo** anche a Piero, così sta più tranquillo!

I **pronomi atoni**, **ne** e **ci** raddoppiano la consonante del pronome con alcuni verbi irregolari alla seconda persona singolare (tu).

Andare ⟶ Va**cci** anche tu alla festa di Silvia, la farai contenta!
Dare ⟶ Da**mmi** un bacio, è tanto che non ci vediamo!
Dire ⟶ Di**mmi** che ore sono, per favore!
Fare ⟶ Fa**mmi** vedere la tua patente, come eri giovane in questa foto!
Stare ⟶ Sta**cci** attento: è un prodotto che può far male alla salute!

Con **gli** non si raddoppia la **g**.
- Da**gli** il nostro indirizzo e di**gli** di passarci a trovare presto!

Nell'imperativo pronominale l'accento rimane sulla sillaba in cui si trova nella forma senza pronome.
- Ascolta! > Ascoltami!

L'**imperativo** ha solamente un tempo, il presente e si usa per esprimere un **ordine** (1), un **divieto** (2), un **suggerimento** (3), un **invito** (4), una **richiesta** (5).

1 - Smettete di chiacchierare!
2 - Non fumare!
3 - Parlane con Valeria, vedrai ti capirà!
4 - Venite da noi stasera, vi invitiamo a cena!
5 - Per favore, spegni lo stereo!

L'imperativo è solitamente molto forte, duro, ma aggiungendo "per favore" o espressioni simili si può usare senza paura di offendere o essere scortesi.

1 Scrivi le forme dell'imperativo.

Infinito	Tu	Voi
1 Mangiare	*mangia!*	*mangiate!*
2 vestirsi		
3 sentire		
4 svegliarsi		
5 andarsene		
6 prendere		
7 fare		
8 dire		
9 decidersi		
10 finire		

2 Guarda i cartelli e trasformali in frasi con l'imperativo alla seconda persona singolare.

VIETATO CALPESTARE LE AIUOLE

VIETATO PARLARE

ALT AVANTI

50

1 *Non calpestare le aiuole.*
2 ....
3 ....
4 ....
5 ....
6 ....
7 ....
8 ....

3 Trasforma le frasi dell'esercizio 1 alla seconda persona plurale.

1 *Non calpestate le aiuole.*
2 ....
3 ....
4 ....
5 ....
6 ....
7 ....
8 ....

4 Trasforma le situazioni in una frase con l'imperativo.

1 Hai sete e chiedi a tuo fratello un po' d'acqua.

..Passami l'acqua, per favore!..

2 Stasera hai bisogno della macchina. La chiedi a tuo padre.

....

3 Devi telefonare a un amico, gli chiedi il numero di telefono.

....

4 Stai camminando e tre ragazzi occupano tutto il marciapiede.

....

5 C'è la finale di coppa stasera allo stadio. Inviti due amici ad andarci con te.

....

6 Un tuo compagno è molto stressato perché studia molto e dorme poco. Dagli un suggerimento.

....

7 Non riesci a sentire l'insegnante perché i tuoi compagni fanno troppo rumore. Ordina loro di tacere.

....

8 Sei in autobus e due ragazzi stanno fumando. Ordina loro di smettere.

....

5 Rispondi con un imperativo.

1 Vorrei invitare sua figlia una settimana a Venezia. Possiamo andarci?

Sì, ..andateci...; ma niente stupidate!

2 Posso prendere un po' della tua pizza? Ho ancora fame.

Sì ...., ma lasciamene un pezzo.

3 Vorremmo parlare dell'esame della prossima settimana.

Va bene, ..., ma non adesso ho ancora un'ora di lezione.

4 Possiamo comprare l'ultimo cd di Ramazzotti?

Sì, ..., ma per questo mese è l'ultimo!

5 Posso telefonarti uno di questi giorni?

Certo, ... quando vuoi.

6 Posso andare al concerto questa sera?

D'accordo, ..., ma stai molto attento.

6 Leggi nuovamente il regolamento della fattoria di Pasquale e trasformalo in frasi all'imperativo singolare.

Fattoria di Pasquale

Non si deve camminare sui campi coltivati.

Si devono rispettare gli animali.

Non si deve disturbare la vita degli altri esseri.

Si devono chiudere i cancelli e i recinti.

Non si può lasciar liberi i propri cani.

Non si possono raccogliere fiori.

Non si può arrampicarsi sugli alberi.

Non si deve gettare la spazzatura in terra.

Non si possono toccare gli animali.

1 Non camminare sui campi coltivati. ....

2 ....

3 ....

4 ....

5 ....

6 ....

7 ....

8 ....

9 ....

Ripasso e ampliamento: la posizione dei pronomi

I **pronomi personali atoni** (mi, ti, gli, ecc.), anche quelli doppi, **ne** e **ci** vanno prima del verbo quando c'è un *indicativo* (1), un *condizionale* (2) o un *congiuntivo* (3) (vedi Unità 13):

- (1) **Mi** ridai il tuo numero di telefono? L'ho perso.
- (2) **Vi** andrebbe di fare due chiacchiere con noi stasera davanti a un bel bicchiere di birra?
- (3) **Mi** scusi, mi sa dire dov'è Piazza del Popolo?

E dopo il verbo quando c'è un *infinito* (1), un *imperativo* (2), un *gerundio* (3).
- (1) Mi piacerebbe riveder**la** prima che si sposi.
- (2) Guarda**mi** negli occhi, non mi stai dicendo la verità!
- (3) Ascoltando**lo** dal vivo, ho capito che è un grande musicista.

Nel caso dell'infinito il verbo perde l'ultima **e** quando è seguito da un pronome.

parlar**e** + **gli** ⟶ parlar**gli**

legger**e** + **lo** ⟶ legger**lo**

Con *dovere*, *potere*, *sapere* e *volere* sono possibili due costruzioni.

Voglio conoscer**la**   oppure   **La** voglio conoscere.

 7 Rispondi con un pronome come nell'esempio.

1 Ti piacerebbe vivere a Napoli?

Sì, mi piacerebbe viverci..., ma è molto cara.

2 Vorresti venire con me al mare?

Certo, ..., ma adesso non ho soldi.

3 Puoi prestarmi la tua penna?

No, ...; la sta usando Federico.

4 Ascoltaci un momento! Non crediamo che tu abbia ragione!

No, ... voi! Siete voi che non avete capito nulla!

5 Nella mia situazione, tu parleresti a Susan del progetto di andare a vivere a Londra?

Sì, ... al più presto.

6 Ti piace Umberto Eco?

Sì, ... imparo sempre mille cose nuove.

civiltà Moda

1 Fa' una lista di tutti gli stilisti e creatori di moda italiani che conosci, poi confrontala con quelle dei compagni. Chi preferite e perché?

2 Osserva attentamente le foto di alcuni modelli creati da alcuni stilisti italiani. Quali preferisci e perché? Discutine con un compagno o con la classe.

Giorgio Armani

Dolce e Gabbana

Gianfranco Ferré

Krizia

Valentino

Versace

3 Quiz: leggi le brevi biografie degli stilisti citati nell'esercizio precedente e abbina ad ognuno la sua biografia.

A

Il primo nasce nel 1958 a Polizzi Generosa (*Palermo*), il secondo nel 1962 a Milano. La loro collaborazione prende vita quasi per caso dal loro incontro sui tavoli di uno stilista. Finalmente decidono di fare da soli, di creare una loro linea con la quale esprimere la loro vena artistica ispirata ai colori e al fascino della Sicilia.

B
Nasce a Legnano nel 1944, è laureato in architettura. Le prime creazioni sono cinture e gioielli. Dal successo di questa prima collezione trova la spinta per disegnare le sue prime collezioni di abiti. L'oriente gli insegnerà quel "legame fra ambiente, clima e uomo" e gli affinerà un gusto particolare per i colori che farà parte del "lessico dell'abito" che va costruendo.

....

C
Il suo vero nome è Mariuccia Mandelli, mentre il suo nome di stilista è preso a prestito da uno dei dialoghi di Platone. Nel 1964 presenta la prima sfilata a Palazzo Pitti. La moda che propone è all'insegna del perfezionismo, delle massime rifiniture, della cura dei dettagli, sofisticata pur nella sua estrema semplicità.

....

D
Clemente Ludovico Garavani nasce a Voghera nel 1932. Nel 1950-52 si trasferisce a Parigi. Nel corso di una vacanza a Barcellona scopre il suo amore per il colore rosso. Successivamente creerà il suo famoso "rosso", fissando una tonalità tra l'arancio e il rosso. Le sue prime collezioni sono degli anni 1957-58, le sfilate dei suoi abiti hanno subito un successo enorme anche all'estero. Da quegli anni in poi il suo nome resta sempre tra i più grandi della moda mondiale.

....

E
Nasce a Reggio Calabria nel 1946. Nel 1972 si trasferisce a Milano e tre anni dopo presenta la prima collezione. Da questo momento ogni sua sfilata è un grande avvenimento nel mondo della moda. Con lui lavorano il fratello Santo, che si occupa della parte amministrativa della grande industria, e la sorella minore Donatella. È stato ucciso il 15 luglio 1997 nella sua villa di Miami. Da allora è la sorella che disegna gli abiti per le collezioni.

....

F
Nasce a Piacenza nel 1934. Nel 1975 fonda la sua ditta e crea la sua etichetta di pret-à-porter uomo e donna. Nel 1982 "Time", il più prestigioso settimanale d'informazione nel mondo, gli dedica la copertina. È il primo stilista ad apparire in copertina dopo Christian Dior. Da allora premi e riconoscimenti internazionali non si contano più. Molto intensa è la sua collaborazione con il mondo del cinema e i suoi abiti compaiono in famosissimi film dagli anni '80 a oggi.

....

fonologia • Raddoppiamento sintattico • /v/ **vs.** /vv/

1 Ti ricordi del raddoppiamento sintattico? Lo abbiamo già visto nell'unità 3. Ascolta le frasi.

1 Questo l'ho fatto io!
2 Devi leggere tra le righe.
3 Sta' fermo così!
4 Sai che m'ha portato fortuna?
5 Da qua non mi sposto!
6 Ma dove va?
7 Però che bello!
8 Chi muore giace e chi vive si dà pace!
9 Sarà bello, ma a me non piace!
10 A me sì!

2 Ascolta di nuovo le frasi dell'attività precedente e sottolinea i suoni iniziali di alcune parole che sono pronunciati in modo intenso.

3 Leggi le frasi dell'attività precedente con un compagno.
Fa' attenzione al raddoppiamento sintattico.

Ecco le parole che più frequentemente provocano il raddoppiamento sintattico.
Si tratta soprattutto di:

- *preposizioni* a; da; tra/fra; su; sopra,
- *alcune congiunzioni e avverbi* e; o; né; che; ma; già; se; come; dove; qua; qui *ecc.*
- *alcune forme verbali di una sillaba* ha; ho; è; so; sa; sta; sto; dà; fa; può; va; *ecc.*
- *alcuni pronomi* chi; me (ma non mi); tu; qualche *ecc.*
- *tutte le parole accentate sull'ultima sillaba: quindi molte forme del futuro e del passato remoto accentate alla prima e alla terza persona singolare:*
  avrò; avrà; sarò; sarà; porterò; porterà; portò; sentirò; sentirà; sentì ecc.

Nella cartina geografica puoi vedere in quali parti d'Italia le persone realizzano il raddoppiamento sintattico (la parte in rosso) e dove, di solito, non lo realizzano (la parte in bianco).

4 Ti piacciono i cruciverba? Ascolta le parole e scrivile nelle righe (orizzontali) o nelle colonne (verticali) corrispondenti.

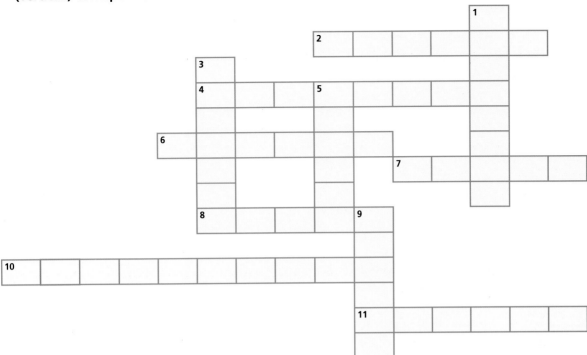

5 Leggi le parole dell'esercizio precedente insieme a un compagno.

la moda
italiana
nel
tempo

sommario

Abbina le frasi o espressioni alla descrizione sotto.

1 Smettete di chiacchierare!

2 Cosa ne dici di una cravatta?

3 Non fumare!

4 Venite da noi stasera, vi invitiamo a cena!

5 Che taglia porta?

6 Per favore, spegni lo stereo!

7 Parlane con Valeria, vedrai ti capirà!

8 Questo mi piace, lo prendo.

In questa unità abbiamo imparato a:

2	**a** Fare una proposta.	....
	b Decidere di comprare qualcosa.	....
	c Chiedere la taglia.	....
	d Esprimere un ordine.	....
	e Esprimere un divieto.	....
	f Esprimere un suggerimento.	....
	g Esprimere un invito.	....
	h Esprimere una richiesta.	....

essere   alla moda

1 Completa il dialogo con le forme all'imperativo dei verbi contenuti nel riquadro.

Laura: Allora, ci sei?

Carlo: ...., ancora un minuto e sono pronto.

L: ...., sai che non mi piace arrivare in ritardo!

C: .... pazienza, non trovo più la cravatta blu. L'hai vista da qualche parte?

L: No, ... bene nell'armadio sarà caduta in mezzo alle camice, però .... presto…

C: Sì, sì, arrivo, tu intanto .... a prendere la macchina, io scendo subito.

L: D'accordo. Quando esci .... attento a non far uscire il gatto e .... un'occhiata alle finestre. Se piove entra tutta l'acqua.

C: Non .... ci penso io.

L: .... a Gigi e .... che arriviamo dieci minuti dopo.

C: Se mi dai altri ordini arriviamo un'ora dopo!

andare, aspettare, avere, dare, dire, fare, guardare, preoccuparsi, sbrigarsi, telefonare, stare

..... / 11

2 L'amico che viaggia con te non ha capito cosa ha detto la hostess. Ripeti le 6 istruzioni contenute nel testo usando le forme dell'imperativo positivo o negativo alla seconda persona singolare.

Signore e signori benvenuti a bordo di questo Boeing 747 a destinazione Buenos Aires. Vi ricordo che questo volo è non fumatori e che è severamente proibito fumare nelle toilette per delle ragioni di sicurezza. Vi preghiamo di sollevare lo schienale della vostra sedia in posizione verticale, di chiudere la tavoletta davanti a voi e di allacciare le cinture di sicurezza fino a quando non verrà spento l'apposito segnale. Vi preghiamo inoltre di spegnere i telefonini o altri strumenti elettronici che possono interferire con la strumentazione di bordo. Per l'uso di computer o lettori CD durante il volo vi preghiamo di chiedere prima l'autorizzazione al personale di bordo.

1 ..... Non devi fumare .... **2** .... **3** ....

4 .... **5** .... **6** ....

..... / 5

3 Metti in ordine le frasi.

1 un di da sera seta vorrei vestito ....

2 registro se disco ti piace te questo lo ....

3 andate fatemelo ne se sapere ve ....

..... / 3

4 Osserva le vignette e completa il crucigramma.

..... / 13

5 **Completa le frasi con i verbi tra parentesi all'imperativo e i pronomi. Osserva l'esempio.**

1 - Gianni, andiamo al ristorante con Marta e Paolo?

- Non me la sento, ...*vacci*........... tu, io oggi sono stanchissimo.

2 - Posso lasciarti il mio indirizzo?

- Certo, *(scrivere)* .... qui sull'agenda.

3 - Non sappiamo cosa regalare a Francesco per il suo compleanno.

- *(regalare)* .... un bel maglione. Gli piacerà di sicuro

4 - Scusi Signora Magri, posso parlarle un momento?

- Certo, però *(dare)* .... del tu, altrimenti mi sento una vecchietta.

5 - Cosa guardiamo stasera alla televisione?

- *(scegliere)* .... voi, io quasi quasi mi leggo un bel libro.

6 - Allora, le telefono o non le telefono?

- Non so Gigi, comunque *(decidersi)* ....!

7 - Giulia, sto andando in centro. Hai bisogno di qualcosa?

- Sì, grazie. *(comprare)* .... l'ultimo libro di Camilleri. Dicono tutti che è molto bello.

8 - Ragazzi, non *(fare)* .... così. Arrabbiarsi non serve a niente.

- D'accordo, però *(dire)* ....: la colpa è vostra.

9 - Marco, c'è Laura al telefono.

- *(dire)* .... di richiamare tra dieci minuti.

..... / 9

6 **Da' le informazioni corrette usando le forme dell'imperativo.**

1 Una coppia di stranieri ti chiede come arrivare ad una banca

....

....

....

2 Un signore ti chiede dov'è il Battistero.

....

....

....

3 Due amici sono sul ponte e ti chiamano al cellulare perché vogliono raggiungerti. Spiega loro come arrivare da te.

....

....

....

Tu sei qui

..... / 9

NOME:
DATA:
CLASSE:

totale   ..... / 50

1 A coppie guardate le foto e parlate di ciò che rappresentano.

**2 Il secolo che è appena terminato ha segnato profondamente la storia dell'umanità.
Con un compagno, prova a completare le frasi usando i verbi e le date.**

1 La prima guerra mondiale ....*durò*............ dal ....*1914*.......... al ....*1918*.......... .

2 Nel .... ci .... la rivoluzione russa.

3 Nel .... la Borsa di Wall Street .... un crollo senza precedenti.

4 Mussolini .... l'Italia dal .... al ....

5 Hitler .... al potere in Germania nel ....

6 La seconda guerra mondiale .... nel .... e .... nel ....

7 Nel .... due bombe atomiche .... le città di Hiroshima e Nagasaki.

8 Con l'inizio della guerra fredda il mondo si .... in due blocchi uno contro l'altro.

9 Nel .... il muro di Berlino, simbolo della guerra fredda.

10 Nel .... la guerra del Golfo.

11 Nel .... l'euro, la moneta simbolo dell'unità economica europea.

nacque, scoppiò, distrussero, crollò, finì, iniziò, fu, durò, governò, divise, ebbe, andò

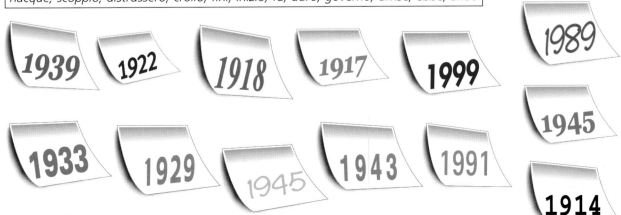

3 ▶▶ | **Alla scoperta della lingua** | Il passato remoto.
Osserva le frasi dell'esercizio 1 e i verbi del riquadro e rispondi alle domande.

1 Le frasi sono al passato?
2 I verbi del riquadro sono in un tempo che conosci? Passato prossimo o imperfetto?
3 Se riscriviamo la frase così, ha lo stesso significato?
  - *Nel 1999 è nato l'euro, la moneta simbolo dell'unità economica europea.*

 4 Leggi il testo e indica se le affermazioni sono vere o false.

L'EMIGRAZIONE ITALIANA

Negli ultimi venticinque anni del XIX secolo, l'emigrazione italiana coinvolse oltre cinque milioni di persone che lasciarono il loro paese per cercare lavoro all'estero. L'America (del Nord e del Sud), l'Europa e l'Australia furono le mete principali.

La maggior parte di coloro che espatriavano erano lavoratori che avevano vissuto in centri urbani dell'Italia settentrionale e centrale e che dopo un periodo di soggiorno più o meno lungo all'estero tornando in patria.

Partivano soli e, non appena possibile, a volte dopo lunghi anni, cercavano di riunirsi alla famiglia, chiamandola a vivere nel loro nuovo paese, o tornando a casa con i risparmi degli anni di lavoro all'estero. I primi a emigrare furono braccianti che provenivano dalla Liguria, dal Veneto, dal Piemonte, dalla Toscana, dall'Emilia e da alcune zone del Mezzogiorno. Di solito, appena poteva, l'emigrato tornava in Italia e cercava di investire i risparmi in modo da crearsi un'attività economica nella propria città o paese natale. E proprio nel Mezzogiorno aprirono le sedi delle grandi compagnie di navigazione: gli emigranti viaggiavano accalcati nelle stive dei transatlantici per raggiungere l'America settentrionale, dove lavoravano come operai, minatori, ecc., o l'America Latina dove erano impiegati soprattutto come contadini. La situazione economica italiana in quel periodo era molto critica e spesso i contadini, finita la stagione estiva in Italia, partivano per il Sud America dove lavoravano come stagionali da ottobre a dicembre, in attesa di rientrare in Italia l'anno successivo, in tempo per iniziare i lavori nei campi con l'arrivo della primavera. All'inizio del XX secolo e fino allo scoppio della prima guerra mondiale il tipo di emigrazione cambiò. Non più uomini soli, ma intere famiglie lasciavano l'Italia per non ritornare, al ritmo di oltre mezzo milione all'anno. I paesi di destinazione, tra cui i maggiori erano l'Argentina, il Brasile e gli Stati Uniti, non ponevano limiti all'immigrazione, permettendo questo fenomeno di massa, ma, dopo la pausa della prima guerra mondiale, i paesi d'oltreoceano - gli USA per primi - cominciarono a regolare il flusso migratorio, che comunque ricominciò con grande forza. Le nuove leggi sull'emigrazione, così come la politica del fascismo, fecero diminuire le partenze, ma il fenomeno continuò comunque in forme diverse: antifascisti espatriati per motivi politici, personale qualificato per i lavori nell'industria e non più contadini analfabeti. Lo scoppio della seconda guerra mondiale bloccò nuovamente il fenomeno dell'emigrazione che riprese però subito dopo, soprattutto verso i paesi europei. In seguito a causa del rapido sviluppo economico italiano, si cominciò a parlare di emigrazione interna.

Milioni di italiani si trasferirono nelle città industriali del nord, dalle campagne e dalle zone di montagna delle stesse città settentrionali e da tutto il Meridione. Questo fenomeno si arrestò solo con la crisi petrolifera del 1974. In questi ultimi anni il fenomeno sembra destinato a ricominciare a causa delle differenze di sviluppo tra Nord e Sud che stanno aumentando: zone del Nord e soprattutto del Nord-Est italiano hanno estremo bisogno di mano d'opera, mentre al Sud i tassi di disoccupazione rimangono tra i più alti in assoluto in Europa.

	Vero	Falso
1 Tra il 1875 e il 1899 furono vari milioni gli italiani che emigrarono.	☒	☐
2 La maggior parte andarono in paesi europei.	☐	☐
3 Gli emigrati raramente desideravano tornare a vivere in Italia.	☐	☐
4 Molti contadini vivevano parte dell'anno in Italia e parte in Sud America.	☐	☐
5 L'emigrazione italiana non riguardò mai intere famiglie, ma uomini soli.	☐	☐
6 Dopo la prima guerra mondiale l'emigrazione poté continuare come prima.	☐	☐
7 Mussolini e il fascismo erano favorevoli all'emigrazione.	☐	☐
8 Dopo la seconda guerra mondiale si sviluppò l'emigrazione interna tra regioni del sud e del nord.	☐	☐

5 Leggi nuovamente il testo e completa gli appunti che lo riassumono.

1 Tra il 1875 e il 1899 milioni di italiani...
....

2 La maggior parte cercava poi di tornare in Italia, altri...
....

3 Gli emigrati provenivano da molte regioni italiane: ....
....

4 L'economia italiana il quel periodo...
....

5 C'era anche una forma stagionale...
....

6 Nei primi 15 anni del XX secolo l'emigrazione cambiò:..
....

7 Dopo la prima guerra mondiale le nuove leggi sull'emigrazione...
....

8 Dopo la pausa della seconda guerra mondiale..
....

9 Negli ultimi anni...
....

6 Quali altri personaggi o avvenimenti secondo voi sono fondamentali nella storia del '900? In gruppi di tre spiegate le vostre scelte.

7 Ora l'Italia è diventata un paese che riceve immigrati. Ascolta l'intervista e rispondi alle domande.

1 Come descrive l'intervistata la propria situazione attuale?

2 Quali sono stati gli obblighi burocratici che ha dovuto affrontare?

3 Cosa ha fatto dopo 6 mesi di residenza in Italia?

8 Maria sta parlando a Sandro della sua famiglia. Ascolta il dialogo e indica se le affermazioni sono vere o false.

	Vero	Falso
1 La famiglia di Maria è di origine tedesca.	☐	☒
2 La famiglia di Maria arrivò in Argentina pochi anni fa.	☐	☐
3 Maria ha provato a ricostruire la storia della sua famiglia.	☐	☐
4 Il bisnonno di Maria era italiano e faceva il minatore.	☐	☐
5 La nonna di Maria e suo suocero vivevano nello stesso palazzo in una città argentina.	☐	☐

9 Ora leggi il testo e controlla le tue risposte.

Sandro: Maria, dimmi un po', la tua famiglia è di origine spagnola, vero?

Maria: Sì, la famiglia di mio padre è di origine spagnola.

Sandro: Quando arrivarono in Argentina?

Maria: Non te lo so dire. Sono in Argentina da varie generazioni, prima di trasferirsi a Buenos Aires avevano vissuto in campagna... ma è molto difficile ricostruire la loro storia.

Sandro: Non ci hai mai provato?

Maria: Volevo farlo un paio d'anni fa, appena finita la scuola, ma poi ho cominciato a pensare al viaggio in Italia…

Sandro: E la famiglia di tua madre?

Maria: Il bisnonno, il padre di mio nonno era italiano. Aveva vissuto fino all'età di dieci anni in Italia, in un paese vicino a Salerno, poi lasciò il suo paese e arrivò in Argentina con tutta la sua famiglia nel 1904.

Sandro: Lo hai conosciuto?

Maria: Purtroppo no, visto che, quando sono nata, era già morto da molti anni. Morì piuttosto giovane, perché aveva avuto una vita difficilissima!

Sandro: Faceva il contadino?

Maria: Sì, quando ero piccola, mia nonna mi raccontava spesso di lui… Dopo il matrimonio con mio nonno, mia nonna andò a vivere con suo suocero e altri parenti in una grande hacienda... come si dice hacienda in italiano?

Sandro: Fattoria.

Maria: Ah sì: in una fattoria. Mia nonna mi raccontava spesso di quando l'aveva conosciuto qualche anno prima: diceva che parlava ancora con un forte accento italiano.

Sandro: Tutto sommato, però, tu non hai preso da tuo bisnonno!

Maria: Cosa vorresti dire?

10 ▶▶ **Alla scoperta della lingua** - Il trapassato prossimo.
Osserva la linea del tempo e completa la frase

- Gli Stati Uniti lanciarono il Piano Marshall per aiutare l'Europa un paio d'anni dopo che la seconda guerra mondiale .... *(finire)*.

Dopo che la seconda guerra mondiale era finita...

...gli Stati Uniti lanciarono il Piano Marshall per aiutare l'Europa

Rileggi il testo del dialogo, come si costruisce il trapassato prossimo e che cosa indica?

11 A piccoli gruppi, a turno raccontate la storia della vostra famiglia. Dite alcune cose vere e altre false. I due che ascoltano dovranno stabilire qual è la verità.
Quando un compagno pensa che una cosa non sia vera, deve dire "dubito" e chi sta raccontando gli dirà se ha indovinato.

abilità

> Per unire le frasi tra loro e permettere al lettore di seguire lo sviluppo delle idee, rendendo il testo più comprensibile, in italiano, come nelle altre lingue, si usano parole che si chiamano appunto congiunzioni (a volte sono degli avverbi), perché servono a congiungere, a unire le frasi di un testo. Ne conosci già molte. Da' un'occhiata allo schema che ti riassume le principali.

Per unire:	▶▶	e - anche - inoltre.
Per dividere o mettere in contrasto:	▶▶	ma - anche se - o - oppure - tuttavia - però - comunque.
Per introdurre la causa:	▶▶	perché - poiché - dato che - visto che.
Per introdurre la conseguenza:	▶▶	perciò - così - quindi - dunque.
Per introdurre il tempo:	▶▶	quando - mentre - prima - dopo - appena - poi.
Per introdurre una condizione:	▶▶	se.
Per esprimere la negazione:	▶▶	neanche - nemmeno.
Per confermare:	▶▶	infatti.

A volte, però, chi scrive sceglie di usarne poche di queste parole. Il testo comunque è comprensibile, grazie alla logica interna che lo governa.

 1 Leggi il brano che segue tratto da Novecento di Alessandro Baricco e sottolinea le parole della tabella che trovi.

[Brano tratto da Novecento, pp. 18-19, Feltrinelli, Milano 1994]

[…] A trovarlo era stato un marinaio che si chiamava Danny Boodmann. Lo trovò un mattino che erano già tutti scesi, a Boston, lo trovò in una scatola di cartone. Avrà avuto dieci giorni, non di più. Neanche piangeva, se ne stava silenzioso, con gli occhi aperti, in quello scatolone. L'avevano lasciato nella sala da ballo della prima classe. Sul pianoforte. Non aveva l'aria però di essere un neonato di prima classe. Quelle cose le facevano gli emigranti, di solito. Partorire di nascosto, da qualche parte del ponte, e poi lasciare lì i bambini. Mica per cattiveria. Era miseria, quella, miseria nera. Un po' come la storia dei vestiti… salivano che avevano le pezze al culo, ognuno col suo vestito consumato dappertutto, l'unico che c'avevano. Poi però, dato che l'America era sempre l'America, li vedevi scendere, alla fine, tutti ben vestiti, con la cravatta anche, gli uomini, e i bambini con certe camiciole bianche… insomma, ci sapevano fare, in quei venti giorni di viaggio cucivano e tagliavano, alla fine non trovavi più una tenda, sulla nave, un lenzuolo, niente: si erano fatti il vestito buono per l'America. A tutta la famiglia. Potevi mica dirgli niente…

Insomma, ogni tanto ci scappava anche il bambino, che per un emigrante è una bocca in più da sfamare e un sacco di grane all'ufficio immigrazione. Li lasciavano sulla nave. In cambio delle tende e delle lenzuola, in certo senso. Con quel bambino doveva essere andata così. Dovevano essersi fatti un ragionamento: se lo lasciamo sul pianoforte a coda, nella sala da ballo di prima classe, magari lo prende qualche riccone, e sarà felice tutta la vita. Funzionò a metà. Non diventò ricco, ma pianista sì. Il migliore, giuro, il migliore. […]

Universale Economica Feltrinelli
ALESSANDRO BARICCO NOVECENTO
Un monologo

> Frase (o proposizione) **subordinata** = è una frase che dipende da un'altra e che è solitamente introdotta da una congiunzione come ad esempio perché, dopo, ecc.

L'autore ha scelto di usare poche congiunzioni; il suo testo risulta molto semplice, anche perché le frasi sono brevi, non ci sono frasi subordinate, ma solo frasi unite da congiunzioni come e.
Questo tipo di scrittura riproduce il modo in cui normalmente le persone parlano.

2 Ora completa il riassunto del testo di Baricco con parole dalla tabella.

Un marinaio trovò un bambino in una scatola di cartone, …………che………… qualcuno aveva lasciato sul pianoforte della sala da ballo della prima classe, …………**2**………… tutti i passeggeri erano scesi dalla nave. Il bambino era probabilmente figlio di emigranti, …………**3**………… erano gli emigranti che, …………**4**………… erano molto poveri …………**5**………… non avevano niente da dare da mangiare al neonato, preferivano lasciarlo sulla nave e sperare, …………**6**…………, che qualche persona ricca lo trovasse.

…………**7**………… a causa della loro povertà gli emigranti utilizzavano tende, lenzuoli e altre stoffe …………**8**………… trovavano sulla nave per crearsi dei vestiti.

…………**9**…………, nel caso di questo bambino, la speranza dei genitori non divenne completamente realtà, …………**10**………… il bambino non diventò mai ricco, ma imparò a suonare il piano e divenne il migliore pianista.

e, dopo che, tuttavia, infatti, inoltre, così, dato che, infatti, che

3 Unisci le frasi usando una congiunzione.

1 Gli italiani in questi anni spendono più soldi in vacanze. Le condizioni economiche del paese stanno migliorando.

………Siccome / Dato che / Visto che / Poiché le condizioni economiche del paese………
………stanno migliorando, gli italiani in questi anni spendono più soldi in vacanze.………

2 Ho studiato in Francia. Parlo correntemente il francese.

……………………………………………………………………………………………………
……………………………………………………………………………………………………

3 Sono arrivato a casa e ho scoperto che c'erano stati i ladri.

……………………………………………………………………………………………………
……………………………………………………………………………………………………

4 Le elezioni politiche hanno avuto risultati sorprendenti. È stato formato un nuovo governo.

……………………………………………………………………………………………………
……………………………………………………………………………………………………

5 Mi dai il video che ti ha prestato Lara, così posso dirti se è bello.

……………………………………………………………………………………………………
……………………………………………………………………………………………………

6 Parlai per telefono con mio padre e capii che c'erano problemi a casa.

……………………………………………………………………………………………………
……………………………………………………………………………………………………

7 Vado al mare per due settimane e ho preso vari libri in biblioteca.

……………………………………………………………………………………………………
……………………………………………………………………………………………………

8 Stavo usando il computer ed è andata via la luce.

……………………………………………………………………………………………………
……………………………………………………………………………………………………

lessico

1 In Italia spesso gli immigrati si trovano in difficoltà con il lessico della burocrazia.
A coppie leggete la tabella e il riquadro dell'attività che segue e
cercate sul dizionario il significato delle parole che non conoscete.

> **Burocrazia** = *l'insieme dei funzionari pubblici, la pubblica amministrazione.*

2 In Italia dove andate per ottenere i diversi documenti?
Abbina i luoghi pubblici ai documenti.

ANAGRAFE	richiedere e ottenere	la residenza
	richiedere e ottenere	
	autenticare	
QUESTURA	richiedere, ottenere o rinnovare	
UFFICIO DEL LAVORO	richiedere, ottenere o rinnovare	
AZIENDA SANITARIA LOCALE	iscriversi al	
UFFICIO IMPOSTE	richiedere e ottenere	

un certificato di residenza, la carta d'identità, foto, firme, documenti, il permesso di soggiorno, il codice fiscale, il libretto di lavoro, sistema sanitario nazionale

3 Quante parole conosci che derivano da

emigrare? ....

....

....

....

....

....

immigrare? ....

....

....

....

....

4 A coppie, in due minuti formate il più alto numero possibile di famiglie di parole, usando termini che conoscete.

5 Le forme. Abbina le figure alle parole.

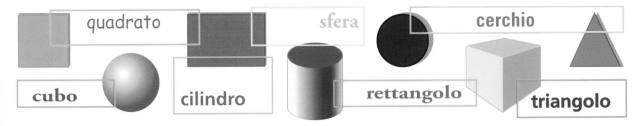

quadrato   sfera   cerchio

cubo   cilindro   rettangolo   triangolo

6 Conosci gli aggettivi che si riferiscono a questi nomi o riesci a formarli?

Sfera		**Triangolo**	
Cubo		**Cerchio**	
Cilindro		**Quadrato**	
Rettangolo			

7 A ognuno di questi aggettivi associa tre nomi.

Sfera	terra	Triangolo	
Cubo		Cerchio	
Cilindro		Quadrato	
Rettangolo			

> grammatica

Il passato remoto

Verbi regolari

I - ARE: *amare*	II - ERE: *vendere*	III - IRE: *dormire*
(io) am - **ai**	(io) vend - **ei** (- **etti**)	(io) dorm - **ii**
(tu) am - **asti**	(tu) vend - **esti**	(tu) dorm - **isti**
(lui, lei) am - **ò**	(lui, lei) vend - **è** (- **ette**)	(lui, lei) dorm - **ì**
(noi) am - **ammo**	(noi) vend - **emmo**	(noi) dorm - **immo**
(voi) am - **aste**	(voi) vend - **este**	(voi) dorm - **iste**
(loro) am - **arono**	(loro) vend - **erono** (- **ettero**)	(loro) dorm - **irono**

Verbo *avere*	Verbo *essere*
(io) **ebbi**	(io) **fui**
(tu) **avesti**	(tu) **fosti**
(lui, lei) **ebbe**	(lui, lei) **fu**
(noi) **avemmo**	(noi) **fummo**
(voi) **aveste**	(voi) **foste**
(loro) **ebbero**	(loro) **furono**

Nella terza persona plurale l'accento è sulla prima vocale della desinenza, ad esempio: amarono, vendettero, dormirono e non amaróno, ecc.

Desinenza = *è la parte finale di un nome, aggettivo, verbo, ecc. che cambia a seconda della persona, del genere, del numero, ecc.*

Alcuni verbi irregolari comuni

bere	*bevvi / bevetti*	nascere	*nacqui*	vedere	*vidi*
chiedere	*chiesi*	perdere	*persi*	venire	*venni*
conoscere	*conobbi*	prendere	*presi*	vivere	*vissi*
dare	*diedi (detti)*	sapere	*seppi*	volere	*volli*
fare	*feci*	scrivere	*scrissi*		
mettere	*misi*	stare	*stetti*		

Il **passato remoto** si usa per indicare un'azione *conclusa* nel passato e che non ha più continuazione nel presente.

- Quando tornai in Italia, non trovai più i miei amici di un tempo.

Nell'italiano parlato al Nord e, in parte, al Centro, si usa il **passato prossimo** per indicare qualsiasi azione passata, al posto del **passato remoto**.
Il **passato remoto** si utilizza quasi esclusivamente nella lingua scritta.

Solitamente solo le forme delle persone io lui/lei e loro sono irregolari. Le altre persone mantengono il tema dell'infinito. Esempio: io scrissi, noi scrivemmo.

1 Scrivi le forme del passato remoto.

1 Venire	Io	.... *venni* ....
2 Vedere	Lui	....
3 Scrivere	Noi	....
4 Amare	Voi	....
5 Partire	Tu	....
6 Prendere	Loro	....
7 Avere	Lei	....
8 Ascoltare	Io	....

2 Metti i verbi al plurale.

Singolare   *Plurale*

1 Io mangiai   .... *noi mangiammo* ....

2 Lei uscì   ....

3 Tu venisti   ....

4 Tu fosti   ....

5 Lui vendette   ....

6 Io feci   ....

7 Lei ebbe   ....

8 Io misi   ....

3 Inserisci nel cruciverba il passato remoto dei seguenti verbi:

ORIZZONTALI: **2** Volere. **3** Sapere. **4** Chiedere. **6** Venire. **8** Dare. **9** Bere.
VERTICALI: **1** Vedere. **2** Vivere. **4** Conoscere. **5** Avere. **7** Mettere.

[I veneziani costruirono il campanile di S. Marco nel '200, cambiarono la parte alta nel '500. Nel 1902 il campanile cadde, ma non danneggiò nessun monumento della Piazza.
Fu ricostruito com'era e dov'era.]

4 Abbina le frasi di sinistra a quelle di destra.

1 Quando arrivai a casa	**a** quando aveva 16 anni.
2 Quando Fausto aprì la porta	**b** e uscì di casa.
3 Mia nonna si sposò	**c** non c'era ancora nessuno.
4 La storia iniziò il giorno in cui	**d** suo nonno decise di andare a vivere in America.
5 Giuseppe si mise il cappello	**b** e centinaia di migliaia di persone poterono tornare alle loro case.
6 Nell'estate del 1999 finì la guerra in Serbia	**f** qualcuno lo spinse forte.

✏ 5 Completa le frasi con un verbo al passato remoto.

1 Quando Luca ....vinse................... al totocalcio, si .... una casa al mare.

2 La prima guerra mondiale .... nel 1918.

3 Maria .... a studiare italiano a 14 anni.

4 Samuel .... in Italia dal 1986 al 1988.

5 Nel 1929 ci .... il crollo della Borsa di New York.

6 Quando i Romani .... in Inghilterra, vi .... una popolazione di origine celtica.

Il trapassato prossimo

Il **trapassato prossimo** si forma con l'imperfetto di *essere* o *avere* più il participio passato del verbo.

ero eri era	andato/a	avevo avevi aveva	cantato
eravamo eravate erano	tornati/e	avevamo avevate avevano	cantato

Osserva l'esempio:

ore **9:15**   ore **9:20**   **ora**

/   /   /

- Quando **arrivai** all'università, il professore **aveva** già **iniziato** la lezione.

Il **trapassato prossimo** si usa per indicare un'azione avvenuta *prima* di un'altra espressa con un passato prossimo/passato remoto o un imperfetto.

✏ 6 Completa con un verbo al trapassato prossimo. Scegli tra quelli del riquadro.

1 Quando sono arrivato alla fermata, l'autobus .....era........................... già ....passato.......... .

2 Non ho capito bene la storia, perché quando ho acceso la tv, il film .... già ....

3 Dopo che l' .... per due ore, Rita arrivò sorridendo.

4 .... tanto, che non riuscivamo a trovare la strada di casa.

5 Simona .... appena............................... lavoro, quando rimase incinta.

6 Il loro bambino .... da pochi mesi quando si trasferirono in Belgio.

nascere, bere, iniziare, cambiare, aspettare

✏ 7 Completa le frasi con un verbo al trapassato prossimo.

1 Quando mi svegliai...

2 Quando arrivammo a Londra..

3 Dopo molte domande mi disse perché...

4 Giovanna mi chiese cosa..

5 Nell'ultima pagina finalmente capii..

6 ....andammo a fare un giro in bicicletta.

1 Cosa sai del fenomeno dell'emigrazione o immigrazione nel tuo paese? Discutine con i compagni del tuo gruppo e insieme scrivete qualche appunto.

2 Cosa sai invece del fenomeno dell'immigrazione in Italia?
Cosa vorresti sapere?

la presenza d' bambini stranieri

3 Leggi il brano e rispondi alle domande.

La presenza straniera si è stabilizzata

Nella scuola materna i bambini stranieri sono più di 11 mila

1 Di quanto era aumentata nel 1997 la presenza di bambini stranieri nelle scuole rispetto a cinque anni prima?

....

2 Nelle scuole di quale parte dell'Italia è minore la presenza di bambini stranieri?

....

3 Di quale percentuale era aumentato il numero di lavoratori dipendenti extracomunitari rispetto al 1994?

....

4 In quali regioni si trovava la maggioranza di questi lavoratori?

....

5 Com'era la situazione rispetto alla regolarizzazione degli immigrati?

....

6 In quale parte dell'Italia erano diminuite le domande di regolarizzazione?

....

7 Qual era il tipo di lavoro degli immigrati nella quasi metà dei casi?

....

8 Per quale motivo, soprattutto, gli immigrati erano denunciati e indagati dalle autorità?

....

A partire dall'inizio degli anni '90, la presenza di bambini stranieri nelle scuole italiane ha assunto una rilevanza crescente.

Nella scuola materna i bambini stranieri sono più di 11 mila nel 1997, un numero quasi doppio rispetto a 5 anni prima, mentre nel complesso della scuola dell'obbligo se ne contano più di 37 mila.

Nelle regioni settentrionali circa il 50% delle scuole, elementari e medie, ospita bambini stranieri. Tale percentuale si riduce al 44,1% nelle regioni centrali, e giunge al 13,1% nel Mezzogiorno.

Sulla base dei dati provenienti dagli archivi INPS, nel 1997 hanno lavorato sul territorio, come lavoratori dipendenti, 315 mila extracomunitari, l'87% in più rispetto al 1994. Quasi nove su dieci lavorano nell'Italia settentrionale e centrale, con una forte concentrazione soprattutto in tre regioni che, da sole, ne impiegano la metà: la Lombardia (25%), il Lazio (13%) ed il Veneto (12%).

Le tipologie di inserimento lavorativo sono molto diversificate a livello territoriale.

Tra i lavoratori domestici, gli extracomunitari rappresentano quasi il 50%. Sul totale degli extracomunitari in possesso di un permesso per lavoro si valuta che il 52% abbia lavorato regolarmente nel corso del 1997, in base ai contributi versati all'INPS.

La presenza straniera si è stabilizzata, ma continuano le emergenze dovute alla presenza abbastanza numerosa di irregolari. Le domande di regolarizzazione (312 mila) sono in complesso aumentate del 22% rispetto al 1995, del 66% in Lombardia e del 46% in Veneto, mentre sono diminuite al Sud. Il numero di stranieri tra i denunciati all'autorità giudiziaria è aumentato dal 4,2% del 1991 al 9,8% del 1997. Fra i denunciati e indagati dalle forze dell'ordine nel corso del 1998 coloro che sono privi di permesso di soggiorno rappresentano l'86,5%.

Al tempo della statistica l'obbligo scolastico era ancora fermo ai 13-14 anni.

Istituto Nazionale Previdenza Sociale: si occupa dell'assistenza sanitaria e pensionistica dei lavoratori.

[Adattato da: ISTAT - RAPPORTO ANNUALE 1998, 7. La presenza straniera tra processi di integrazione ed emergenze, pag. 353]

• 1ª e 3ª pers. del passato remoto nei verbi in -*IRE*   • 1ª e 3ª pers. del passato remoto nei verbi in -*ERE*   • /s/ vs /ss/

1 Ascolta e completa la tabella con le corrispondenti forme del passato remoto

INFINITO	I SINGOLARE	III SINGOLARE
sentire	sentii	sentì
aprire	aprii	
finire		
dormire		
pulire		
salire		
spedire		
uscire		

2 Leggi le parole che hai scritto con un compagno.

> Hai notato che la prima persona del passato remoto nei verbi in -*IRE* è un suono lungo, mentre la terza persona è un suono breve?

3 Osserva il confronto tra la prima persona del passato remoto di alcuni verbi in -*ERE* e le forme del participio passato. Completa la tabella con le forme che mancano.

INFINITO	1ª PASS- REMOTO	3ª PASS. REMOTO	PARTIC. PASSATO
accendere	accesi	accese	acceso
appendere		appese	
	conclusi		concluso
chiudere			chiuso
	persi		perso
scendere		scese	

4 Ascolta i gruppi di parole e fa' un segno nella colonna corrispondente.

	uguali	diverse
a		×
b		
c		
d		
e		
f		
g		
h		

> Ti ricordi? Il suono intenso, o doppio, /ss/ si pronuncia allungando la durata del corrispondente suono breve /s/.

sommario

Abbina le frasi o espressioni alla descrizione sotto.

1 Sono in Argentina da varie generazioni.

2 Purtroppo no, visto che, quando sono nata, era già morto da molti anni.

3 Quando arrivarono in Argentina?

4 Aveva vissuto fino all'età di dieci anni in Italia, in un paese vicino a Salerno, poi lasciò il suo paese e arrivò in Argentina con tutta la sua famiglia nel 1904.

5 Quando tornai in Italia, non trovai più i miei amici di un tempo.

In questa unità abbiamo imparato a:

5	**a** Parlare di un'azione conclusa nel passato	....
	e che non ha più continuazione nel presente.	....
	b Chiedere informazioni sul passato.	....
	c Parlare di azioni iniziate nel passato.	....
	d Mettere in relazione avvenimenti nel passato.	....
	e Esprimere delusione.	....

In Italia gli immigrati arrivano da sette aree principali: tre gruppi dall'Oriente (cinese, filippini, e il subcontinente indiano: bengalesi e cingalesi), due gruppi africani (i magrebini e i neri della costa occidentale, dal Senegal al Ghana, ecc..), dal Sud America (Brasile, Ecuador, Venezuela, S. Domingo) e dall'Europa orientale, dal mondo slavo e balcanico.

1 Nel riquadro seguente si nascondono altre 5 congiunzioni oltre all'esempio.
Trovale e scrivile nella tabella.

T	A	S	F	U	C	S	T	E	Q
U	G	M	I	N	O	L	T	R	E
T	V	U	T	D	M	L	T	U	A
T	B	G	F	O	U	I	E	I	E
A	M	**Q**	V	C	N	U	Z	N	A
V	N	**U**	U	H	Q	V	B	F	A
I	H	**I**	N	N	U	C	N	A	E
A	Z	**N**	U	H	E	O	L	T	I
A	S	**D**	V	E	T	R	S	T	A
V	C	**I**	O	I	T	B	E	I	O

1	*Quindi*
2	
3	
4	
5	
6	

..... / 5

2 Forma delle frasi come nell'esempio.

1 Sono arrivato tardi	appena	c'era molto traffico
2 Ti ho telefonato	infatti	ho saputo qualcosa
3 Ero certo di trovarla	inoltre	mi stava aspettando
4 Non avevo l'indirizzo	perché	non le ho scritto
5 Non era un gran libro	quindi	l'ho letto tutto
6 Non avevo molta voglia di uscire	tuttavia	faceva freddo

..... / 5

3 Completa le frasi con i verbi tra parentesi al trapassato prossimo o al passato remoto.

1 Quando Laura (*svegliarsi*) .... , Mauro (*uscire*) .... già...............
....

2 Quando Gino e Francesca (*andare*) .... a vivere in Argentina, Isa
(*compiere*)..................................... appena .... cinque anni.

3 Quando Ennio (*tornare*) .... dall'America, (*vedere*) .... che il
suo paese (*cambiare*) .... molto ....

4 Anna portava sempre la collana che Fausto le (*regalare*) .... prima di partire.

5 Appena Franca (*sapere*) .... che Paolo (*arrivare*) .... , gli
(*telefonare*) .... subito per salutarlo.

6 Mentre stavano passeggiando per il centro, Marina e Francesco (*incontrare*) .... un
amico che (*conoscere*) .... in campeggio l'anno prima.

..... / 13

4 Completa il testo con l'imperfetto, il passato prossimo o il trapassato prossimo dei verbi
tra parentesi.

Anna: Allora Ines, che impressione ti fa visitare il paese dei tuoi genitori?

Ines: È un'emozione piuttosto forte.

A: Non (*stare*) .... *mai* .... prima in Italia?

I: No, i miei genitori (*trasferirsi*) .... in Brasile subito dopo la guerra, io non

(*nascere*) .... ancora .... Mio padre (*sperare*)
.... di fare un po' di soldi con una piccola impresa edile che (*mettere*)
.... su con suo fratello e di tornare in Italia dopo qualche anno. Poi invece le cose
(*andare*) .... bene, (*esserci*) .... lavoro, (*nascere*) ....
io e mio fratello e così non (*muoversi*) .... più .... di lì.

A: C'era qualcuno ad aspettarti quando sei arrivata in Italia?

I: Sì, devi sapere che i miei genitori (*venire*) .... da un piccolo paese del Friuli
dove ci sono ancora dei lontani parenti di mia madre. Mi (*accogliere*) .... come
una figlia. Zia Gina, per esempio, pensa che conserva ancora una mia fotografia di quando
(*essere*) .... piccola che gli (*mandare*) .... mia madre molti anni fa.

A: Dev'essere stato bello incontrare delle persone di cui (*sentire*) .... parlare tante
volte, ma che non (*conoscere*) .... mai ....

I: (*essere*) .... fantastico. Mi (*raccontare*) .... delle storie
incredibili di quando mio padre (*essere*) .... giovane, di come
(*conoscere*) .... mia madre, della lotta contro i genitori di lei che
(*essere*) .... contrari al matrimonio, cose d'altri tempi.

A: Ti piacerebbe venire a vivere in Italia?

I: L'Italia mi piace molto e spero di tornare qui magari una volta ogni due anni. Ma ormai io sono
brasiliana (*vivere*) .... sempre a Rio, (*studiare*) .... in
Brasile. Lì ho tutti i miei amici. Comunque non si può mai dire, magari un giorno, chissà…

A: Ad ogni modo, quando vuoi tornare, a casa mia c'è sempre posto…

I: Grazie, Anna, sei molto gentile, restiamo in contatto…

A: Certo, con la posta elettronica adesso è facile.

..... / 22

5 **Completa le frasi con il passato remoto.**

1 Laura (*conoscere*) .... Marco nel '56.

2 Luisa (*vivere*) .... per molti anni a Parigi.

3 Italo Calvino (*nascere*) .... a Cuba nel 1923.

4 I Medici (*essere*) .... per anni i signori di Firenze.

5 Casanova (*avere*) .... una vita molto avventurosa.

6 Martina e Giacomo (*rivedersi*) .... dopo la guerra.

7 Anna Magnani (*essere*) .... tra i massimi interpreti del cinema italiano.

8 Pirandello (*vincere*) .... il premio Nobel per la letteratura.

9 Marco Polo (*fare*) .... un lungo viaggio per ritornare a Venezia.

10 Rossellini e De Sica (*scrivere*) .... le più belle pagine del cinema neorealista italiano.

..... / 10

NOME:
DATA:
CLASSE:

totale   ..... / 55

1 Insieme a un compagno, guardate le immagini e dite cosa rappresentano.

 2 Leggi velocemente le notizie e abbina ognuna a una figura.

a

Temperature vicine ai 40° sono previste in molte parti della penisola ancora per i prossimi tre, quattro giorni. Le previsioni parlano per il fine settimana di una debole perturbazione che potrebbe interessare alcune regioni del Nord. Nel resto d'Italia non si prevedono cambiamenti a breve termine. Quest'estate sarà ricordata come la più calda degli ultimi 150 anni.

b

La circolazione delle auto, catalizzate e non, dei motorini e di qualsiasi altro mezzo a motore ad esclusione dei veicoli elettrici è stata vietata nelle città di Firenze, Milano e Bologna. Questi nuovi divieti si aggiungono a quelli ancora in vigore. A causa dell'inquinamento da gas di scarico e soprattutto dell'alto livello di ozono si raccomanda a bambini e anziani di non uscire di casa nelle ore più calde della giornata.

c

La costa ligure in provincia di La Spezia continua a bruciare. Nuovi incendi sono segnalati in un lungo tratto di costa e l'intervento degli aerei per cercare di spegnerli e di centinaia di volontari oltre agli uomini e ai mezzi dei vigili del fuoco e della protezione civile non è ancora riuscito a vincere le fiamme. Un uomo di 44 anni che stava cercando di spegnere un nuovo incendio è stato trasportato in ospedale, quando, per mancanza d'ossigeno, si è sentito male. Fortunatamente non ha avuto ustioni.

d L'ennesimo incidente, anche se non grave, a una centrale nucleare è stato denunciato da un gruppo di ecologisti. Gli ecologisti hanno segnalato un moderato aumento del tasso di radioattività e hanno collegato questo dato alla produzione di energia termonucleare. Le autorità stanno cercando di minimizzare quanto accaduto e hanno invitato la popolazione a mantenere la calma, poiché a livello ufficiale non vi è nessuna prova di quanto denunciato dal gruppo ecologista.

e Il Fiume Po raggiungerà nelle prossime ore il massimo del livello di piena nelle provincie di Vercelli e Alessandria. L'allarme è scattato per molti comuni della zona e le forze dell'ordine stanno facendo evacuare numerosi abitanti. Le previsioni per i prossimi giorni non lasciano sperare nulla di buono. È già la terza volta quest'autunno che il Po presenta una situazione di reale rischio per queste zone. I meteorologi hanno attribuito anche questa emergenza alle condizioni climatiche del nostro paese che stanno rapidamente cambiando.

f Un piccolo panda maschio è nato per la prima volta in uno zoo italiano la scorsa settimana. È un avvenimento di eccezionale importanza, fanno notare gli esperti, e rappresenta una delle pochissime notizie positive che riguardano questa splendida creatura in via di estinzione. Alla neomamma è stata regalata una razione doppia di foglie di bambù.

▶▶ **Alla scoperta della lingua**
Come funziona questa struttura?
Osserva gli esempi:
- Vengo subito. Lasciami prendere la borsetta!
- Professore, per favore, ci lasci finire il compito. Ancora due minuti!

▶▶ **Alla scoperta della lingua**
Come funziona questa struttura?
Osserva gli esempi:
- La polizia ha fatto parlare il ladro che ha confessato.
- Luisa ha fatto leggere a Franco la sua nuova poesia.

🖊 **3 Trova un titolo per ogni notizia. Poi, a coppie, confrontate i vostri titoli e aiutatevi a migliorarli se necessario.**

🖊 **4 La salute del nostro pianeta è una delle emergenze principali della nostra epoca.**
Tu cosa fai per comportarti in maniera ecologica? Completa il test sul tuo quaderno.

1 C'è bel tempo, non devi andare lontano e non hai fretta. Esci in bicicletta o in macchina?
2 Fa caldo, ma c'è anche un bel venticello che rinfresca l'aria. Apri le finestre o accendi il condizionatore?
3 Devi andare a far spesa. Porti una borsa con te o ne prendi una di plastica alla cassa del supermercato?
4 Devi cambiare l'automobile. Te ne offrono una che costa meno, ma che inquina di più. Quale Compri?
5 Sei per strada. Hai appena finito di mangiare un pezzo di pizza e hai il tovagliolo di carta in mano. Non trovi un cestino dei rifiuti. Getti la carta in terra?
6 Devi comprare un portafoglio. Quello di pelle di coccodrillo ti piace molto. Lo compri?
7 Le pile sono scariche. Le butti nella spazzatura?
8 Devi comprare della carta per il computer. Ce n'è di due tipi: bianca e un po' meno bianca perché riciclata. Hanno lo stesso prezzo. Quale compri?

🖊 **5 Quali altri comportamenti ecologici potresti aggiungere?**
Scrivili sotto forma di domande per il test.

👄 **6 Ora leggi le tue domande alla classe e insieme approvate quelle che vi sembrano buone.**

7 Che cosa ci aspetta nel futuro? Ascolta l'intervista a Roberto che parla della sua vita di oggi e dei suoi progetti per il futuro e completa la tabella.

	Oggi		Fra alcuni anni
Cosa fa?		Cosa vorrebbe fare?	
		Cosa non vorrebbe fare?	

8 ▶ ▶ Alla scoperta della lingua — Ascolta nuovamente l'intervista e completa le frasi.

- Cosa farai quando .... l'università?

- Quando ...., lavorerò o meglio, mi piacerebbe lavorare in una

organizzazione internazionale.

Che tempo viene utilizzato nelle due frasi?
È un futuro. Ma osserva la domanda dell'intervistatore: qual è la differenza con *farai* (futuro semplice)?
Quale azione avviene prima, finire l'università o lavorare in un'organizzazione internazionale?

9 Ora pensa a te stesso. Quali delle seguenti situazioni credi che possano essere vere tra cinque anni?

	Avrò finito l'università.
	Saprò benissimo l'italiano.
	Avrò trovato un lavoro interessante.
	Mi sarò sposato.
	Avrò due bambini.
	Mi sarò trasferito definitivamente all'estero.
	Guadagnerò un sacco di soldi.
	Sarò disoccupato.
	Avrò ereditato molti soldi e sarò sempre in giro per il mondo.
	Sarò un artista famoso.

Avrò pugnalato chi vuole insegnarmi il futuro!

10 Aggiungi altre cose che probabilmente farai o avrai fatto fra cinque anni.

11 Ora scrivi cinque domande che vorresti fare a un compagno per scoprire che cosa si aspetta dal futuro. Poi fagli le domande e rispondi alle sue.

un mondo migliore

lessico

1 Osserva il disegno: è lo studio di una radio ecologista.
Secondo te come si chiama questa radio?
Quali temi tratteranno nei loro programmi.

2 Ascolta il notiziario e rispondi alle domande.

1 Che temperatura c'è stata ieri a Roma? ....

2 Quanta umidità ci sarà oggi?..

3 Di quali gas si parla?   ☐ ozono   ☐ ossigeno   ☐ anidride carbonica

4 Quali mezzi potranno liberamente circolare nei prossimi giorni in centro?...................

5 Di quali cambiamenti del pianeta Terra si parla?...

3 Ascolta nuovamente la registrazione. Quali delle seguenti parole legate all'ambiente
vengono usate?

| ☐ Accendere | ☐ Ambiente | ☐ Anidride carbonica | ☐ Aria | ☐ Bruciare | ☐ Ossigeno |

| ☐ Centrale elettrica | ☐ Conservare | ☐ Effetto serra | ☐ Energia elettrica | ☐ Energia atomica |

| ☐ Gas di scarico | ☐ Inquinare | ☐ Incendio | ☐ Alluvione | ☐ Inquinamento |

4 Cerca sul dizionario le parole che non conosci.

abilità

1 Leggi il racconto di Stefano Benni.

Erasmo, il venditore del cosmo.

Ragazzi, è dura la vita del mercante spaziale! Se non ci credete, ascoltate l'ultima che mi è capitata. Avevo tra le mani l'affare della mia vita: cinquecentomila metri quadrati d'ombra da vendere a Bleton, un piccolo pianeta della federazione saturnina. Bleton è grande un decimo della Terra, ed è piatto che più piatto non si può. Il monte principale, il Bletberg, è alto sei metri e dodici centimetri, e sopra ci hanno messo uno skilift e tutte le antenne televisive del paese. I poveri bletoniani se la passano male perché non hanno un metro d'ombra: niente alberi, né grotte, né pensiline d'autobus. E non hanno il sole, ne hanno undici che picchiano dalla mattina alla mattina, per cui su Bleton si vive implacabilmente assolati. L'unico sollievo è una creatura chiamata Oye-Oye, dotata di due enormi orecchie che, spalancate, danno un po' di riparo. Ma gli Oye-Oye appartengono tutti alla famiglia reale che detiene il novantasei per cento dell'ombra del pianeta. Un mese fa, finalmente, scoppia la rivoluzione, e i bletoniani incazzati rovesciano la monarchia. Il neopresidente lancia subito una proposta: compriamo ombra dagli altri pianeti. Mi lancio nell'affare, bruciando la concorrenza. In meno di tre giorni trovo cinquecentomila metri quadrati d'ombra. [...]
Ma qui comincia il bello. Dopo tre giorni di viaggio sulla rotta degli asteroidi, roba da vomitare le trippe, arrivo allo spazioporto di Bletonia, e già mi sento in tasca una granita di smeraldi. Ho un appuntamento alla sala Vip, e ho pronti il mio sorriso più suadente e un bel contratto da firmare. Ma in quel momento mi rendo conto di uno spiacevole particolare: e cioè che non so com'è fatto un bletoniano. [...]
Ma ecco che mi viene un'idea geniale: il mio amico Marulli! Pompeo Marulli ha già combinato affari con i bletoniani, basterà telefonargli sulla Terra e chiedere a lui. Corro alla cabina telefonica. Tanto per cambiare, la porta non si apre bene, mollo un gran spintone ed eccomi dentro. Dovrò fare in fretta. Purtroppo il telefono ha la tastiera coi numeri bletoniani e tutta una serie di optional che non capisco, ma i telefoni, in fondo, sono uguali in tutto il cosmo, e infatti vedo subito una fessura per la teletessera interspaziale. La infilo dentro, ma il telefono la risputa: la solita storia. Ho fretta, porcowau, gliela rinfilo dentro a forza, quello la risputa ancora, gli tiro un gran cazzotto sulla tastiera e questa volta la prende.

Alzo il ricevitore che non si stacca, mi tocca schiodarlo a forza, e poi esamino i tasti: i numeri sono diversi, ma la posizione corrisponde in tutte le galassie, il primo tasto non può essere che l'uno. Lo premo, il telefono emette un bip fortissimo e subito si accende una luce rossa. Tutto il cosmo è paese, anche qui i telefoni si guastano subito. Ma non mi perdo d'animo, gli tiro un altro gran cazzotto e quello sputa fuori una dozzina di gettoni bletoniani bianchi, poi compongo gli undici numeri necessari, accompagnati ogni volta da quel bip lancinante. Sento che dal ricevitore viene un segnale di occupato, un tuut velocissimo; allora riattacco, reinserisco la carta, altro cazzotto per farla andar giù, ricompongo il numero, altra lucina rossa, altro cazzotto e finalmente ecco il segnale di libero. Ma è un segnale sempre più debole. Finché, con un rantolo, si spegne. Dannato telefono, impreco, qualcuno sa dirmi come… Mi volto e capisco di aver sbagliato qualcosa. Intorno a me ci sono otto cabine telefoniche che prima non c'erano.

[Stefano Benni, **L'ultima lacrima**, Feltrinelli, Milano 1994]

 2 Ora scrivi il finale di questa storia.

 3 Insieme ad altri due compagni, a turno leggete le vostre conclusioni della storia e scegliete la migliore.

 4 Ora andate a pagina V e leggete la parte finale scritta dall'autore. Vi piace come termina la storia? Ve lo aspettavate?

 In ogni testo esistono parole che rimandano a concetti o parole già usate in precedenza (pronomi personali, aggettivi e pronomi dimostrativi, pronomi relativi, avverbi di luogo e tempo, ecc.). Capire questi riferimenti aiuta a comprendere il testo.

 5 Leggi nuovamente il racconto e completa la tabella indicando a cosa si riferiscono le parole evidenziate.

Ci		Riga 4
Ne		Riga 6
Che		Riga 6
Qui		Riga 13
Dentro		Riga 19
La		Riga 21
Gliela		Riga 22
Gli		Riga 22
Lo		Riga 25
Gli		Riga 27
Quello		Riga 27
Mi		Riga 32

Abbiamo già visto come il ruolo del narratore può essere determinante per capire un testo.

 6 Individua nel racconto gli elementi che ti fanno capire chi è il narratore e qual è il suo tono.

 7 In fondo questo racconto può sembrare una favola e come tutte le favole potrebbe avere una morale. Insieme a un compagno pensate a quale può essere secondo voi.

Il futuro anteriore			
sarò sarai sarà	tornato/a	avrò avrai avrà	cantato
saremo sarete saranno	tornati/e	avremo avrete avranno	cantato

Il **futuro anteriore** si forma con il *futuro semplice* di *essere* o *avere* più il *participio passato* del verbo.

Novembre 2005   Dicembre 2005

Non appena **avrò finito** di studiare, **cercherò** un lavoro.

Il **futuro anteriore** si usa per esprimere un'azione futura, spesso introdotta da **dopo che**, **quando** o **(non) appena**, che avviene prima di un'altra con cui è messa in relazione.

Si usa anche per esprimere un'**incertezza**, un **dubbio**, una **supposizione**, rispetto al *passato*:
Hai sentito che hanno rapinato di nuovo la nostra banca?
Chi **sarà stato**? **Saranno stati** gli stessi dell'altra volta?

1 Scegli fra futuro semplice e futuro anteriore.

1 Come tutti i giorni domani mi   **alzerò**/sarò alzato   alle 7.

2 Non appena   farò/avrò fatto   colazione,   andrò/sarò andato   a lavorare.

3 Dopo che   finirò/avrò finito   di lavorare,   tornerò/sarò tornato   a casa.

4 Di sera prima   cenerò/avrò cenato,   poi   guarderò/avrò guardato   un po' la tv.

2 Fa' delle frasi sul tuo futuro usando (*non*) *appena*, *dopo che*, *quando*.

1..

2..

3..

4..

5..

6..

Fare + infinito

- Ho **fatto** ripetere l'esame a tre studenti.   (= Ho costretto tre studenti a ripetere l'esame.)
- La tua presenza mi **fa** sentire felice.   (= La tua presenza causa/determina la mia felicità).
Fare + infinito significa *costringere*, *causare*, *determinare*.

Ti ricordi quando un verbo è transitivo o intransitivo? È transitivo
1 quando dopo ha o può avere un complemento oggetto (diretto),
cioè senza preposizione; è intransitivo **2** quando ha o può avere un
complemento indiretto, cioè con preposizione.
1 Mangia una fetta di torta, è buonissima!
2 Parla del tuo problema a Francesca, vedrai, ti capirà.

Osserva gli esempi:

- Ragazzi, **vi** faccio notare il problema.

In questi casi si usa il pronome personale diretto.

A chi faccio notare il problema? **A voi, ai ragazzi**.

Il verbo *notare*, che è transitivo, esprime la persona con un complemento indiretto (a voi, ai ragazzi).

- Pietro, se ci riesco, **ti** faccio volare in prima classe.

In questi casi si usa il pronome personale indiretto.

Chi faccio volare in prima classe? **Te**, Pietro.
Il verbo *volare*, che è intransitivo, esprime la persona con
un complemento diretto (te, Pietro).

Prova a seguire lo stesso ragionamento con altri due esempi:
- Voglio parlare con il direttore per far dare **alla mia segretaria** un aumento di stipendio.
- Non sono capace di curare le piante, **le** faccio morire tutte.

In questa struttura, quando fare è all'infinito diventa far.

A chi faccio dare un aumento? **Alla mia segretaria**.
Cosa faccio morire? **Le piante**.

 3 Completa le frasi con i pronomi personali.

1 Permesso, ... mi .... fai passare, per favore?

2 - Se c'è un incendio cosa faccio con gli studenti? - .... fai uscire dalla uscita di sicurezza.

3 Ti piace il nuovo disco di Zucchero? Se vuoi .... faccio sentire.

4 .... fai vedere le tue foto da piccolo? Siamo molto curiosi.

5 .... fai provare la tua nuova macchina? Mi piace moltissimo.

6 Come ti comporti con i tuoi figli? A che ora .... fai tornare a casa di sera?

7 Come è piccolo il tuo cagnolino! Cosa .... fai mangiare?

8 I miei studenti vogliono un libro di grammatica. Che cosa .... faccio comprare?

Lasciare + infinito

- Forse dimostro meno di diciott'anni, perché non mi hanno lasciato entrare al cinema.
  (= non mi hanno permesso di entrare al cinema.)
- I genitori di Marina non la lasciano uscire da sola di sera.
  (= non le permettono di uscire da sola di sera.)

La struttura **lasciare** + **infinito** ha le stesse caratteristiche di *fare* + *infinito*.

**4 Carlo ha 15 anni e un padre molto severo e apprensivo.
Scrivi delle frasi su ciò che Carlo non può fare.**

1 Suo padre pensa che fumare faccia male.

.... Suo padre non lo lascia fumare. ....

2 Suo padre dice che è troppo giovane per andare in discoteca.

....

3 Secondo suo padre è troppo giovane per bere alcolici.

....

4 Per suo padre i motorini sono troppo pericolosi.

....

5 In estate a mezzanotte dev'essere a casa.

....

6 Suo padre pensa che guardare la televisione per più di due ore al giorno sia diseducativo.

....

5 Completa le frasi con *fare* o *lasciare*.

1 Devo .... *far* .... lavare la macchina.

2 Voglio .... ascoltare a Pietro delle canzoni nuove.

3 Papà, basta! Non mi .... mai fare quello che voglio!

4 Quel clown .... ridere i bambini.

5 Benissimo, abbiamo finito tutto. Oggi vi .... andare a casa mezz'ora prima.

6 La musica mi .... sentire vivo.

Riciclare =
Utilizzare di nuovo materiali che sono stati già usati. Sinonimo: recuperare.

Smaltire =
Eliminare, scaricare.

civiltà   **La raccolta differenziata**

1 Ascolta il dialogo e indica con una R i materiali che è possibile riciclare e con una S i materiali che bisogna smaltire in modo controllato per non inquinare l'ambiente.

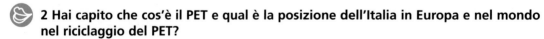

- [ ] farmaci/medicinali
- [ ] carta
- [ ] alluminio
- [ ] legno
- [ ] pile
- [ ] batterie delle automobili
- [ ] verdura
- [ ] frutta
- [ ] avanzi di cibo

2 Hai capito che cos'è il PET e qual è la posizione dell'Italia in Europa e nel mondo nel riciclaggio del PET?

3 E nel tuo paese come funziona la raccolta differenziata? Prendi qualche appunto poi discutine con i compagni.

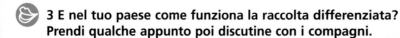

fonologia • L'italiano regionale:
le varietà campana e calabrese

• /t/ vs. /tts/ e /dz/ vs. /ddz/

**1 Nel dialogo iniziale Roberto Marino dice di essere calabrese, ma di vivere a Napoli.
In Calabria e in Campania si parlano delle varietà meridionali dell'italiano. Oltre ad avere delle
caratteristiche comuni il campano e il calabrese presentano anche delle differenze.**

• Raddoppiamento sintattico. Anche se le parole che provocano il raddoppiamento
possono essere un po' diverse da quelle di altre regioni. Puoi osservare
la cartina geografica nella sezione fonologia dell'UD 10 per vedere
meglio in quali parti d'Italia puoi ascoltare questa caratteristica.
• Rafforzamento dei suoni /b/ e /dʒ/. Quando si trovano
tra due vocali questi suoni sono pronunciati come se fossero intensi.
Esempio: la gita /la d'dʒita/; *la barca* /la b'barka/; *abile* /ab'bile/.
• Troncamento degli infiniti dei verbi o dei nomi sulla sillaba tonica
Esempio: andare > anda'; guardare > guarda'; Antonio > Anto'.
Differenze tra campano e calabrese:
• Nella varietà calabrese (e siciliana) il sistema di suoni delle vocali è
composto solamente da cinque suoni invece che da sette, perché
mancano /e/ e /o/. Un parlante della varietà calabrese, o siciliana,
può quindi inserire /ɛ/ /ɔ/ dove altri parlanti come i napoletani
(o i romani, o toscani) inserirebbero /e/ /o/.
Esempio: sole e *sete* verrebbero pronunciate /'sɔle/ e /'sɛte/ invece di /'sole/ e /'sete/.

ROMA

Napoli

Reggio Calabria

 **2 Ascolta questi brevi monologhi pronunciati da parlanti provenienti da diverse città del nord,
del centro e del sud.**

• Ciao, mi chiamo Maria e
ho 21 anni e sono di Napoli
dove vivo con la famiglia.
Faccio la commessa in un bar
del centro, ma il mio sogno
impossibile è fare l'attrice,
mi consolo con le sfogliatelle
che ci vado pazza!

• Ciao, io mi chiamo Franco
ho 32 anni e sono nato in
provincia di Reggio
Calabria. Lavoro al comune,
sono impiegato. Ma
appena ho un po' di tempo
libero vado al mare, dove
ho anche un piccola barca.

• Buongiorno, io sono
Giuseppe, sono nato a
Firenze, ormai parecchi anni
fa. Faccio l'ingegnere, sono
sposato e ho due figli grandi.
Durante il tempo libero, mi
piace andare in campagna e
fare passeggiate.

• Ciao, io sono Francesca,
ho 18 anni e sono nata in
provincia di Torino, in
Piemonte. Sono
studentessa e faccio
l'ultimo anno del liceo
artistico.

 3 Ascolta e leggi.

azione   zona   razza   carezza   azzurro   romanzo

abruzzese   mezzo   autorizzazione   memorizzare   pazza

azzerare   pizza   stanza   prezzo   magazzino   pranzare   sezione

Ti ricordi dei suoni intensi /tts/ e /ddz/? Devono essere pronunciati con più
forza rispetto ai corrispondenti suoni brevi /ts/ e /dz/. Inoltre, hai notato che
quando il suono breve /ts/ o /dz/ è tra due vocali molto spesso è pronunciato
come se fosse intenso /tts/ o /ddz/? Così può succedere che la parola
azione invece sia pronunciata in gran parte di Italia (centro-sud) /at'tsione/.
Mentre nelle regioni del nord di solito si preferisce la pronuncia /a'tsione/.

 4 Leggi le parole dell'attività precedente insieme a un compagno.

Abbina le frasi o espressioni alla descrizione sotto.

1 La tua presenza mi fa sentire felice.

2 Ho fatto ripetere l'esame a tre studenti.

3 I genitori di Marina non la lasciano uscire da sola di sera.

4 Quando mi sarò laureato, lavorerò o meglio, mi piacerebbe lavorare in una organizzazione internazionale.

In questa unità abbiamo imparato a:

4	**a** Mettere in relazione due azioni nel futuro.	....
	b Costringere.	....
	c Esprimere la causa.	....
	d Esprimere il permesso di fare qualcosa.	....

Abbiamo visto il futuro in italiano. E il futuro dell'Italia, se si continua con l'effetto serra?
Eccoti alcune visioni di uno dei più grandi artisti veneziani, Ludovico de Luigi.

un mondo migliore

1 Completa i brevi dialoghi con il futuro anteriore.

1 - Marco, cosa farai dopo l'Università?

- Non lo so, ci penserò dopo che mi (*laurearsi*) ....

2 - Pensi sempre di andare a vivere all'estero?

- Sì, quando (*imparare*) .... bene l'inglese cercherò lavoro Negli Stati Uniti.

3 - Gigi, aspetto una tua telefonata, mi raccomando.

- Non ti preoccupare, quando (*arrivare*) .... all'aeroporto ti telefonerò subito.

4 - Ciao Franca, siamo tornati dal Messico.

- Immagino che (*vedere*) .... un sacco di cose bellissime.

5 - Cos'è stato? Non hai sentito un rumore?

- Non ti preoccupare, (*essere*) .... il gatto.

..... / 5

2 Completa il testo seguente inserendo le parole contenute nel riquadro.

Fuori, il traffico della città, lo smog, l'inquinamento. Meglio chiudersi in casa, verrebbe da pensare.

Ma attenzione: anche tra le pareti domestiche qualche volta si possono trovare sostanze dannose per la

salute. Infaitti, l'80% dell'inquinamento domestico è dovuto .... colle

e vernici, che rilasciano nell'aria .... nocive che in gran parte

provengono .... mobili, dai pavimenti, dalle pareti.

A .... si aggiungono i detersivi e i ....

usati per le pulizie e i .... contro gli insetti messi negli armadi. La

stanza particolarmente a .... è senza dubbio la ....

Qui l'umidità prodotta dalla .... dei cibi si combina con la combustione

dei .... formando una specie di vapore ....

Durante la cottura dei cibi è .... quindi mantenere l'ambiente ventilato

per disperdere i vapori.

Se poi in casa c'è un .... l'aria domestica si appesantisce dei veleni

.... nel fumo di tabacco che vengono assorbiti da tendaggi, tappeti e

libri da .... sono rilasciati piano piano nel tempo.

L'accumulo di sostanze tossiche in casa può provocare mal di ....

vertigini, insonnia, allergia. Fortunatamente possiamo fare molto.

Arieggiare gli ambienti due .... al giorno, evitando però di aprire le

finestre .... ore di punta. Anche dopo l'uso della

.... è importante aprire le finestre per ....

i vapori del detersivo. I detersivi poi bisognerebbe tenerli sempre chiusi in un armadio. Non bisognerebbe

invece mai chiudere subito nel guardaroba gli abiti ritirati dalla lavanderia. Meglio arieggiarli prima.

---

a, contenuti, cottura, cucina, cui, dai, detergenti, disperdere, fornelli, fumatore, importante, lavatrice,
nelle, prodotti, questo, sostanze, rischio, testa, tossico, volte

---

..... / 20

3 Forma delle frasi.

1 ne smettila posso ascoltarti più di non

....

2 mai non telefono la di parlare Maria al finisce

....

3 parti se sentire queste fatti da torni

....

..... / 3

4 Nella lingua parlata si usa molto il verbo *fare* al posto di altri verbi più specifici. Prova a inventare delle frasi sostituendo il verbo *fare* con i verbi del riquadro. Osserva l'esempio.

1 Fare un risotto

............*Stasera quasi quasi cucinerei un risotto, che ne dici?*...........

2 fare una foto

....

3 fare un film

....

4 fare un quadro

....

5 fare i capelli

....

6 fare un libro

....

cucinare, dipingere, girare, scrivere, scattare, tagliare

..... / 5

| NOME: |
| DATA: |
| CLASSE: |

totale ..... / 33

✏️ **1 Stai aspettando il tuo turno dal medico. Quali di queste pubblicazioni sceglieresti?**

✏️ **2 Rispondi alle domande pensando a te stesso.**

1 Compri spesso il giornale?

☐ No, mai   ☐ No, quasi mai   ☐ Sì, abbastanza spesso   ☐ Sì, sempre

2 Anche se non lo compri, lo leggi spesso?

☐ No, mai   ☐ No, quasi mai   ☐ Sì, abbastanza spesso   ☐ Sì, sempre

3 Compri spesso riviste?

☐ No, mai   ☐ No, quasi mai   ☐ Sì, abbastanza spesso   ☐ Sì, sempre

4 Se sì, di che tipo?

☐ Attualità   ☐ Scientifiche   ☐ Sportive   ☐ Di cronaca mondana   ☐ Di musica e spettacolo   ☐ Altro

5 Pensa alla stampa nel tuo paese. Come la giudichi?

☐ Ottima   ☐ Buona   ☐ Discreta   ☐ Mediocre   ☐ Pessima.

✏️ **3 In un giornale ci sono tante sezioni. Tu quali leggi o guardi soprattutto? Metti in ordine di importanza la lista seguente.**

☐ Prima pagina
☐ Articoli dedicati alle notizie principali del giorno
☐ Notizie internazionali
☐ Politica
☐ Cronaca
☐ Commenti e approfondimenti
☐ Economia e finanza
☐ Scienza
☐ Sport
☐ Tv e radio
☐ Cultura
☐ Annunci commerciali
☐ Previsioni del tempo
☐ Oroscopo
☐ Annunci mortuari
☐ Spettacolo e intrattenimento

Cronaca nera e cronaca rosa.

Cronaca
....

Cronaca
....

 4 Ora in piccoli gruppi confrontate e commentate le vostre risposte e parlate della stampa nel vostro paese.

5 Completa il dialogo tra Maria e Sandro.

Sandro: ....

Maria: Va bene, ti chiamo presto.

Sandro: ....

Maria: Non saprei. Sono un po' stanca. Penso che <u>sia</u> meglio che <u>stia</u> in casa a riposare… e poi ho alcuni giornali che non sono ancora riuscita a leggere.

Sandro: ....

Maria: Un po' sì, ma credo che ci <u>siano</u> sempre dei begli articoli se hai la pazienza di cercarli.

Sandro: ....

Maria: Quelli sì, non li sopporto! I film con la pubblicità in mezzo mi rendono isterica!

Sandro: ....

Maria: Intellettuale… sembra sempre che tu <u>abbia</u> qualcosa da dire contro di me. Perché non mi inviti a cena piuttosto. Ho l'impressione che in casa non ci <u>sia</u> niente da mangiare.

Sandro: ....

6 ▶▶ | **Alla scoperta della lingua** | ‒ **Il congiuntivo.** ‒

I verbi evidenziati nel dialogo sono al congiuntivo. Non è un tempo, ma un modo del verbo, cioè si usa al posto del modo indicativo in certi casi.

Rileggi il dialogo e comincia a fare una lista dei verbi o espressioni che vogliono il congiuntivo.

1 ....

2 ....

3 ....

4 ....

5 ....

7 Guarda il grafico insieme a un compagno. Anche nel tuo paese i giovani impiegano così il tempo libero? E tu?

GIOVANI E TEMPO LIBERO

50,9 %	ascolta regolarmente musica
50,3 %	pratica qualche sport
92,8 %	preferisce passare il tempo libero con gli amici più che con il ragazzo e la ragazza (62,2%)
54,4 %	usa il telefono cellulare
82,5 %	guarda la televisione
59 %	ascolta quotidianamente la radio
9,5 %	ha letto più di dieci libri nell'ultimo anno, l'11,5 % non ha letto nessun libro
54 %	usa più o meno frequentemente il computer
17,8 %	naviga si Internet
37,6 %	vorrebbe che l'uso del computer venisse insegnato a scuola
61,1 %	gioca con i videogame e il 10 % se ne dichiara fanatico

["La vita segreta dei teenager", Panorama on line 25.06.99]

8 Ti piace la tv? Quali programmi pensi che siano:

programmi per bambini ....

telegiornali ....

programmi sportivi ....

film ....

varietà ....

telefilm ....

telenovele ....

documentari ....

cartoni animati ....

programmi culturali ed educativi ....

programmi di informazione? ....

13.30	Tg
13.55	Tg economia
14.05	Meteo
14.10	Ciclismo: Giro d'Italia under 23
15.50	La tv dei ragazzi
17.50	Tg ragazzi
18.00	Gli amici. Telefilm
18.10	Musica & musica
19.00	Gong - gioco a premi
19.30	Tg sera
19.55	Il lotto
20.00	Sport sera
20.20	La famiglia Ricordi. Regia di Mauro Bolognini
22.30	Tg
22.50	Non solo politica
23.40	Moda e giovani
00.20	InterMedia
1.05	Le Galapagos. Documentario
1.40	Telescuola

9 Ora tocca a voi. Quali programmi scegliereste? In piccoli gruppi, parlate dei vostri programmi preferiti.

10 Ascolta una persona che cambia continuamente programma. Di quali programmi si tratta? Usa la lista dell'esercizio 8.

1 .....Telegiornale..................................... 2 ....

3 .... 4 ....

5 .... 6 ....

11 Ascolta nuovamente l'ultimo programma. Riesci a immaginarti quello che vede il telespettatore? Descrivi la scena per iscritto.

12 In piccoli gruppi leggete le descrizioni che avete scritto e scegliete quella che vi piace di più.

13 A gruppi provate a recitare la scena.

🖊 **1 Film, film, film.**
Andate spesso al cinema o preferite vedere i film in tv o videocassetta? Quali sono i pro e i contro di questi diversi modi di vedere un film? In piccoli gruppi rispondete a queste domande.

👄 **2 Ascoltate il vostro insegnante che vi racconta un film che ha visto recentemente. Fategli delle domande per saperne di più del film.**

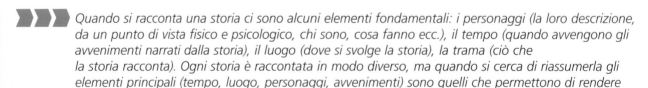

Quando si racconta una storia ci sono alcuni elementi fondamentali: i personaggi (la loro descrizione, da un punto di vista fisico e psicologico, chi sono, cosa fanno ecc.), il tempo (quando avvengono gli avvenimenti narrati dalla storia), il luogo (dove si svolge la storia), la trama (ciò che la storia racconta). Ogni storia è raccontata in modo diverso, ma quando si cerca di riassumerla gli elementi principali (tempo, luogo, personaggi, avvenimenti) sono quelli che permettono di rendere il riassunto chiaro ed efficace.

📖 **3 Leggi il riassunto del film "L'Assedio" di Bernardo Bertolucci e individua gli elementi principali della storia.**

Un'antica dimora nel cuore di Roma diventa l'isola dove fanno naufragio due solitudini: lui è inglese, bianco, un po' pazzo; lei è africana, nera, piena di problemi e di speranze. Mr.Kinsky, barricato dietro il suo pianoforte, frequenta solo Bach, Mozart e Grieg. Shandurai viene da molto lontano e ha trovato nella casa di Mr. Kinsky una sistemazione conveniente per la sua condizione di rifugiata: pulisce la casa in cambio di una stanza, mentre studia medicina all'Università. Le loro vite si incontrano in un gioco di attrazioni e rifiuti, di segreti e allusioni...

[da www.35millimetri.com]

174

4 Una recensione, un commento a un film, a un libro, ecc. hanno caratteristiche diverse. Qui gli elementi di prima si mescolano alle riflessioni dell'autore del testo.

Fra lentezza e ossessione

Bertolucci riscopre il "vero cinema" in un film scarno, denso ed emozionante come "L'assedio".

"L'assedio" è un gioco sottile, insinuante, lento, paziente, sotterraneo eppure manifesto, snervante e ossessivo, come la musica che esce dalle dita dell'uomo, come la macchina da presa che passa e ripassa lenta sulla pelle scura della giovane donna. Esercizi di stile mischiati a un'improvvisazione curata fin nei minimi dettagli, vita vera e vita sognata, l'orrore della guerra e il glicine che fiorisce tra le mura protette di un giardino nel centro di Roma, l'Africa e l'Italia, due drammi e due solitudini che si sfiorano, l'amore che inesorabile tutto travolge, ogni certezza e sicurezza con la grazia di un fiore rosa acceso.

[Francesca Bani]

5 Pensa a un film che hai visto di recente. Scrivi il riassunto del film e un breve commento.

registi italiani >>>

Bernardo Bertolucci

è nato a Parma il 16 Marzo 1941.

Tramite il padre Attilio, famoso poeta e critico cinematografico, conosce Pier Paolo Pasolini e nel 1961 abbandona gli studi di letteratura moderna all'Università di Roma per lavorare come assistente alla regia del primo film di Pasolini: "Accattone".

L'anno seguente Bertolucci pubblica la sua prima raccolta di poesie, "In cerca del mistero", che vince il Premio Viareggio Opera prima.

Sempre nel 1962 ben presto abbandona la poesia per dirigere il suo primo film "La comare secca". Nel 1968 come sceneggiatore firma "C'era una volta il west" di Sergio Leone.

Nel 1970 dirige per la RAI "La strategia del ragno", film che lo afferma come uno dei migliori registi degli anni '70. Un anno dopo con "Il conformista", dall'omonimo romanzo di Alberto Moravia, conosce il successo internazionale.

Nel 1972 realizza il suo film più controverso, "Ultimo tango a Parigi" con Marlon Brando e Maria Schneider. In Italia l'opera viene addirittura sequestrata e condannata al rogo e Bertolucci perde i diritti civili per ben 5 anni!

Nel 1976 con "Novecento" realizza un affresco storico sull'Italia della prima metà di questo secolo. Il film, diviso in due parti di oltre tre ore ciascuna, non conosce il successo auspicato e Bertolucci inizia ad avere difficoltà nel reperire finanziamenti per i suoi successivi film.

Dopo "La luna" del 1979 e "La tragedia di un uomo ridicolo" del 1981, Bertolucci conosce una lunga pausa di riflessione che dura ben sei lunghi anni.

Allontanatosi dall'Italia, nel 1986 inizia la sua proficua collaborazione col produttore inglese Jeremy Thomas grazie al quale realizza "L'ultimo imperatore", una lunga saga sulla Cina degli inizi del '900. Il film ottiene un successo strepitoso in tutto il mondo conquistando ben nove premi Oscar tra cui quelli di miglior film e miglior regia.

Sempre con Jeremy Thomas, Bertolucci realizza nel 1990 "Il tè nel deserto", dall'omonimo romanzo di Paul Bowles e "Piccolo Buddha", ultimo capitolo della sua trilogia orientale.

Torna ad ambientare una sua storia in Italia nel 1996 con "Io ballo da sola".

[da www.cecchigori.com]

grammatica

Il congiuntivo

I - ARE: *amare*	II-ERE: *prendere*	III a - IRE: *partire*	III b - IRE: *finire*
che (io) am -**i**	che (io) prend -**a**	che (io) part -**a**	che (io) fin -**isc-a**
che (tu) am -**i**	che (tu) prend -**a**	che (tu) part -**a**	che (tu) fin -**isc-a**
che (lui, lei) am -**i**	che (lui, lei) prend -**a**	che (lui, lei) part -**a**	che (lui, lei) fin -**isc-a**
che (noi) am -**iamo**	che (noi) prend -**iamo**	che (noi) part -**iamo**	che (noi) fin -**iamo**
che (voi) am -**iate**	che (voi) prend -**iate**	che (voi) part -**iate**	che (voi) fin -**iate**
che (loro) am -**ino**	che (loro) prend -**ano**	che (loro) part -**ano**	che (loro) fin -**isc-ano**

Verbi *avere* e *essere*

che (io)	abbia	che (io)	sia
che (tu)	abbia	che (tu)	sia
che (lui, lei)	abbia	che (lui, lei)	sia
che (noi)	abbiamo	che (noi)	siamo
che (voi)	abbiate	che (voi)	siate
che (loro)	abbiano	che (loro)	siano

*Osserva alcune caratteristiche del congiuntivo presente: le forme della II e III coniugazione sono uguali.
In tutte le coniugazioni le tre persone singolari sono uguali tra loro.*

Verbi irregolari

Potere	Volere	Dovere	Sapere	Piacere
che (io) **possa**	che (io) **voglia**	che (io) **debba**	che (io) **sappia**	che (io) **piaccia**
che (tu) **possa**	che (tu) **voglia**	che (tu) **debba**	che (tu) **sappia**	che (tu) **piaccia**
che (lui, lei) **possa**	che (lui, lei) **voglia**	che (lui, lei) **debba**	che (lui, lei) **sappia**	che (lui, lei) **piaccia**
che (noi) **possiamo**	che (noi) **vogliamo**	che (noi) **dobbiamo**	che (noi) **sappiamo**	che (noi) **piacciamo**
che (voi) **possiate**	che (voi) **vogliate**	che (voi) **dobbiate**	che (voi) **sappiate**	che (voi) **piacciate**
che (loro) **possano**	che (loro) **vogliano**	che (loro) **debbano**	che (loro) **sappiano**	che (loro) **piacciano**

Andare	Stare	Fare	Dare	Dire
che (io) **vada**	che (io) **stia**	che (io) **faccia**	che (io) **dia**	che (io) **dica**
che (tu) **vada**	che (tu) **stia**	che (tu) **faccia**	che (tu) **dia**	che (tu) **dica**
che (lui, lei) **vada**	che (lui, lei) **stia**	che (lui, lei) **faccia**	che (lui, lei) **dia**	che (lui, lei) **dica**
che (noi) **andiamo**	che (noi) **stiamo**	che (noi) **facciamo**	che (noi) **diamo**	che (noi) **diciamo**
che (voi) **andiate**	che (voi) **stiate**	che (voi) **facciate**	che (voi) **diate**	che (voi) **diciate**
che (loro) **vadano**	che (loro) **stiano**	che (loro) **facciano**	che (loro) **diano**	che (loro) **dicano**

Tenere	Venire	Bere	Uscire
che (io) **tenga**	che (io) **venga**	che (io) **beva**	che (io) **esca**
che (tu) **tenga**	che (tu) **venga**	che (tu) **beva**	che (tu) **esca**
che (lui, lei) **tenga**	che (lui, lei) **venga**	che (lui, lei) **beva**	che (lui, lei) **esca**
che (noi) **teniamo**	che (noi) **veniamo**	che (noi) **beviamo**	che (noi) **usciamo**
che (voi) **teniate**	che (voi) **veniate**	che (voi) **beviate**	che (voi) **usciate**
che (loro) **tengano**	che (loro) **vengano**	che (loro) **bevano**	che (loro) **escano**

Il **congiuntivo** si usa dopo

verbi ed espressioni che esprimono **sentimento**:
avere paura, dispiacere, sperare, temere, essere contento/felice, ecc.

- **Ho paura** che Simona non **possa** venire alla festa.
- **Spero** che tua madre **stia** meglio.
- Mi **dispiace** che tu non **vada** a vivere in Spagna.

verbi ed espressioni che esprimono **opinione**:
credere, pensare, avere l'impressione, ecc.

- **Credo** che Milano **abbia** circa un milione e mezzo di abitanti.

verbi che esprimono **volontà**:
volere, desiderare, preferire, ordinare, permettere, ecc.

- Gli italiani **vogliono** che il governo **abbassi** le tasse.
- Non **permetto** che nessuno **fumi** in classe.

verbi e locuzioni che esprimono **dubbio**:
dubitare, non essere sicuro, ecc.
- **Non sono sicuro** che Juan **sia** peruviano.

verbi **impersonali**:
basta, bisogna, occorre, sembra, può darsi, ecc.

- **Bisogna** che tu **telefoni** a Sandra.

il verbo **essere** (è, era, ecc.) + **aggettivo**, **avverbio** o **nome**:

> *L'uso del congiuntivo viene approfondito nel terzo volume.*

- **È probabile** che presto in Italia ci **siano** riforme per rendere il paese più efficiente.
- **È bello** che i ragazzi **possano** divertirsi in discoteca, ma senza correre rischi.

Alla forma negativa **sapere** regge il congiuntivo:

- **Non so** se Michela **viva** ancora con i genitori.

Il **congiuntivo** si usa dopo

Senza che
- Quest'anno ho degli studenti molto bravi: capiscono la grammatica senza che la spieghi.

Prima che
- Prima che tu mi dica che sono il solito disastro, ti avverto che ho rotto una bottiglia d'olio.

Nel caso che
- Nel caso che non lo sappiate, stasera in televisione fanno vedere l'Aida dall'Arena di Verona.

 1 Metti i verbi al congiuntivo presente.

1 Io abito   *che io abiti* ....

2 noi partiamo ....

3 tu finisci ....

4 lui va ....

5 loro escono ....

6 tu prendi ....

7 lei fa ....

8 noi sappiamo ....

9 loro danno ....

10 io voglio ....

11 tu tieni ....

12 lui viene ....

13 voi potete ....

14 voi dite ....

✎ **2 Rispondi alle domande.**

1 Cosa fa Carlo? - .... *Penso che faccia l'elettricista.* .... (elettricista).

2 Dove abita? - .... (a Bologna).

3 Quanti anni ha? - .... (35).

4 È sposato? - .... (divorziato).

5 Ha dei figli? - .... (una figlia).

6 Vive da solo? - .... (con la sua nuova compagna).

✎ **3 Trasforma le frasi.**

1 Devo telefonare a mia sorella.

Bisogna che ...... *telefoni a mia sorella.* ....

2 Dovete spedire questa merce entro stasera.

È necessario che ....

3 Forse Filippo è promosso anche quest'anno.

Può darsi che ....

4 Forse Gianni non passa l'esame.

Temo che ....

5 Le ferrovie sono in sciopero. Non potete partire oggi.

Non è possibile che ....

6 Secondo me Biagio è di Firenze.

Credo che ....

7 Probabilmente oggi mia moglie non lavora.

Mi sembra che ....

8 Dovresti smettere di fumare.

È meglio che ....

✎ **4 Completa le frasi con *senza che*, *nel caso che* o *prima che*.**

1 *Nel caso che* .... tu non possa chiamarmi, mandami un e-mail.

2 .... partiate, chiudete tutte le finestre.

3 Dammi un bacio, ... se ne accorga tua madre.

4 .... ti venga fame, è meglio che ti porti un panino e una bibita.

5 .... tu me lo dica, so che ti sei innamorato di un'altra.

6 .... non troviate il libro in biblioteca, cercate su internet.

✎ **5 Esprimi delle opinioni personali.**

1 Cosa pensi della lingua italiana?

....

2 Cosa pensi della Ferrari?

....

3 Cosa pensi della cucina italiana?

....

4 Cosa pensi della musica italiana?

....

5 Cosa pensi del corso di italiano?

....

lessico

 1 Quali delle parole del riquadro si riferiscono

alla televisione

....
....
....

a giornali o riviste

....
....
....

alla musica

....
....
....

annunciatore, canale, cantante, canzone, cartone animato, cassetta, cavo, CD, concerto, cuffia, immagine, informazioni, notizie, pagina, pubblicare, registrare, satellite, schermo, sintonizzare, stampa, stampare, stereo, studio, suono, telecamera, trasmettere, trasmissione

2 Sport e hobby. Insieme a un compagno guarda la lista che segue ed esprimi le tue opinioni su alcuni di questi sport e hobby.
Usa: *penso, credo, mi sembra, ho l'impressione.*

Esempio: Penso che giocare a carte sia divertente perché...

giocare a carte, collezionare francobolli e monete, dipingere, fotografare, fare le parole crociate, giocare a scacchi, sciare, nuotare, correre, giocare a calcio, fare vela, fare alpinismo, andare a cavallo, fare immersioni, andare in palestra, fare corse in automobile

 3 Guardando ognuna delle espressioni che riguardano gli sport dell'esercizio precedente, riesci a trovare il nome dello sport?

Esempio: sciare > sci.

 4 A quali sport associi queste parole?

perdere **palla** *vincitore* **calciatore** vincere tifoso giocatore
piscina campione tifo **squadra** **rigore** **pareggio** *punteggio* **spogliatoio**
stadio

civiltà Una TV alternativa?

Guardare la televisione è ormai da anni il passatempo preferito dagli italiani, e non solo. Tra tante emittenti televisive che trasmettono nel nostro paese la guerra per conquistare l'audience sembra non finire mai. Soprattutto tra i tre canali della Rai (la televisione pubblica) e quelli di Mediaset (la più grande TV privata), la lotta per la conquista del numero maggiore di telespettatori è particolarmente intensa. Se questo fenomeno contribuisse a migliorare la qualità dei programmi, potrebbe essere ben accettato da tutti, ma purtroppo questa guerra non fa bene a nessuna delle due grandi emittenti. Negli ultimi anni del secolo che ci ha appena lasciato sono stati trasmessi due programmi che hanno avuto e continuano ad avere un grosso successo di pubblico. Stiamo parlando di Blob e di Striscia la notizia.

Purtroppo è ormai consolidato l'uso di questa parola inglese per definire il numero di spettatori che guarda la TV.

Blob è il titolo di un film americano degli anni 50 in cui la terra viene invasa da un "fluido" mortale che invade cose e persone.

"Le veline": così vengono chiamate le due ragazze del programma.

[le foto sono state tratte dai siti: www.rai.it e da www.mediasetonline.it]

1 Ascolta il dialogo tra i due ragazzi e prendi appunti nella tabella.

	BLOB	STRISCIA LA NOTIZIA
Chi guarda		
TV e canale su cui vanno in onda		
Orario		
Breve descrizione delle trasmissioni:		
Opinioni dei ragazzi		

2 Ascolta nuovamente il dialogo tra i due ragazzi e completa i tuoi appunti.

3 Avete mai visto altri programmi della televisione italiana? Se sì, quali preferite e perché? Discutetene con i compagni.

fonologia ▶ • Accento nelle parole (1): **dia** *vs.* **abbia** • /k/ vs. /kk/ e /g/ vs. /gg/

1 Ascolta le parole.

dia   aria   sappia   pizzeria   muoia   energia   insonnia

stia   faccia   farmacia   compia   polizia   allegria   Italia

2 Ascolta di nuovo le parole dell'attività precedente e sottolinea quelle che sono accentate sulla -i- finale.

3 Giochiamo un po'. Dividiamoci in due squadre. La prima squadra deve trovare le 9 parole che sono nascoste nello schema A. La seconda deve trovare le 9 parole contenute nello schema B. Vince chi trova più parole. Fate attenzione, le parole possono essere in orizzontale o in verticale.

Schema A /k/ /kk/

B	G	A	R	C	M	O	A	P	A
O	R	C	S	O	A	A	F	G	S
C	T	A	B	A	C	C	A	I	O
C	Q	B	I	Z	C	O	F	O	R
H	U	E	S	H	H	D	U	C	R
E	R	L	T	P	I	S	S	A	R
S	C	H	E	M	A	Z	P	T	T
A	N	N	C	G	A	R	D	O	T
C	A	L	C	I	A	T	O	R	E
C	R	A	A	R	C	S	O	E	E
O	O	C	C	H	I	A	L	I	V

Schema B /g/ /gg/

A	A	A	L	B	E	R	G	H	I
B	G	G	E	R	N	A	O	A	N
L	E	G	O	T	T	R	O	R	G
B	S	R	G	C	L	E	G	G	O
O	L	E	R	A	M	G	N	I	R
S	O	S	T	E	N	G	A	H	G
Q	U	S	S	N	P	A	D	G	H
U	U	I	P	E	E	E	G	G	I
E	T	O	L	G	A	R	B	A	D
R	O	N	S	G	G	G	S	D	E
A	R	E	G	G	O	N	O	G	G

tabaccaio   giocatore   ingorghi   leggo   calciatore   sostenga
reggono   macchia   regga   lego   alberghi
aggressione   bistecca   tolga   schema   sacco   bocche   occhiali

4 Ora ascolta le parole dell'attività precedente. Prima quelle dello schema A e poi quelle dello schema B. Controlla con quelle che hai trovato tu.

*Ti ricordi de suoni intensi /kk/ e /gg/?
Devono essere pronunciati con più forza e intensità
rispetto ai corrispondenti suoni brevi /k/ e /g/.
Inoltre, hai notato che prima di pronunciare il suono
/k/ o /g/ nella parola c'è una brevissima pausa?
Quando pronunci il suono /kk/ o /gg/ questa
pausa è leggermente più lunga.*

5 In coppia, leggete prima le parole delle schema A e poi quelle dello schema B.

sommario

 Abbina le frasi o espressioni alla descrizione sotto.

1 Quelli sì, non li sopporto! I film con la pubblicità in mezzo mi rendono isterica!

2 Sono felice che tu stia bene.

3 Ho paura che Simona non possa venire alla festa.

4 Spero che tua madre stia meglio.

5 Gli italiani vogliono che il governo abbassi le tasse.

6 Mi dispiace che tu non vada a vivere in Spagna.

7 Credo che Milano abbia circa un milione e mezzo di abitanti.

8 Non sono sicuro che Juan sia peruviano.

 In questa unità abbiamo imparato a:

1	**a** Esprimere insofferenza	....
	b Esprimere paura.	....
	c Esprimere dispiacere.	....
	d Esprimere speranza.	....
	e Esprimere felicità.	....
	f Esprimere un'opinione.	....
	g Esprimere volontà.	....
	h Esprimere un dubbio.	....

1 In questo riquadro si nascondono altri 6 nomi, oltre all'esempio, che si riferiscono ai vari generi di film. Trovali e scrivili nella tabella.

A	D	**G**	**I**	**A**	**L**	**L**	**O**	C	G	C
C	F	A	V	N	U	I	M	E	E	O
O	R	R	O	R	E	I	O	R	R	M
M	B	A	D	V	N	V	P	O	D	I
M	A	D	G	N	C	O	P	T	U	C
E	I	Z	A	V	R	E	A	I	N	O
D	R	A	M	M	A	T	I	C	O	M
I	U	I	S	T	B	C	A	O	U	I
A	V	V	E	N	T	U	R	A	E	S

1 ..giallo.......................   **2** ....

3 ....   **4** ....

5 ....   **6** ....

7 ....

..... / 6

2 Inserisci nel cruciverba il nome dei vari programmi televisivi.

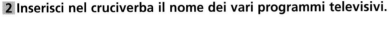

..... / 8

3 Completa le frasi con i verbi tra parentesi al congiuntivo presente.

1 Nel caso che tu non (*potere*) .... venire, avvisami.

2 È meglio che tu e tua madre le (*telefonare*) .... prima che (*essere*) ....
troppo tardi.

3 Non credo che Marta (*sapere*) .... dov'è il ristorante.

4 Prima di uscire è meglio che voi (*finire*) .... di scrivere le lettere.

5 Marco, ti ho comprato l'ultimo disco di Zucchero. Spero che tu non ce l'(*avere*).......................... già.

6 Se volete arrivare all'aeroporto in tempo bisogna che (*uscire*) .... di casa verso le otto

7 Se vuoi mantenerti in forma è maglio che tu (*fare*) .... un po' di sport.

8 Marina non vuole che i suoi figli (*stare*) .... troppo tempo davanti alla televisione.

..... / 9

4 Completa i seguenti messaggi di segreteria telefonica con le forme del congiuntivo presente dei verbi tra parentesi.

1 Marta, stasera andiamo a vedere l'ultimo film di Woody Allen. Pare che (*essere*) .... carino. Credo che ci (*venire*) .... anche Francesco e Laura. Spero che tu (*sentire*) .... il messaggio in tempo. Io sono a casa fino alle sette. Caso mai dammi un colpo di telefono. Bacioni.

2 Sono Antonella, ciao. Senti, ti chiedo un gran favore. Il prossimo fine settimana vengono Sophie e Hélène. Penso che (*restare*) .... a Venezia un paio di giorni e che poi (*andare*) .... a Firenze. Potresti ospitarle tu? Penso che da te (*stare*) .... più comode. Come sai casa mia è un buco. Spero che per te non (*essere*) .... un problema. Comunque ti richiamo, ciao.

3 Ciao tesoro, sono la mamma. Allora hai trovato la gonna che ti ho lasciato sul letto? Spero che ti (*piacere*) .... e che ti (*andare*) .... bene. Nel caso tu la (*volere*) .... cambiare, lo scontrino ce l'ho io. Basta che tu me lo (*dire*) ....
Ciao, fatti viva.

..... / 11

5 Immagina dei possibili titoli e sottotitoli per un giornale italiano. Scrivine due per ogni categoria. Puoi usare le parole chiave del riquadro. Osserva l'esempio.

Titolo

Ancora una strage del sabato sera
Una macchina con quattro ragazzi a bordo si schianta dopo una notte in discoteca

Sottotitolo

Cronaca

....

....

Sport

....

....

Spettacoli

....

....

Economia

....

....

Politica

....

....

borsa, euro, petrolio, parlamento, legge, immigrati, film, festival, premio, omicidio, mafia, magistratura, incontro, campo, coppa

..... / 10

| NOME: |
| DATA: |
| CLASSE: |

totale ..... / 44

1 Che cosa chiedi al genio di Aladino per il tuo futuro? Puoi esprimere tre desideri.

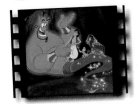

 2 In piccoli gruppi date un'occhiata ai vostri desideri per il futuro e motivateli. Quali desideri si ripetono più spesso?

 3 Ora sei tu il genio della lampada di Aladino. Scrivi un breve messaggio a uno dei tuoi compagni spiegandogli perché il regalo che hai deciso di fargli potrà aiutarlo a migliorare la sua vita.

4 Quali sono i tuoi valori? Metti in ordine di importanza le voci che seguono. Poi aggiungine altri tre che ritieni importanti per te.

Salute	Solidarietà	Giustizia sociale
Amicizia	Viaggiare	Famiglia
Amore	Felicità	Sicurezza economica
Ricchezza	Divertimento	
Cultura	Tranquillità	
Pace	Fama	

5 Ascolta il dialogo e completa il testo.

Sandro: Ti è piaciuta la cena?

Maria: Sì, molto buona, non sapevo che .... un cuoco così bravo.

Sandro: Magari .... cucinare bene o fare qualcos'altro bene…

Maria: Che depressione! Cosa ti succede?

Sandro: Niente. Sono stanco di stare qui, me ne vado per un po'.

Maria: Credo che tu .... matto.

Sandro: Sì, Maria, volevo che lo .... subito, per questo ti ho invitato a cena, per dirtelo.

Maria: Ed è per questo che mi hai dato tanto vino da bere?

Sandro: Dai, non scherzare. Vado in Africa a lavorare.

Maria: In Africa? Ma…

Sandro: Sì, bisognava che .... qualcosa di nuovo, era importante che .... qualche stimolo nuovo.

Maria: E dove vai?

Sandro: In Burundi, una rivista mi ha chiesto di fare un servizio fotografico e video su quel paese… e poi, chissà, magari…

Maria: E quanto ci rimarrai?

Sandro: Un paio di mesi almeno… Mi mancherai molto Maria, ma ho bisogno di… tu mi capisci, vero?

Maria: Certo che ti capisco, e vorrei che tu............. felice, anche se…

Sandro: Lo so. Mi dispiace Maria.

[Foto di Roberto Cavalieri, campo profughi burundese, *L'umanità perduta*, Caritas italiana Alfazeta.]

▶▶ **Alla scoperta della lingua**

Magari non ha sempre lo stesso significato. In quale dei due casi esprime una possibilità/probabilità e in quale esprime un desiderio?

6 ▶ ▶ | **Alla scoperta della lingua** | Che tempi vengono utilizzati nel dialogo?

Sono dei congiuntivi, ma al passato prossimo e all'imperfetto.
Prova a capire perché non c'è il congiuntivo presente in questi casi.

 7 | Culture a confronto | **Insieme a un compagno guarda l'elenco dei mestieri e a turno spiegate quali sono più prestigiosi nel vostro paese. Secondo voi perché?**

medico, giornalista, meccanico, operaio, pittore, contadino, artigiano, avvocato, insegnante, commessa, politico, cantante, sportivo, sacerdote

 8 Se ti chiedessero di fare una lista di cinque italiani famosi, chi sceglieresti? Confronta la tua lista con quella dei tuoi compagni.

 9 Roberto Benigni. Sai chi è? Insieme a un compagno guarda le foto. Che informazioni ne ricavi?

 10 Leggi l'articolo che segue. In quale occasione è stato scritto?

1
ROMA - Alla fine la tanto attesa telefonata è arrivata: lunedì sera verso le 23, quando il babbo Luigi e la mamma Isolina stavano per andare a dormire, il telefono ha suonato in casa Benigni. "Ciao Albertina, sono Roberto". Voce squillante come se chiamasse da dietro la porta, il miglior attore del mondo, secondo l'Academy Awards, non era diverso da sempre, da quello che in paese chiamavano Spicciolo. Benigni ha parlato prima con la sorella Albertina ("Come sta il cuore del babbo? E la mamma?"), solite domande da figlio premuroso. "Vedessi che festa quaggiù", gli ha detto la sorella: "So tutto di quello che avete fatto a Vergaio", ha risposto Roberto da Los Angeles.
A casa lo aspettano con ansia per abbracciarlo, Roberto ha promesso ("Non so quando tornerò. C'è tanto da lavorare. Ma appena rientro in Italia sono da voi").
Ma Albertina non si illude: "Sarà difficile che rientri prima della prossima settimana". Babbo Luigi ha invece una speranza: "Bello averlo con noi per Pasqua. Emozionato a sentirlo? No, non è mica la prima volta che prende un premio. Roberto era molto contento. Mi ha detto che si era emozionato moltissimo alla cerimonia degli Oscar". Prima di riattaccare, un saluto alla madre. "Quando torno mi fai un bel desinare eh? Ritelefonerò qualche giorno prima di tornare". Non resta che attendere il suo ritorno, intanto casa Benigni è stata inondata da un centinaio di telegrammi arrivati da mezza Europa.

Babbo = papà
Desinare = pranzo
parole
molto usate in Toscana

2
E Prato da ieri è tappezzata di manifesti fatti stampare dal Comune.
Solo due parole: "Grazie Roberto", su un fondo blu pieno di stelle. Il giorno dopo la notte degli Oscar è trascorso a Vergaio come tutti gli altri. La casa del popolo, ormai diventata celebre (sia il New York Times, sia il Los Angeles Times hanno pubblicato foto della festa notturna a Vergaio dedicata a Benigni) ieri è stata chiusa perché lo è sempre il martedì. La sorella Anna e i nipoti Stefano e Stefania, che hanno vissuto con Roberto il trionfo americano, sono attesi oggi.

3
Intanto Benigni sta tentando di sfuggire all'assedio provocato dall'interesse internazionale per il suo trionfo: oggi dovrebbe imbarcarsi per New York e da lì volare con il Concorde a Parigi. Intanto l'entusiasmo continua a crescere. Se Firenze pensa di farlo cittadino onorario "in considerazione dell'alta qualità artistica e poetica della

---

sua opera e del valore umano della sua carriera", c'è addirittura chi pensa che possa essere un ottimo presidente della Repubblica. Lo hanno proposto Oliviero Toscani, Luciano Benetton, Angelo Guglielmi e Luciana Castellina perché "conosce Dante, ha un look perfetto: avrebbe tutti i media del mondo per lui. Con Benigni al Quirinale" dice Toscani "si passerebbe dalla sagrestia all'allegria".

4

Il Ministero della Pubblica Istruzione invece ha chiesto a Benigni che "La vita è bella" possa essere proiettato nelle scuole.
Un interesse pedagogico che trova peraltro riscontro nell'attenzione verso il comico da parte della Treccani. La prestigiosa enciclopedia italiana ha deciso, prima ancora della vittoria degli Oscar, di dedicare una voce, nell'appendice del Duemila, a Benigni. Trenta righe dove si parla "dell'intensa attività teatrale, ai margini dei circuiti ufficiali, svolta agli inizi degli anni Settanta". [...]

[Repubblica, 24 marzo 1999]

11 Ora leggi il primo paragrafo e rispondi alle domande.

1 Chi ha telefonato a casa Benigni?

....

2 Da dove ha telefonato?

....

3 Com'era Roberto?

....

4 Che tipo di domande ha fatto?

....

5 Qual è la speranza del babbo Luigi?

....

6 Che cosa chiede alla madre per il suo ritorno?

....

12 Leggi i paragrafi rimanenti e riassumili.

2 La reazione nella sua città Prato. ....
....
....

3 Le reazioni di Benigni e di altre persone. ....
....
....

4 Il mondo della cultura. ....
....
....

13 Ascolta l'intervista a Benigni dopo la cerimonia degli Oscar.

	Vero	Falso
1 Benigni è orgoglioso di aver vinto gli Oscar.	☒	☐
2 È contento per sé e per l'Italia.	☐	☐
3 Non farà più film.	☐	☐
4 La sua vita cambierà dopo aver vinto gli Oscar.	☐	☐
5 Ha vinto quattro Oscar.	☐	☐
6 Dopo la cerimonia degli Oscar ha chiamato i genitori e li ha ringraziati.	☐	☐

lessico

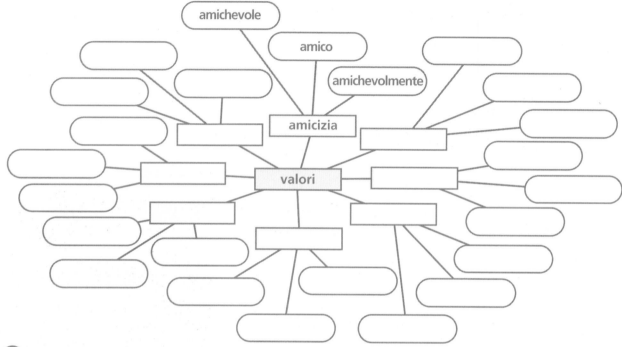

1 Completa lo schema con parole che conosci.

amichevole

amico

amichevolmente

amicizia

valori

 2 In piccoli gruppi, a turno fatevi delle domande per indovinare le parole. È una piccola gara: vince chi ne indovina di più!

Esempio: **A** È una persona con cui hai un rapporto di amicizia.
   B o **C** Amico.

 3 Sempre in piccoli gruppi, confrontate i vostri schemi e ampliateli con parole dei compagni.

4 Ascolta l'intervista a tre italiani di diverso sesso ed età, e completa la tabella.

importante	X
non importante	✓

	Uomo	Donna	Ragazza
Salute			
Amicizia			
Amore			
Ricchezza			
Cultura			
Pace			
Solidarietà			
Viaggiare			
Felicità			
Divertirsi			
Tranquillità			
Fama			
Giustizia sociale			
Famiglia			
Sicurezza economica			

	Uomo
Nome	
Cognome	
Età	
Professione	

	Donna
Nome	
Cognome	
Età	
Professione	

	Ragazza
Nome	
Cognome	
Età	
Professione	

abilità

 Leggendo il giornale si trovano molti tipi di articoli. Qui te ne presentiamo due: l'articolo di cronaca e il commento. Imparare a leggere un articolo, e perché no a scriverlo, può essere utile per capire e farsi capire: cioè per comunicare.

> L'articolo di cronaca riporta un avvenimento, qualcosa che è successo, sta succedendo o succederà.

> È un articolo che interpreta, commenta le notizie: il giornalista presenta la sua opinione o riporta quella di altri.

1 Leggi rapidamente il primo articolo e scegli il titolo che preferisci.

Il boss "sconfitto" dagli studenti

Fine di un mito: in carcere il Padrino

Costruisce villa senza permesso: arrestato

Napoli: distrutta ultima zona di costa incontaminata

CASOLA (Napoli) - Doveva essere la sua reggia, il simbolo sfarzoso e pacchiano di un potere criminale che sputa sulle leggi dello Stato. Adesso, invece, è soltanto un mucchio di macerie sui fianchi del Monte Muto, poco lontano da Casola, un paesotto alle porte della penisola sorrentina.

Catello Cuomo, il boss, sognava di dominare da lì il suo feudo malavitoso. Ma, per fortuna, in quella villa neppure è riuscito a metterci piede: gliel'hanno demolita con l'esplosivo, ieri mattina, i carabinieri di Castellammare su ordine della procura di Torre Annunziata. [...] È stato grazie a una lettera spedita poco meno di un anno fa dagli alunni d'una terza media della zona, infatti, che ha preso il via l'inchiesta culminata ieri nell'abbattimento della palazzina, ormai quasi ultimata.

Tutto è cominciato all'indomani della tragedia di Sarno. Fu allora che gli studenti della scuola "Greco" di Casola (sollecitati anche da una delle tante lezioni anti-camorra tenute dai carabinieri negli istituti dell'hinterland vesuviano) decisero di rompere il muro d'omertà che, solitamente, occulta i traffici della malavita.

"Il ben noto boss camorristico, Cuomo Catello, dopo aver rovinato il Monte Muto costruendoci abusivamente proprio in cima una villa - si legge nella lettera - ha ora deciso di far arrivare fin lassù una strada (abusiva ovviamente). La nostra scuola si trova alle pendici della montagna e siamo molto preoccupati perché vogliamo che non si ripeta una tragedia come quella di Sarno".

Ma i ragazzi non si fermano qui. Vogliono "esporre tutte le ingiustizie che vengono commesse nel nostro piccolo paese". E l'immagine che le parole degli studenti mettono a fuoco fa correre un brivido lungo la schiena. [...]

Ma è il potere della camorra, con le sue piccole e grandi violenze quotidiane, a diventare ben presto il principale bersaglio della lettera. Gli studenti puntano il dito contro il nipote del boss, che spadroneggia in ogni angolo del paese: "Sembra ingiusto che ci venga tolta anche la possibilità di camminare tranquillamente per strada perché c'è un individuo come lui". E affrontano senza inutili giri di parole il dramma del lavoro nero: "Anche le ragazze, tante, non se la passano bene. Sono costrette a lavorare per pochi soldi, e per l'intera giornata, nelle fabbriche dei costumi".

L'ultimo brano della lettera contiene un appello che, almeno stavolta, non è andato perso. "In questa situazione viviamo ogni giorno - raccontano gli alunni della terza media di Casola-. Conviviamo, con i nostri genitori, in un clima di terrore e omertà. Ma noi siamo stanchi di questo stato di cose. A scuola ci insegnano ad avere fiducia nelle istituzioni. Così noi abbiamo fiducia nelle forze dell'ordine. Aiutateci. Noi abbiamo denunciato ciò che sappiamo".
L'esplosione di ieri mattina ha mandato in fumo il sogno di un boss: sulle pendici del Monte Muto adesso possono crescere le speranze di un intero paese. Concimate dal coraggio d'un pugno di ragazzi.

■ Enzo d'Errico

[Tratto da Il corriere della sera, Sabato 26 Giugno 1999. Cronache]

2 Leggi nuovamente il testo e scegli tra quelle che seguono la spiegazione corretta per ogni parola o espressione.

1 **Reggia**	☐ **a** casa di gente povera	☒ **b** residenza del re
2 **Macerie**	☐ **a** ciò che rimane dopo la distruzione	☐ **b** ciò che ci sarà dopo la costruzione
3 **Feudo**	☐ **a** regione indipendente	☐ **b** territorio di un signore medievale
4 **Demolita**	☐ **a** distrutta	☐ **b** costruita
5 **Vesuviano**	☐ **a** della squadra di calcio "Vesuvio"	☐ **b** del vulcano Vesuvio
6 **Omertà**	☐ **a** onestà	☐ **b** silenzio per paura di vendetta
7 **Malavita**	☐ **a** criminalità	☐ **b** vita ammalata
8 **Pendici**	☐ **a** parte in alto	☐ **b** parte in basso
9 **Mettono a fuoco**	☐ **a** rendono chiara	☐ **b** nascondono
10 **Camorra**	☐ **a** tipo di famiglia	☐ **b** mafia della regione di Napoli
11 **Spadroneggia**	☐ **a** passeggia	☐ **b** si comporta da padrone
12 **Appello**	☐ **a** comunicazione	☐ **b** richiesta di aiuto
13 **Mandato in fumo**	☐ **a** distrutto	☐ **b** rinforzato

▶▶▶ *Gli articoli di cronaca sono solitamente composti da tre parti: **l'introduzione**, dove troviamo gli elementi principali dell'avvenimento che saranno poi sviluppati nella seconda parte, quella dello **svolgimento**, che racconta il fatto in dettaglio. L'ultima parte è la **conclusione** che racconta come finisce il fatto e le sue eventuali conseguenze.*

3 Ora suddividi l'articolo che hai appena letto nelle tre parti: introduzione, svolgimento e conclusione.

4 Leggi velocemente il testo che segue. L'articolo riporta il commento del giornalista?

LE REAZIONI

Il sindaco: grazie a loro è stata sconfitta l'omertà

—DAL NOSTRO INVIATO—

CASOLA (Napoli) - Per uno di quegli strani incroci di confini che segnano le mappe comunali in ogni provincia, la villa abusiva demolita ieri mattina ricade nel territorio di Gragnano, un paese situato accanto a Casola, roccaforte del boss Catello Cuomo e sede della scuola media "Greco", da cui è partita la lettera che ha portato poi al blitz dei carabinieri.

"Finalmente una brutta storia che si conclude bene - spiega il sindaco Sergio Troiano - L'appello degli studenti è un segnale importante perché rompe la barriera d'omertà. È anche vero, però, che la nostra amministrazione aveva avviato già tre anni e mezzo fa le pratiche per l'abbattimento di quella palazzina. L'area è stata ripetutamente sigillata, ma i lavori purtroppo sono andati avanti lo stesso. Abbiamo più volte denunciato la cosa alla procura di Torre Annunziata. Ed ora, grazie anche alla lettera dei ragazzi, la battaglia è stata vinta".

Su questo punto mette l'accento il colonnello Carlo Gualdi, comandante provinciale dei carabinieri: "Il fatto che l'iniziativa degli studenti sia nata dopo una delle tante lezioni anti-camorra che teniamo nelle scuole, è una soddisfazione doppia per noi. Dimostra che un'azione sociale e culturale, rivolta soprattutto ai giovani, può creare le condizioni per una rinascita civile delle comunità offese dalla violenza della malavita organizzata. Soltanto con il contributo delle nuove generazioni, unito all'opera di prevenzione e repressione delle attività criminali, sarà possibile vincere definitivamente la guerra contro l'illegalità".

E.d'E.

[dal "Corriere della Sera", Sabato, 26 Giugno 1999 - Cronache]

5 Leggi nuovamente l'articolo di commento e rispondi alle domande.

1 Dove si trovava la villa del boss?

Nel territorio di Gragnano.

....

2 Dove si trova la Scuola Media "Greco"?

....

....

3 Il sindaco è contento di quanto è successo? E se sì, perché?

....

....

4 Qual è stato il ruolo dei Carabinieri?

....

....

6 Scegli una delle notizie e sviluppala, scrivendo un articolo di cronaca con commento. Poi inventa un titolo.

> Hai notato che i due articoli precedenti sono divisi in paragrafi? È importante questa divisione perché rende più chiara la lettura e la comprensione. Se vuoi, puoi anche dare un titolo a ogni paragrafo.

REGALI DI NATALE

MILANO - Secondo quanto comunicato ieri da una associazione dei commercianti, anche quest'anno sono i giochi elettronici i più richiesti dai bambini italiani. Tra gli adolescenti un ottimo successo sta avendo l'offerta di abbonamenti a Internet a prezzi agevolati per giovani. Nonostante le preferenze dei mercati vari esperti però continuano ad avvertire i genitori dei possibili pericoli causati da giochi elettronici violenti e diseducativi.

FORMULA 1: CONTROLLI ANTIDOPING PER SEI PILOTI

(ANSA) - *MAGNY COURS* (FRANCIA). Sorpresa antidoping in Formula 1: al termine delle prove libere, sei piloti dovranno presentarsi al controllo. Lo ha reso noto la Fia con un comunicato in cui si precisa che "i commissari del Gp di Francia hanno ricevuto una richiesta da parte del presidente (Max Mosley)".

NUOVA STRAGE DEL SABATO SERA

ROMA - Quattro giovani romani sono morti in un incidente stradale domenica mattina, verso le 6, mentre tornavano a casa dopo una serata in discoteca. Non si conoscono ancora le cause dell'incidente che è ancora oggetto di indagine da parte della Polizia stradale.

Contro rapine su bus, nel napoletano autisti con telefonini

(ANSA) - **NAPOLI** - Telefoni cellulari agli autisti per combattere gli episodi criminosi sui bus pubblici in servizio nelle province di Napoli e Caserta. L'iniziativa del Ctp, il Consorzio trasporti pubblici di Napoli, è una delle misure per contrastare l'escalation di rapine e aggressioni a bordo degli autobus, dopo che in sedici mesi - da gennaio '98 allo scorso aprile - sui mezzi del Ctp sono stati registrati 156 episodi criminosi.

grammatica

Osserva gli esempi.

La settimana scorsa   Ora

- **Penso** che Paolo **abbia finito** di lavorare in fabbrica la settimana scorsa.
(Secondo me Paolo *ha finito* di lavorare in fabbrica la settimana scorsa.)

Dieci minuti fa   Ora

- **Credo** che Luca e Paolo **siano usciti** a mangiare un gelato dieci minuti fa.
(Secondo me Luca e Paolo *sono usciti* a mangiare un gelato dieci minuti fa.)

Il **congiuntivo passato** si forma con il *congiuntivo* presente di *essere* e *avere* più il *participio* passato del verbo.
Si usa con i verbi e le espressioni che reggono il congiuntivo quando si vuole esprimere un'azione passata.

Nota che il verbo principale (penso, credo) è al presente.

Congiuntivo imperfetto

Verbi regolari

I - ARE: *amare*	II - ERE: *prendere*	III - IRE: *partire*	III b - IRE: *finire*
che (io) am - **assi**	che (io) prend - **essi**	che (io) part - **issi**	che (io) fin - **issi**
che (tu) am - **assi**	che (tu) prend - **essi**	che (tu) part - **issi**	che (tu) fin - **issi**
che (lui, lei) am - **asse**	che (lui, lei) prend - **esse**	che (lui, lei) part - **isse**	che (lui, lei) fin - **isse**
che (noi) am - **assimo**	che (noi) prend - **essimo**	che (noi) part - **issimo**	che (noi) fin - **issimo**
che (voi) am - **aste**	che (voi) prend - **este**	che (voi) part - **iste**	che (voi) fin - **iste**
che (loro) am - **assero**	che (loro) prend - **essero**	che (loro) part - **issero**	che (loro) fin - **issero**

Alcuni verbi irregolari all'*indicativo imperfetto* mantengono le stesse caratteristiche nel *congiuntivo imperfetto*.

Alcuni verbi irregolari
Dire > dicessi
Fare > facessi
(pro)porre > (pro)ponessi
Tradurre > traducessi.
Bere > bevessi

Sono verbi che nell'imperfetto indicativo e congiuntivo riprendono le origini latine: facere, dicere, ecc.

Verbo *avere*		Verbo *essere*	
che (io)	**avessi**	che (io)	**fossi**
che (tu)	**avessi**	che (tu)	**fossi**
che (lui, lei)	**avesse**	che (lui, lei)	**fosse**
che (noi)	**avessimo**	che (noi)	**fossimo**
che (voi)	**aveste**	che (voi)	**foste**
che (loro)	**avessero**	che (loro)	**fossero**

Verbo *dare*	Verbo *stare*
che (io) **dessi**	che (io) **stessi**
che (tu) **dessi**	che (tu) **stessi**
che (lui, lei) **desse**	che (lui, lei) **stesse**
che (noi) **dessimo**	che (noi) **stessimo**
che (voi) **deste**	che (voi) **steste**
che (loro) **dessero**	che (loro) **stessero**

- Quando sono arrivato a Roma due anni fa, **ho avuto** subito l'impressione che **fosse** una città speciale.

- Il mese scorso **sembrava** che Alice non **volesse** più andare all'asilo.

Il congiuntivo imperfetto si usa dopo i verbi e le espressioni che reggono il congiuntivo quando si vuole esprimere un'azione passata, contemporanea a quella della principale, nota che, infatti, il verbo principale (mi sembrava, ho avuto l'impressione) è al passato (imperfetto, passato prossimo o remoto).

Si usa anche dopo i verbi e le espressioni che reggono il congiuntivo quando sono al condizionale semplice, per esprimere un'azione contemporanea o futura rispetto alla principale.

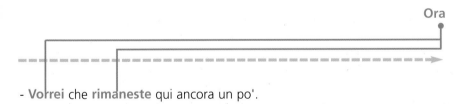

- **Vorrei** che **rimaneste** qui ancora un po'.

- **Ci piacerebbe** che domenica **veniste** a trovarci in montagna.

A volte con i superlativi o i comparativi si usa il congiuntivo, al passato prossimo nella prima struttura, all'imperfetto nella seconda.

- È la ragazza **più** bella che **abbia** mai visto.
- La Spagna è **più** affascinante **di quanto credessi**.

1 Trasforma le frasi usando il congiuntivo passato.

1 Luca è arrivato al lavoro in ritardo.

Penso che .... *Luca sia arrivato al lavoro in ritardo.* ....

2 Mirella ha venduto la sua vecchia casa.

Penso che ....

3 Antonio ha aperto uno studio da psicologo.

Penso che ....

4 Paolo e Daniela hanno cambiato numero di telefono.

Penso che ....

5 Zulema ha ottenuto il visto per venire in Italia.

Penso che ....

6 I genitori di Marina sono andati in pensione.

Penso che ....

7 I nostri amici non sono ancora arrivati perché il film è più lungo del previsto.

Penso che ....

8 Il supermercato non ha ancora aperto.

Penso che ....

2 Trasforma le frasi usando il congiuntivo imperfetto.

1 Roberto lavorava a Siena.

Pensavo che .... *Roberto lavorasse a Siena.* ....

2 Siena era più grande.

Pensavo che ....

3 I soldi non mi bastavano per vivere a Londra.

Pensavo che ....

4 Luigi voleva divorziare da Sara.

Pensavo che ....

5 Lara era felice dopo aver visto Fabio.

Pensavo che ....

6 Le sigarette erano sul tavolo.

Pensavo che ....

7 Il professore era molto bravo.

Pensavo che ....

8 Marzia aveva una macchina nuova.

Pensavo che ....

3 Esprimi un desiderio, con *mi piacerebbe*, *vorrei*, *sarebbe bello*.

1 Venite a pranzo da me domenica!

.... *Mi piacerebbe che veniste a pranzo da me domenica.* ....

2 Smettete di chiacchierare!

....

3 Devi telefonare a tua madre!

....

4 Ho paura che domani non ci sia il sole.

....

5 Speriamo che faccia bello.

....

6 Per favore ascoltate più attentamente!

....

7 Venite al mare da me questo fine settimana!

....

8 Chissà se Stefania continuerà a scrivermi?

....

7 Sarebbe bello che veniste al mare da me questo fine settimana.

....

8 Mi piacerebbe che Stefania continuasse a scrivermi.

....

4 Abbina le frasi di sinistra a quelle di destra.

1 Ho paura   **a** che poteste partecipare al convegno.
2 Credevo   **b** che i ragazzi non stessero ascoltando la lezione.
3 Ci dispiace   **c** che potessero arrivare in tempo alla stazione.
4 Eravamo contenti   **d** che mia figlia abbia mangiato troppo stasera.
5 Avevo l'impressione   **e** che tu fossi coreana.
6 Spero   **f** che voi non siate venuti alla festa.
7 Dubitavo   **g** che in italiano ci fosse il congiuntivo.
8 Non sapevo   **h** che tu possa sempre essere felice.

5 Completa con il verbo al tempo giusto. Usa uno dei verbi del riquadro.

1 Mi sembra che non ci ....sia.............. più latte in casa.

2 Temevo che mio fratello e Giovanna non .... più insieme.

3 Credo che l'aereo da Stoccolma .... già ....

4 Mi piacerebbe che Valeria .... a vivere con me.

5 Speravo che i miei studenti .... più velocemente la grammatica.

6 Ho l'impressione che .... tutta la notte scorsa.

7 Non penso che un film italiano .... vincere un Oscar quest'anno.

8 Non permetto che gli studenti non .... i compiti.

9 È la città più interessante che .... mai ....

10 Questo esercizio è più difficile di quanto ....

| *arrivare, vedere, pensare, potere, imparare, venire, fare, essere, stare, piovere* |

Magari

Magari ha diversi significati.
A volte è sinonimo di *forse* **1**, oppure può esprimere un desiderio difficile da realizzare o irrealizzabile **2**, altre volte serve per dare adesione entusiastica a qualche cosa **3**.

1 Quando vai dal dentista?   - Non lo so, magari la prossima settimana.

2 Quanto hai preso nelle esame di letteratura italiana? 30 e lode?   - Magari! Mi ha dato 18.

3 Se ti pagassimo il viaggio, verresti con noi a New York?   - Magari!

6 Analizza le situazioni seguenti. Che funzione ha *magari* in ognuna di esse?

1 - Vorrei andare al mare, ma il tempo è incerto.

- Sì, ma magari al mare c'è bello, perché non telefoni? ....*possibilità*....................

2 - Verresti a fare una partita a tennis?

- Magari! Ho un ginocchio che mi fa ancora molto male. ....

3 - Vuoi un Campari?

- Magari potessi berlo. Il dottore mi ha proibito gli alcolici. ....

4 - Cosa vorresti fare da grande?

- Non lo so, magari il giornalista o l'esploratore. ....

5 - Vorresti provare la mia Ferrari?

- Magari! ....

6 - Cos'è più importante per te? Essere felice o essere ricco?

- Magari potessi essere sia ricco che felice! ....

civiltà ▶ **Status symbol di ieri e di oggi**

Una della caratteristiche più tipiche degli italiani, ma a cui non sono indifferenti anche persone di altre nazionalità, è la sensibilità molto particolare per le mode più svariate che diventano nel nostro paese immediatamente degli status symbol di cui non si può assolutamente fare a meno.
Gli italiani vogliono **fare bella figura**.

 1 Conosci il significato dell'espressione *"fare bella figura?"* Discutine con i compagni.

 2 Ecco due definizioni tratte da due diversi dizionari. Le vostre idee in proposito erano giuste?

> **Fare bella figura:** *suscitare impressione favorevole in pubblico*

[Zingarelli '96, pag. 678]

[Sabatini Coletti, Dizionario italiano Disc, Giunti 1997]

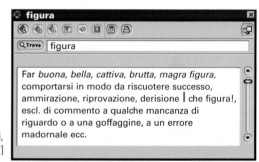

figura

Q Trova | figura

Far *buona, bella, cattiva, brutta, magra figura*, comportarsi in modo da riscuotere successo, ammirazione, riprovazione, derisione | che figura!, escl. di commento a qualche mancanza di riguardo o a una goffaggine, a un errore madornale ecc.

Esistono anche nella vostra lingua espressioni o modi di dire simili all'italiano fare bella figura? Perché, secondo voi, è tanto importante per un italiano fare bella figura?

3 Guardate le immagini e scegliete qual è, secondo voi, lo status symbol degli italiani dell'inizio del nuovo millennio. E nella vostra classe, quanti ce ne sono in questo momento?

 4 Le immagini raffigurano anche altri status symbol italiani per eccellenza. Sono ancora tutti molto attuali nel nostro paese e gli italiani sono disposti a fare follie per possederli o per mostrare di essere alla moda. Discutete con i compagni l'importanza di questi status symbol nei vari paesi del mondo e provate a fare una piccolo inchiesta in classe.

fonologia   • L'italiano parlato in Toscana   • L'accento nelle parole (2)

Nell'intervista a Benigni forse hai notato alcune caratteristiche linguistiche tipiche dell'italiano parlato in Toscana.
Te ne presentiamo alcune:

• Raddoppiamento sintattico. In tutta la Toscana si realizza il raddoppiamento sintattico, anche se le parole che provocano il raddoppiamento possono variare leggermente da città a città. In questo la varietà toscana coincide con l'italiano standard. Vedi l'UD 10 per altre informazioni.

• Pronuncia "aspirata" dei suoni /p/ /t/ /k/ quando sono tra due vocali. È certamente la caratteristica più famosa della varietà toscana! Anche in questo caso l'intensità del fenomeno varia da zona a zona.

• I suoni /tʃ/ e /dʒ/ (c[i]) (g[i]) quando sono tra due vocali sono pronunciati /ʃ/ e /ʒ/.
Ad esempio, la cena /la'ʃɛna/ e ragione /ra'ʒone/.

 1 Ascolta questi brevi monologhi pronunciati da persone provenienti da tre città del nord, del centro e del sud. Riesci a capire quale di queste tre è la persona che parla con accento toscano?

• Ciao, io mi chiamo Paolo, ho quarantasette anni e sono nato a **[BIP]** dove vivo e lavoro. Mi piace moltissimo sciare! Infatti appena ho un po' di tempo libero vado in montagna a sciare, le montagne sono abbastanza vicine alla mia città.

• Ciao, io mi chiamo Alessandro, ho diciannove anni, sono nato a **[BIP]**. Sono iscritto al secondo anno di Economia. Quando avrò finito mi piacerebbe fare l'agente di borsa! La mia passione? Beh senz'altro il calcio: tifo per la squadra della mia città!

• Ciao, io sono Giovanna sono nata a **[BIP]** trentadue anni fa. Lavoro, faccio l'assistente per l'infanzia. Come avrete capito i bambini mi piacciono molto! Per rilassarmi mi piace fare passeggiate lungo il mare, camminando da sola sulla spiaggia.

 2 Ascolta le parole e sottolinea la vocale tonica.

desiderare	desidero	universalità
inquinamento	cucinavano	ammalato
guarderà	depressione	andatevene
diciamoglielo	finestrino	circolazione
andò	finì	

Hai fatto caso che in alcune parole l'accento ha una posizione fissa? Ad esempio la vocale tematica degli infiniti verbali: guardare; vedere ecc. Anche le parole con i suffissi -zione/-mento/-ato. Ad esempio, inflazione; inquinamento, ammalato.

 3 Leggi le parole dell'attività precedente con un compagno.

sommario

Abbina le frasi o espressioni alla descrizione sotto.

1 Non so quando andrò dal dentista, magari la prossima settimana.

2 Non sapevo che fossi un cuoco così bravo.

3 - Se ti pagassimo il viaggio, verresti con noi a New York?   - Magari!

4 Magari avessi preso 30 e lode nell'esame, mi ha dato 18.

In questa unità abbiamo imparato a:

2	**a** Cambiare un'opinione, un'informazione conosciuta.	....
	b Esprimere una possibilità.	....
	c Esprimere un desiderio difficile da realizzare o irrealizzabile.	....
	d Dare adesione a qualche cosa in modo entusiastico.	....

Le due facce di Napoli

Spesso Napoli è vista come il cuore della camorra, il regno della speculazione edilizia, della piccola delinquenza. C'è anche questo. Ma è anche una città stupenda, e per secoli è stata una delle grandi capitali europee. Che possa tornare ad esserlo?

1 **Completa le frasi con il congiuntivo passato o imperfetto dei verbi tra parentesi.**

1 - Ciao Marco, finalmente sei arrivato.

- Scusami, non pensavo che a quest'ora ci *(essere)* .... tanto traffico.

2 - Hai notizie di Isa?

- No, ma penso che ormai *(finire)* .... le ferie e *(ritornare)* .... al lavoro.

3 - Sai Gino, pare che Francesco e Martina *(lasciarsi)* ....

- Me lo immaginavo. L'ultima volta che li ho visti insieme mi sembrava che qualcosa non *(andare)* .... fra di loro.

4 - Pronto buongiorno sono Lea, c'è Franco?

- Aspetta un momento che controllo, ma mi sembra che *(uscire)* ....

5 - Sai Marta, credevo che Marco non *(avere)* .... più voglia di vedermi, invece ieri mi ha telefonato.

- Credo che *(essere)* .... un gesto molto carino da parte sua.

6 - Sai Paola, mi farebbe piacere che tu e Mario *(venire)* .... a Perugia qualche giorno.

- Magari! Bisognerebbe che Mario *(prendere)* .... qualche giorno di vacanza.

7 - Allora Laura, ti è piaciuta Piazza San Marco?

- Sì, è veramente la piazza più bella che io *(vedere)* ....

8 - Insomma Luisa che impressione ti ha fatto vedere in carne ed ossa il tuo attore preferito?

- Che delusione! È molto più piccolo di quanto *(pensare)* ....

..... / 12

2 **Associa il nome alla professione corrispondente. Osserva l'esempio.**

1 Regista

2 Scenografo

3 Produttore

4 Costumista

5 Distributore

6 Attore/Attrice

7 Cameraman

8 Doppiatore

a Attore che presta la propria voce per sostituire quella degli attori stranieri nelle versioni originali dei film.

b Disegnatore o esecutore dei vestiti di scena.

c È il massimo responsabile, dal campo finanziario a quello tecnico.

d Interprete di una azione drammatica, di prosa, cinematografica.

e Operatore di macchine da ripresa cinematografiche o televisive.

f Progetta e realizza le costruzioni sceniche di una rappresentazione cinematografica, teatrale, televisiva.

g Provvede a fare uscire il film nelle sale cinematografiche.

h Realizza scenicamente in base a criteri artistici e interpretativi una rappresentazione cinematografica, teatrale, televisiva.

1	2	3	4	5	6	7	8
					d		

..... / 7

3 **Un tuo amico non parla molto bene italiano e ti chiede aiuto. Scrivi come gli spiegheresti queste parole.**

a Solidarietà..

....

b Fama..

....

c Cronaca...

....

d Delitto..

....

..... / 8

4 Leggi il testo di questa conversazione. 10 verbi non sono coniugati correttamente. Trova gli errori e scrivi accanto la forma corretta.

Luisa: Ciao Clara; sono Luisa.	
C: Luisa, quanto tempo! Che fine hai fatto? Credevo che sia morta!	
L: Vivo a Roma, non te l'avevano detto?	
C: Sì, adesso che ci penso qualcuno me ne parlasse. Cosa fai di bello?	
L: Sono giornalista, mi occupo di cinema. Scrivo per una rivista specializzata.	
C: Però, dev'essere un lavoro molto interessante.	
A me almeno piace molto, conosci un sacco di gente giri di qua e di là. Quando ho cominciato credevo veramente che sia un sogno. Avevo l'impressione di sia in un mondo fantastico.	
C: Ma guarda, non sapevo che avessi una vita così intensa. Non dirmi che stavi anche a Hollywood.	
L: Sì, ci sono stata quando ha vinto l'Oscar Benigni.	
C: Credo che è stata una festa pazzesca.	
L: Sì, poi sai com'è lui. Sembrava che fosse impazzito, saltava sulle sedie... Senti, in settembre faccia un salto a Venezia per la mostra del cinema, ci sarai?	
C: Penso di sì. Mi piacerebbe che venisse anche Fabio.	
L: Fabio non c'è più. Ci siamo lasciati.	
C: Mi dispiace, non sapevo che fosse...	
L: Non ti preoccupare. Adesso sto con un fotografo di Milano. Penso che fosse proprio quello giusto.	
C: Ti auguro che va tutto per il meglio.	
L: Senti, poi quando vengo su a Venezia mi racconti tutto di te d'accordo?	
C: Magari abbia tante cose da raccontare come te!	
L: Sono sicura di sì, ci vediamo allora, a presto.	
C: Ti aspetto, ciao.	

..... / 15

5 Riordina le frasi.

1 venire mi possa che non dispiace da me tu

....

2 non Lisa non che Marco insieme e vivessero più sapevo

....

3 Bianca l'impressione per che avesse la musica avevamo talento

....

..... / 3

NOME:	
DATA:	
CLASSE:	

totale   ..... / 45

1 I giovani d'oggi! Pensa ai giovani del tuo paese e indica se le affermazioni secondo te sono vere o false.

	Nel tuo paese		In Italia	
	Vero	Falso	Vero	Falso
1 Credono molto nell'amicizia.	☐	☐	☐	☐
2 Non credono nel matrimonio.	☐	☐	☐	☐
3 Continuano a vivere con i genitori anche dopo i 25 anni.	☐	☐	☐	☐
4 Non partecipano a riti religiosi.	☐	☐	☐	☐
5 Gli interessa fare politica in modo attivo.	☐	☐	☐	☐
6 Leggono molti libri e giornali.	☐	☐	☐	☐
7 Non fumano e non consumano droghe leggere.	☐	☐	☐	☐
8 Spesso sono depressi.	☐	☐	☐	☐
9 Bevono molti alcolici.	☐	☐	☐	☐
10 Hanno le prime esperienze sessuali a 15 anni.	☐	☐	☐	☐

 2 Confronta le tue risposte con quelle di un compagno. Quali differenze ci sono? Motivate le vostre opinioni.

 3 Continuate a lavorare in coppia. Secondo voi come sono i giovani italiani? Completate la tabella con le risposte riguardanti l'Italia.

 4 Ora leggi la prima parte del testo e controlla se ciò che pensi sui giovani italiani è corretto.

Parte 1

Identikit dei figli del "made in Italy"

ROMA - Non leggono i giornali e non amano nemmeno i libri, non si interessano di politica, non partecipano a manifestazioni e cortei e prima di ogni altra cosa mettono l'amicizia. Fumano sigarette e consumano droghe leggere, ma non bevono troppi alcolici. Cominciano a fare sesso attorno ai vent'anni, non credono nel matrimonio (né religioso, né civile), ma tornano ad andare in chiesa.

Non lavorano e non guadagnano e fino anche a trent'anni stanno a casa con i genitori, molti mostrano disagi e depressione e per questo aumentano in modo impressionante suicidi e episodi di piccola e grande criminalità. Signori, ecco lo scenario e l'identikit dell'ultima generazione italiana, cioè bambini, adolescenti e giovani, passati sotto la lente d'ingrandimento di una indagine condotta dall'Istituto degli Innocenti di Firenze, dal Ministero degli Affari sociali e dalla Presidenza del Consiglio dei Ministri. [...] In un centinaio di pagine ecco luci e ombre, disagi e tendenze, cambiamenti di costume e curiosità dei più giovani italiani: nel 1951 la fascia 0-14 anni rappresentava il 27 per cento del totale della popolazione mentre oggi è del 16,7 per cento.

5 Leggi la seconda parte dell'articolo e completa la tabella.

Parte 2

Primo dato, allarmante: sono in aumento i suicidi e di conseguenza disagi giovanili, depressione e problemi di relazione. Negli ultimi cinque anni si è infatti passati da 11,6 casi su un milione a 23 casi di oggi. E rispetto al totale complessivo delle persone che hanno scelto (o tentato) di togliersi la vita, il 4,1 per cento erano dei minorenni. Oltre al rapporto del ministero, ce n'è un altro, condotto dal settimanale la Voce del Popolo, secondo il quale i giovani cattolici che vanno regolarmente a messa aspettano di aver compiuto 23 anni per il primo rapporto sessuale, mentre quelli che non ci vanno "praticamente mai" li precedono di ben quattro anni.

Vivono a casa con mamma e papà il 98,1 per cento dei giovani tra i 18 e i 19 anni, l'88 per cento di quelli che hanno un'età compresa tra i 20 e i 24 e il 54 per cento di quelli che ne hanno già compiuti 29.

I giovani non si sposano: sono sì tradizionalisti, ma il rapporto dice che l'età media del primo matrimonio è attorno ai 26 anni e mezzo per le femmine e addirittura 29 per i maschi.

Niente matrimonio, ma i ragazzi made in Italy cominciano ad avere rapporti sessuali attorno ai 22 anni (le ragazze) e a diciannove (i ragazzi). Rispetto a precedenti indagini, risulta però che l'età media del primo rapporto sessuale va spostandosi: l'età registrata risultava infatti essere estremamente più bassa, cioè meno di diciannove.

Nella scala di valori i ragazzi hanno stilato questa classifica: famiglia e amicizia pressappoco sullo stesso piano, poi ci sono gli amici, lo sport (praticato dal 42,4 per cento dei maschi; 32,6 per cento delle femmine), il computer e i videogiochi, mentre giù giù nelle preferenze dei teen-ager nazionali figurano giornali e libri: 64 per cento delle femmine e 53 per cento dei maschi non danno nemmeno un'occhiata ai titoli dei quotidiani. Chiaro il messaggio, insomma: meglio bombardarsi di immagini e magari passare ore davanti al computer che far viaggiare la fantasia scivolando nelle pieghe di un buon romanzo. Oltre la metà degli adolescenti italiani, inoltre, vede la televisione dalle due alle quattro ore al giorno e una percentuale del 30 per cento per più di 4 ore.

Nonostante le campagne antifumo che arrivano da tutto il mondo, sono in crescita i fumatori, mentre non "attirano" più tanto alcolici e superalcolici, il consumo dei quali risulta scendere gradualmente.

Addio anni di lotte politiche: sarà colpa degli ultimi accadimenti e tangentopoli, ma il '68 e il '77 sono veramente lontani anni luce. Il cinquanta per cento dei ragazzi interpellati hanno risposto non solo che non parlano mai di politica, ma anche che solamente uno di loro su quattro ha partecipato a un corteo oppure a una manifestazione.

[Da Repubblica: 11 febbraio 1998]

Disagio giovanile	Sono in aumento i suicidi, la depressione e il disagio.
Rapporti sessuali	
Matrimonio	

Tangentopoli: *a seguito di una serie di indagini giudiziarie degli inizi degli anni '90 è il nome dato al sistema di corruzione diffusa in ambito politico, amministrativo ed economico in Italia.*

Famiglia	
Lettura	
Fumo, droghe e alcool	
Politica	

6 Ascolta la conversazione e rispondi alle domande.

1 Chi sono i personaggi?

....

2 Cosa stanno facendo?

....

3 Di che cosa parlano?

....

7 Ascolta nuovamente la conversazione e correggi le affermazioni dove necessario.

1 I ragazzi hanno letto un articolo sui divertimenti dei giovani.

No, ne hanno letto uno sui valori dei giovani.

2 Alle ragazze piace il modo di vivere in famiglia dei giovani italiani.

....

3 Per il professore i giovani italiani hanno molta libertà in famiglia.

....

4 Stanno cercando dei siti in Internet sulla storia della lingua italiana e sui dialetti.

....

5 Per il professore è sempre facile capire il linguaggio dei giovani.

....

6 Una delle ragazze dice che in certe parti d'Italia ha avuto molti problemi a capire quando le persone parlavano in dialetto.

....

8 ▶▶ | **Alla scoperta della lingua** | — Ascolta ancora la conversazione e completa le frasi —
scritte sotto.

Ingrid: Se.........................… italiana …......................... a vivere con i miei genitori. A 18 anni sono andata

a vivere con un'amica.

Pat: È vero, anch'io, se …......................... qui non …......................... con questo sistema.

Come funziona la struttura? Che modi e che tempi del verbo si usano? Dopo *se* che cosa ci vuole?

 9 | Culture a confronto | **Scrivi 5 frasi in cui metti a confronto i giovani del tuo paese con i giovani
italiani. Per sottolineare le differenze usa parole e espressioni come *invece*, *mentre*, *al contrario*,
comunque, *tuttavia*, *anzi*.**

Esempio: i giovani italiani vivono spesso con i genitori fino a 30 anni, invece nel mio paese …

**10 In piccoli gruppi leggete le vostre frasi e spiegate l'opinione che vi siete fatti sui giovani
italiani.**

 **lessico** ⟩ **Un po' di lessico giovanile**

Le espressioni che seguono sono ricche di metafore e di riferimenti al mondo di oggi. Sono influenzate da
esperienze diverse, per capirle bisogna conoscere ciò a cui si riferiscono: ad esempio il WWF e il suo impegno
per proteggere i panda (che hanno gli occhi neri e mangiano bambù); oppure il concerto del Primo Maggio,
appuntamento ormai tradizionale a Roma nell'ambito delle manifestazioni organizzate dai sindacati per
celebrare la festa dei lavoratori. La pronuncia, il lessico, la grammatica sono influenzati dal modo di parlare
delle diverse realtà locali, in questo caso Roma.

C'È LA BASSA MAREA

L'ambiente è saturo di
ragazze fortemente
sgradevoli alla vista e al
tatto.

STAI A FA' 'R SIMPATICO

I tuoi scherzi o le tue
battute sono fuori luogo o
non sono gradite.

TE FACCIO DU' OCCHI NERI CHE SE TE METTI A MASTICA' ER BAMBU' ER WWF TE PROTEGGE

Ti sto per fare due vistosi
ematomi sugli occhi.

C'HAI PIU' COMPLESSI DER CONCERTO DER PRIMO MAGGIO

Persona che si fa molti
problemi inutili.

[da http://users.iol.it/navigli/manuale.html QUARTO MANUALE DI CONVERSAZIONE DELLA METROPOLI PERIFERICA TurboZaura Prodaccion (c) 1997]

Le parole sono a volte dei neologismi, a volte parole già
esistenti nella lingua, ma usate con un significato diverso.

Neologismo = *Parola o
espressione introdotta di
recente nella lingua.*

*La parola **complesso**
ha vari significati, tra
cui gruppo musicale.*

 1 Abbina le parole ai significati.

1 Imbranato
2 Gasato
3 Fuori di testa
4 Cuccare
5 Tosto

a Persona esaltata e/o piena di sé.
b Conoscere una ragazza o un ragazzo soprattutto per scopi sessuali.
c Persona decisa.
d Persona inesperta e poco abile.
e Impazzito.

abilità

 1 Leggi il titolo del libro. A che cosa ti fa pensare?

 2 Leggi rapidamente il testo e rispondi alle domande.

1 Quando si svolge la narrazione?

....

2 Dove si svolge la narrazione?

....

3 Che cosa succede?

....

4 Chi sono i personaggi?

....

5 Chi è il narratore?

....

GIUSEPPE CULICCHIA

CRASH

TUTTI GIÙ PER TERRA

Romanzo

Cosa significa avere vent'anni nell'Italia di oggi.
Il romanzo-rivelazione di un giovane narratore.

Giro giro tondo, casca il mondo…
Verso la fine degli anni Ottanta il mondo pareva proprio sul punto di cascare e io nell'attesa mi limitavo a girare in tondo, giorno dopo giorno. Facevo sempre più o meno lo stesso percorso. Senza una meta. Ogni giorno le stesse vie. Le stesse vetrine. Le stesse facce. I commessi guardavano la gente fuori dai negozi come gli animali allo zoo guardavano i turisti. Rispetto a loro mi sentivo in libertà. Ma ero solo libero di non far niente. Via Po piazza Castello via Roma. Piazza San Carlo via Carlo Alberto via Lagrange. Piazza Carignano piazza Carlo Alberto via Po. E poi di nuovo: piazza Castello, via Roma, piazza San Carlo. Tutti i giorni. Giorno dopo giorno. Chilometro dopo chilometro. All'infinito. La suola del mio unico paio di scarpe si era tutta consumata. Mi sforzavo di camminare appoggiando il meno possibile il piede sulla strada ma riuscivo soltanto a saltellare. Non volevo un lavoro da commesso. Non volevo fare carriera. Non volevo rinchiudermi in una gabbia. Intanto però la mia gabbia era la città. Le sue strade sempre uguali erano il mio labirinto. Senza un filo a cui aggrapparmi. Senza più nulla da vedere.

[Da Giuseppe Culicchia, Tutti giù per terra, Garzanti, 1994, p. 13]

 3 Leggi nuovamente il testo e completa le frasi.

1 Il testo inizia con una frase che ricorda
  a una filastrocca o un gioco per bambini,
  b una poesia medievale,
  c una canzone.

2 Secondo il narratore il mondo nel momento in cui si svolge la storia
  a vive un periodo di espansione economica,
  b è in crisi,
  c offre molte opportunità a persone come il protagonista.

3 Il protagonista non lavora
  a perché è di famiglia ricca,
  b perché sta studiando,
  c però ha problemi economici.

4 Il protagonista
  a si sente libero,
  b si sente prigioniero del mondo,
  c sa di vivere delle contraddizioni.

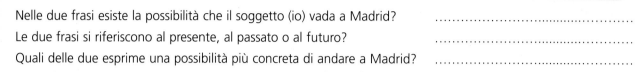

grammatica

Il periodo ipotetico della possibilità

Osserva gli esempi e rispondi alle domande.

- Se andassi a Madrid, starei spesso fuori fino a tardi.
- Se andrò a Madrid, starò spesso fuori fino a tardi.

Nelle due frasi esiste la possibilità che il soggetto (io) vada a Madrid? ....

Le due frasi si riferiscono al presente, al passato o al futuro? ....

Quali delle due esprime una possibilità più concreta di andare a Madrid? ....

Questa struttura del periodo ipotetico è detta *della possibilità* perché esprime un'ipotesi possibile anche se non probabile nel presente **1** o nel futuro **2**.

1 - Se i giovani italiani di oggi fossero meno "mammoni", avrebbero più indipendenza.
2 - Se stasera finissi presto di lavorare, potremmo andare a sentire il concerto di Eros Ramazzotti.

Condizione improbabile anche se in teoria possibile nel presente o nel futuro:	Conseguenza nel presente o futuro:
se + congiuntivo imperfetto	**condizionale semplice**
Se avessi un lavoro meno impegnativo,	farei molte cose che mi interessano.

L'ordine della frase può anche essere invertito rispetto agli esempi, con la frase con il *se* dopo la principale.

 1 Abbina le frasi di sinistra a quelle di destra.

1 Se potrò, stasera
2 Se conoscessi più lingue straniere,
3 Se domani smetterà di nevicare,

4 Se mi facessero un'offerta interessante,
5 Se ci fossero ancora biglietti,
6 Se gli italiani non cominceranno a fare più figli,

a cambierei lavoro.
b andrò a sciare.
c in Italia fra qualche decennio la popolazione sarà in maggioranza di origine straniera.
d ti chiamerò.
e potrei viaggiare di più.
f ti porterei a vedere l'Otello.

2 Trasforma le frasi usando il periodo ipotetico della possibilità.

1 Non vado in piscina, perché non so nuotare.

.......................*Se sapessi nuotare, andrei in piscina.*.......................

2 Non mangio salume, perché ho il colesterolo alto.

....

3 Non bevo vino, perché devo guidare.

....

4 Non ho dei figli, perché non mi piace questo mondo.

....

5 Vivo in Toscana, perché adoro il paesaggio della sua campagna.

....

6 Non mi risponde, perché non capisce l'italiano.

....

3 Completa le frasi con un verbo.

1 Se .... perdessi .... (*perdere*) un paio di chili, ... mi sentirei .... (*sentirsi*) meglio.

2 Se tuo padre mi .... (*dare*) del tu, non .... (*essere*) così in imbarazzo.

3 Se .... (*venire*) a trovarmi, vi .... (*preparare*) un'ottima cena.

4 Se .... (*trovare*) una casetta in campagna, la .... (*comprare*).

5 Se non ci .... (*essere*) il calcio, in Italia ci .... (*essere*) meno divorzi.

6 Se tu non .... (*esistere*), ti .... (*dovere*) inventare.

4 Lavora con un compagno. Lo studente A va a pag. V, B va a pag. VI. A turno fatevi delle domande e date risposte personali.

Esempio:

A Cosa faresti se ti regalassero 50 000 euro?

B Se mi regalassero 50 000 euro, farei un viaggio attorno al mondo per un anno.

5 Scrivi alcune delle risposte che hai dato.

1 ....

2 ....

3 ....

4 ....

6 Fa' delle ipotesi sul tuo futuro.

1 ....

2 ....

3 ....

4 ....

5 ....

6 ....

Under 18/ Parlano i ragazzi di una prima liceo

1 La libertà è una chat-line. I ragazzi come vivono divieti e condizionamenti imposti dagli adulti? Siamo andati in una classe di quindicenni di Perugia a chiederglielo. Ascolta l'intervista e prendi appunti sulle risposte dei ragazzi.

N.B.:

Il testo che ascolterai è stato adattato da Espresso on line
09.12.1999, le risposte dei ragazzi non sono state cambiate.
Cerca di capire solo il significato generale delle risposte,
sono sufficienti poche parole per risposta.

Cominciamo dal motorino: come vi comportate se i vostri genitori non ve lo vogliono comprare?
1
2
3
4
Nella vostra classe ci sono pochi motorini, ma molti cellulari. Li avete chiesti voi?
1
2
3
4
Ai vostri genitori il telefonino serve per controllarvi. E a voi? Che uso ne fate?
1
2
3
4
E il computer? Ce l'avete tutti? E che uso ne fate?
1
2
3
4
Uno solo fra il motorino e il computer: che cosa scegliete?
1
2
3
4

fonologia • L'italiano parlato a Roma

 1 Nei brani tratti dal QUARTO MANUALE DI CONVERSAZIONE DELLA METROPOLI PERIFERICA si fa riferimento a una varietà giovanile di italiano parlato a Roma. Alcune caratteristiche della varietà romana in generale sono:

- Raddoppiamento sintattico. A Roma e nel Lazio si realizza il raddoppiamento sintattico, anche se le parole che provocano il raddoppiamento possono variare leggermente da città a città. In questo la varietà romana come le altre varietà dell'italia centrale, coincide con l'italiano standard.

- Il suono /tʃ/ (c[i]) quando è tra due vocali è pronuciato /ʃ/.
  Ad esempio, *la cena* /la'ʃena/ *dieci* /'diɛʃi/.

- I suoni /b/ e /dʒ/ tra due vocali sono pronunciati sempre intensi.
  Ad esempio *la barca* /la b'barka/ *la gente* /la d'dʒɛnte/

- L'articolo determinativo *il* è realizzato come *er*, ma solo nelle varietà più basse e meno curate.
  Ad esempio *il cane* > *er cane*.

2 Caccia all'intruso!
Ascolta questi brevi monologhi, tre sono pronunciati da parlanti romani, mentre uno è di un non romano. Riesci a individuare qual è la persona che parla con accento diverso da quello romano?

- Ciao, io mi chiamo Marco ho venticinque anni, lavoro, faccio il commesso in un negozio di alimentari. Mi piace il mio lavoro perché mi permette di stare a contatto con la gente e vedo ogni giorno persone diverse.

- Ciao, io sono Riccardo, ho 37 anni. Lavoro, faccio il consulente informatico per delle aziende. Sono sposato e ho una bambina piccola.

- Io mi chiamo Monica, ho trentadue anni. Lavoro, faccio la fotografa per alcune ditte di moda. Il mio lavoro mi piace anche se qualche volta mi piacerebbe occuparmi di qualcosa di meno frivolo e un po' più concreto.

- Ciao, mi chiamo Roberta ho 17 anni. Faccio la quarta del liceo linguistico. Quando ho finito mi faccio un bel viaggio in Europa per imparare meglio le lingue: studio inglese, francese e spagnolo.

ROMA

sommario

In questa unità abbiamo imparato a:

Fare ipotesi possibili nel presente o nel futuro e trarre conseguenze.
- Se stasera finissi presto di lavorare, potremmo andare a sentire il concerto di Eros Ramazzotti.

1 **Il comune in cui vivi offre per i giovani una serie di servizi di aiuto e prevenzione. Per capire di cosa si tratta e dove si possono trovare associa gli elementi della colonna A con quelli contenuti nella colonna B.**

A Che cosa	B dove
1 Per la promozione del benessere, per favorire l'aggregazione e l'incontro dei giovani, per una vera prevenzione primaria.	**a** Centri di consulenza delle scuole. Servizi educazione alla salute.
2 Per la prevenzione del disagio, in stretta collaborazione tra Agenzie educative ed Enti locali.	**b** Informagiovani. Progetto giovani.
3 Per organizzare attività formative e informative specifiche di prevenzione della droga.	**c** Uffici educazione alla salute.
4 Per ogni aiuto delle situazioni familiari problematiche e problemi della coppia.	**d** Centrodonna. Consultori.
5 Per il reinserimento sociale e lavorativo, superata la fase di dipendenza.	**e** Comunità terapeutiche. Servizi sociali.
6 Per smettere di fumare.	**f** Servizi per le tossicodipendenze.

1	2	3	4	5	6

..... / 6

2 **Completa il testo con il periodo ipotetico.**

Carlo: Gigi ti muovi stasera?

Gigi: Che si fa?

C: Mah! Se (*esserci*) .... posto si (*potere*) .... andare a magiare un boccone dalla Maria.

G: Però che palle sto tempo! Non la smette di piovere.

C: Che problema c'è? Ti passo a prendere con la machina e se piove ancora ti do uno strappo al ritorno. La verità è che sei pigro, se tu (*potere*) ...., (*stare*)................................ tutto il giorno davanti alla televisione.

G: Che male c'è? Poi ci si vede sempre con la stessa gente, mi annoio...

C: Se ti (*dire*) .... che c'è anche Laura (*venire*) ....?

G: Allora cambia tutto. Quella mi fa morire! Se (*essere*) .... per lei (*andare*) .... anche in Patagonia!

C: Allora passo alle otto, d'accordo?

G: Non puoi un po' prima?

C: Se (*potere*) ...., (*venire*) .... anche subito, ma devo finire due faccende a casa. Poi Laura non scappa...

G: Ti aspetto.

C: Ciao.

..... / 10

3 **Forma delle frasi con il periodo ipotetico come nell'esempio.**

1 essere/giocare ...... *Se fossi molto alto giocherei a basket.* ....

2 avere/andare ....

3 potere/fare ....

4 sapere/dire ....

..... / 6

4 Hai inserito nel tuo computer degli appunti su due carte di credito, ma un virus ti ha mescolato i testi. Prova a ritrovare quali appunti si riferiscono alla carta 1 e quali alla carta 2.

a Infine tutti i titolari di questa carta hanno diritto a un abbonamento gratuito a una rivista dedicata al mondo accademico, che ospita in ogni numero una rubrica con offerte, agevolazioni e vantaggi che vanno dalle borse di studio ai libri, dai viaggi ai servizi esclusivi.

b Avere *Cartasì Campus* è semplice: basta essere iscritti a una facoltà universitaria e avere un conto corrente presso uno degli sportelli bancari del circuito Cartasì.

c In più questa carta garantisce ai titolari che viaggiano una copertura completa, che permette alle società di risparmiare anche sulle spese assicurative.

d È una carta comoda e pratica come il denaro contante che in più offre molti vantaggi. In primo luogo le spese effettuate con questa carta vengono addebitate su un conto corrente bancario con sensibile ritardo, consentendo all'azienda un considerevole risparmio in giorni di valuta.

e Inoltre nel caso in cui il titolare subisca un intervento chirurgico a seguito di malattia o infortunio avrà il rimborso delle spese effettuate fino a tre milioni. Se l'evento dovesse avvenire nell'ultimo anno del corso di laurea oltre all'indennizzo sopra citato il titolare avrà il rimborso delle tasse universitarie degli anni fuori corso per un massimo di tre anni.

f L'utilizzo di questa carta consente inoltre di ridurre la necessità degli anticipi di cassa, ottimizzando i flussi finanziari.

g *Cartasì Affari* è una carta di credito studiata per rispondere alle esigenze specifiche di aziende, professionisti, imprenditori e di chi si sposta spesso per affari.

h Questa carta offre in esclusiva una serie di agevolazioni e di iniziative particolari. Anzitutto una larghissima copertura assicurativa; un premio a chi, titolare da almeno due anni, si laurea in corso ottenendo la massima votazione con lode.

Cartasì Campus	Cartasì Affari

..... / 8

5 Leggi le risposte e formula delle domande. Osserva l'esempio.

1 ...... *Cosa faresti se ti rubassero la carta di credito,* ......?

La bloccherei subito.

2 ......?

Lascerei tutto e tutti.

3 ......?

Cercherei di parlarle.

4 ......?

Lo porterei subito a casa.

5 ......?

Morirei di paura.

6 ......?

Non lo sopporterei.

..... / 10

| NOME: |
| DATA: |
| CLASSE: |

totale ..... / 40

3 Lavora con un compagno. Guardate la figura poi, lo studente A va a pagina I e abbina le figure alle parole del riquadro. B va a pagina III e fa la stessa cosa.
Fatevi delle domande per scoprire come si chiamano gli oggetti che vi mancano.

Esempio: Come si chiama quella cosa che è di fianco al coltello?

frigorifero, bidè, coperta, materasso, tavolo, lavatrice, forbici, sveglia, letto, pattumiera, lenzuolo, coltello, specchio, asciugamani, tovagliolo, lampadario, scopa, forno, rubinetto

4 Lavora con un compagno. Uno di voi è A e va a pag. II, l'altro è B e va a pag. IV. Abbinate le parole alle definizioni.

Preventivo	L'azione del consegnare, ad esempio quando si portano le merci dal posto di produzione al cliente.
Richiesta	Un numero di telefono secondario che si raggiunge passando attraverso un centralino o direttamente. Molte ditte hanno più interni che corrispondono a diversi uffici.
Consegna	Un incontro con altre persone per questioni ad esempio di lavoro.
Trasporto	Documento che contiene i costi e le condizioni per la vendita di un oggetto.
Interno	Macchina che risponde al telefono al posto delle persone e che permette di registrare messaggi.
Riunione	Condizione che permette l'assistenza gratuita che riceve un prodotto in caso di problemi di funzionamento di solito per un anno dopo l'acquisto.
Segreteria telefonica	L'azione del trasportare, ad esempio quando si portano le merci da un posto a un altro.
Garanzia	Domanda.

 11 Adesso, a coppie fate dei dialoghi simili.

Vuoi andare in treno in una delle seguenti città:

- Roma,
- Firenze,
- Milano,

e vorresti avere alcune informazioni su

• orario di partenza e arrivo;
• costo;
• tipo di treno: diretto o necessità di cambiare treno, con o senza coincidenza;
• prenotazione;
• binario.

13 Povera Maria! Insieme a un compagno, prova ad aiutarla a capire chi sono le persone della foto di pagina 28. Lo studente **A** **guarda la foto e cerca di indovinare le persone,** **B** **va a pagina III.**

zio

nonna

cognata

cugino

padre

nipote

madre

cognato

cugina

sorella

suocera

nipote

moglie

marito

 3 Lavora con un compagno. Guardate la figura poi, lo studente **A** **va a pagina I e abbina le figure alle parole del riquadro.** **B** **va a pagina III e fa la stessa cosa.**
Fatevi delle domande per scoprire come si chiamano gli oggetti che vi mancano.

Esempio: Come si chiama quella cosa che è di fianco al coltello?

Fornello, armadio, lavastoviglie, sedia, lavandino, piatto, fondo, cuscino, spazzola, cucchiaio, forchetta, water, bicchiere, tazza, tovaglia, pettine, tappeto, vasca, rasoio, riscaldamento

unità 5

4 Lavora con un compagno. Uno di voi è A e va a pag. II, l'altro è B e va a pag. IV. Abbinate le parole alle definizioni.

Assistenza	Quando due o più persone hanno la stessa opinione o decidono di fare qualcosa che va bene a tutti.
Contratto	Azione del pagare.
Quotazione	Senza pagare.
Accordo	La possibilità di riparare un oggetto che si rompe o di ricevere aiuto per il suo funzionamento da parte di chi l'ha prodotto o venduto.
Pagamento	L'operazione che permette di mettere al loro posto i componenti di una macchina o altro.
Gratis	Determinazione del prezzo di un oggetto.
Montaggio	Operazione che una banca fa per dare a una persona (ditta, ecc.) una somma di denaro su richiesta di un'altra persona (ditta, ecc.).
Bonifico bancario	Un accordo che permette, ad esempio, di stabilire le regole per la vendita di qualcosa.

unità 7

2 Ora andate a pag. IV per controllare le vostre domande e risposte.

Con i mezzi di trasporto occorre la preposizione **in**: **in** macchina, **in** bicicletta, **in** treno, **in** aereo, ecc. ma ci vuole **a** nell'espressione **a** piedi.

1 - Come arrivi/vieni a scuola? Come vai al lavoro? Con che mezzo di trasporto arrivi/vieni a scuola? Con che mezzo di trasporto vai al lavoro?
 - In autobus.
2 - Quanto dista casa tua dalla scuola o dal lavoro? Quanto è lontana casa tua dalla scuola o dal lavoro?
 - Sono circa 10 chilometri.
3 - Quanto (tempo) ci metti per arrivare a scuola o al lavoro?
 - (Ci metto) più o meno mezz'ora.
4 - Quanto spendi per andare a scuola o al lavoro?
 - 85 centesimi.

unità 8

6 Lavora con un compagno. A va a pag. V e B a pag. VI. Completate la lettera con la descrizione della persona della foto nella vostra pagina.

Milano, 31 gennaio 2001
Gent. Sig.ra De Luca,
con la presente desidero confermarle la data e l'ora del mio arrivo a Roma. Arrivo all'aeroporto di Fiumicino alle 10.20 dell' 8 febbraio prossimo con il volo AZ 221. Le do alcune indicazioni sul mio aspetto fisico, affinché possiamo incontrarci.
....
....
....
....
....
....

 unità 12

4 Ora andate a pagina V e leggete la parte finale scritta dall'autore. Vi piace come termina la storia? Ve lo aspettavate?

Beh, ragazzi, nei due giorni di galera mi sono documentato. I bletoniani sono creature organico-robotiche molto delicate, formate da un corpo centrale e da uno scheletro antisolare esterno a forma, ahimè, di cabina telefonica. Quello che ho massacrato era il ministro dell'Industria. Il mio compagno di cella mi ha spiegato che lo avevo più o meno soffocato con la tessera telefonica, gli avevo strappato un braccio, fatto sputare metà dei denti, preso a cazzotti in punti vitali e per finire avevo accecato undici dei suoi sedici occhi. Mi è andata bene: pare che quel ministro fosse in disgrazia. Perciò mi hanno solo sequestrato tutta la merce e appioppato una multa di un milione di wau, pagati sull'unghia. Ma mi hanno assolto dall'accusa di bletocidio colposo. Hanno detto che, in effetti, avrebbero dovuto mandare un interprete in avanscoperta. Ho perso l'affare della mia vita, ma ho salvato la vita per futuri affari. E giuro, ragazzi, mi rifarò presto: sto trattando una partita di caschi per il pianeta delle Piogge Dure e una di gomme americane per i centobocche di Tropezar. Ma stavolta mi faccio mandare le fotografie dei clienti. Bisogna sempre sapere con chi si fanno gli affari.

 unità 15

4 Lavora con un compagno. Lo studente A va a pag. V, B va a pag. VI. A turno fatevi delle domande e date risposte personali.

Esempio:
A Cosa faresti se ti regalassero 50 000 euro?
B Se mi regalassero 50 000 euro, farei un viaggio attorno al mondo per un anno.

6 Lavora con un compagno. A va a pag. V e B a pag. VI. Completate la lettera con la descrizione della persona della foto nella vostra pagina.

Milano, 31 gennaio 2001
Gent. Sig.ra De Luca,
con la presente desidero confermarle la data e l'ora del mio arrivo a Roma. Arrivo all'aeroporto di Fiumicino alle 10.20 dell' 8 febbraio prossimo con il volo AZ 221. Le do alcune indicazioni sul mio aspetto fisico, affinché possiamo incontrarci.
....
....
....
....
....
....
....

4 Lavora con un compagno. Lo studente A va a pag. V, B va a pag. VI. A turno fatevi delle domande e date risposte personali.

Esempio:
A Cosa faresti se ti regalassero 50 000 euro?
B Se mi regalassero 50 000 euro, farei un viaggio attorno al mondo per un anno.

grammatica

Articolo determinativo		
MASCHILE	**SINGOLARE**	**PLURALE**
Davanti a consonante	**IL telefono**	**I telefoni**
Davanti a S + consonante, Z, PS, GN, X	**LO studente**	**GLI studenti**
Davanti a vocale	**L'ufficio**	**GLI uffici**
FEMMINILE	**SINGOLARE**	**PLURALE**
Davanti a consonante	**LA casa**	**LE case**
Davanti a vocale	**L'amica**	**LE amiche**

Articolo indeterminativo		
MASCHILE	**SINGOLARE**	**PLURALE**
Davanti a consonante	**UN telefono**	**DEI telefoni**
Davanti a S + consonante, Z, PS, GN, X	**UNO studente**	**DEGLI studenti**
Davanti a vocale	**UN ufficio**	**DEGLI uffici**
FEMMINILE	**SINGOLARE**	**PLURALE**
Davanti a consonante	**UNA casa**	**DELLE case**
Davanti a vocale	**UN' amica**	**DELLE amiche**

	SINGOLARE	PLURALE
MASCHILE	il be**l** bambino	i be**i** bambini
	il be**llo** stadio	I be**gli** stadi
	il be**ll'** albero	I be**gli** alberi
FEMMINILE	la be**lla** ragazza	le be**lle** ragazze
	la be**ll'** idea	le be**lle** idee

	SINGOLARE
MASCHILE	un buo**n** bambino
	un buo**no** studente
	un buon artista
FEMMINILE	una buo**na** ragazza
	una buo**n'** amica

Simboli usati per la trascrizione dei suoni

I suoni delle vocali

/i/ v**i**no
/e/ v**e**rde
/ɛ/ f**e**sta
/a/ c**a**sa
/ɔ/ n**o**ve
/o/ s**o**le
/u/ **u**va

I suoni delle semiconsonanti

/j/ **i**eri
/w/ ling**u**a

I suoni delle consonanti

/p/ Na**p**oli
/b/ a**b**itare
/m/ **m**edico
/n/ u**n**
/t/ **t**empo
/d/ nor**d**
/ɲ/ compa**gn**o
/k/ **c**asa, **ch**e; **q**uando
/g/ pre**g**o; un**gh**erese
/ts/ a**z**ione
/dz/ **z**an**z**ara
/tʃ/ fran**c**ese; **c**iao
/dʒ/ **g**ente; **g**iorno
/f/ **f**iore
/v/ **v**ino
/s/ **s**ale
/z/ **s**venire
/ʃ/ pe**sc**e; **sci**arpa
/r/ **r**osso
/l/ **l**una
/ʎ/ fi**gl**io

L'accento è indicato con il segno / ' / prima della sillaba accentata.
Il simbolo * davanti a una parola significa che la parola non esiste.
Il simbolo [:] indica un suono lungo.

ELENCO in ordine alfabetico delle parole contenute in questo volume.

- Il numero a fianco di ogni parola corrisponde all'unità in cui il termine viene usato per la prima volta.
- Nel presente elenco sono riportati solamente i termini che non sono inclusi nel glossario di Rete! 1.
- Gli aggettivi e i sostantivi sono quasi sempre indicati solo nella forma del maschile singolare.
  I verbi sono all'infinito.
- Non compaiono i nomi degli stati che non variano da lingua a lingua, come "Senegal", e le parole
  internazionali, come "sport", "privacy" che hanno lo stesso significato ovunque.
- Non compaiono inoltre i termini che si incontrano esclusivamente nelle sezioni di civiltà e fonologia.

glossario

x

depressione	14	educato	8	etnico	2	freccetta	2
depresso	3	effettuare	6	evacuare	12	freddamente	1
deprimente	3	efficace	13	evidenziare	7	friggere	4
derivare	1	efficiente	13	evitare	6	frigobar	3
desinare	14	effimero	3	fabbricazione	10	frittata	4
desinenza	11	eh	4	faccia	6	frutto	5
destinato	11	elaborare	5	facilità	6	fucile	2
detenere	12	elargire	7	fama	3	fumatori	7
detergente	5	elastico	2	farmaco	6	funzionamento	5
determinazione	3	elefante	9	fascia	6	funzionario	11
dettaglio	13	elencare	1	fascicolatore	5	fuoco	2
diagnosi	6	elettricista	1	fascicolo	5	furbo	8
dialetto	15	elettrico	12	fascismo	11	furgone	7
difetto	3	elicottero	7	fatica	5	gabbia	15
difficilmente	1	ematoma	15	fattura	1	galassia	12
difficoltoso	6	emettere	12	favola	4	galera	12
digitale	5	emigrante	11	favorevole	11	gallo	9
dimagrire	7	emigrare	11	fazzoletto	10	galoppare	8
dimensione	9	emigrato	10	febbre	6	galoppo	8
diminuzione	15	emigrazione	11	febbrile	6	garage	2
dimora	13	emozionare/si	1	fedele	1	garanzia	5
dio	3	emozionato	1	fedeltà	3	gas	12
dipendente	1	emozione	2	federazione	12	gazza	8
diramare	6	energetico	6	felicemente	1	generalizzazione	2
direttamente	3	enfatico	7	felicità	7	generare	5
dirigente	7	enfatizzato	8	felpa	10	generazione	11
dirigere	13	ennesimo	12	fenomeno	11	genero	2
disagio	15	entità	6	fermare/si	7	generosità	3
disastro	13	entro	3	ferrovia	7	geniale	12
disavventura	7	entusiasmante	2	fessura	12	genio	14
dischetto	5	entusiasmo	14	feudo	14	genuino	5
discorso	3	entusiastico	14	fido	8	gestione	1
discreto	13	epatite	6	fiducia	6	gesto	2
diseducativo	12	episodi	15	fila	4	gettare	7
disgrazia	12	episodio	14	filastrocca	15	gettone	12
disordinato	3	eppure	2	filiale	7	ghetto	10
disordine	10	equitazione	13	filippino	7	ginocchio	6
disorientamento	2	equivalente	10	film	1	giocatore	13
disponibile	5	eros	15	filo	15	gioiello	10
dissenteria	6	esaltato	15	finanza	13	giornaliero	4
distare	7	esasperazione	2	finanziamento	13	giornalista	2
distruggere	14	esatto	6	finché	12	giornalistico	6
distruzione	14	esca	13	finestrino	7	gioventù	2
disturbare	9	escalation	14	fingere	6	giù	4
dito	2	esclusione	12	Finlandia	1	giudicare	13
divaricato	6	esclusivamente	5	fiorire	13	giudiziario	15
divertimento	15	eseguire	9	firmare	10	giurare	11
divieto	9	esempio, es.	10	fiscale	11	giustificazione	2
divino	9	esibizione	4	fischiare	7	giustizia	14
divisione	14	esigente	3	fisicamente	8	glicine	13
divorziare	1	esigenza	10	fisico	8	glorioso	10
divorzio	15	esistente	6	fissamente	8	gluteo	6
dolcezza	5	esistenza	5	fissare	3	godere	9
dominare	8	espansione	15	flettere	6	golfo	11
dose	1	espatriare	11	flusso	11	gomito	6
dotarsi	6	espatriato	11	folla	4	governare	11
dotato	12	esplicitamente	6	fondare	10	governo	6
dozzina	12	esploratore	14	fondazione	1	gradino	6
dramma	14	esplosione	14	fonetico	10	gradire	15
drammatico	6	esplosivo	14	forbici	2	gradualmente	15
droga	15	esporre	9	forchetta	2	grammaticale	2
dubbio	1	esportazione	1	fornaio	1	grana	11
dubitare	13	espressivo	8	fornello	2	granita	12
eccetera, ecc.	2	estinzione	12	fortunatamente	12	grano	4
eccezionale	8	estremamente	9	fossile	9	gratuitamente	3
eccitante	3	estremità	6	fotocopiatrice	5	gravità	7
eco	10	estremo	6	fotografico	14	grazia	1
ecologico	12	estroverso	8	fotogramma	2	grazioso	8
ecologista	12	eterno	3	fragile	8	Grecia, greco	1
educativo	9	etico	10	fragola	4	gridare	4

glossario

XIII

rassegnarsi	10	rinnovare	5	schiena	6	Slovenia, sloveno	1
rassegnazione	3	riparazione	9	schiodare	12	smeraldo	12
rauco	8	ripassare	2	schiuma	5	snervante	13
razione	12	ripetutamente	14	sciarpa	10	socialmente	2
re	2	riprendere	4	sciogliere	4	socio	10
realizzazione	10	riprodurre	10	scomodo	7	sociologo	2
reattivo	2	riproporre	5	scomparire	10	soddisfazione	14
reazione	14	riscontro	14	scompartimento	7	sodo	1
recarsi	6	riscopre	13	sconfitto	14	soffitto	3
recensione	13	risorsa	5	sconsigliare	6	soffocare	12
recentemente	13	risparmiatore	10	scontrino	10	sognare	13
recinto	9	risparmio	3	scopa	2	solidarietà	8
reclamizzare	1	rispettare	9	scopare	2	solido	5
regale	1	rispettivamente	2	scopo	15	sollecitare	6
reggere	13	risposare/si	3	scoppiare	3	sollevare	6
reggia	14	risultare	6	scoppio	11	sollievo	9
reggiseno	10	ritagliare	7	scorgere	9	solo	1
regina	5	ritaglio	2	scortese	10	soltanto	14
regolamento	9	ritenere	8	scusa	2	somma	5
reinserire	12	ritornare	2	sdraiato	4	sopraffare	2
reinterpretare	10	rivolta	7	sebbene	8	sorridere	8
relativamente	7	rivoluzione	11	seccato	10	sorriso	12
rendimento	10	roba	12	secco	2	sorvolare	7
rendita	10	robusto	8	sedimentare	9	sospirare	4
reparto	10	roccaforte	14	segnalare	12	sosta	10
reperire	6	rock	10	segnale	12	sostanza	5
repressione	14	rogo	13	segnare	1	sostenere	1
requisito	1	Romania	7	segreto	9	sostenibile	10
resistente	6	romantico	3	separare	4	sostituzione	5
resistere	5	rompere	8	sequestrare	12	sotterraneo	13
respirare	2	rotolo	10	Serbia	11	sottofondo	13
responsabilità	2	rovesciare	12	serena	5	sottomettere	7
restituire	7	rovinare	14	serenità	9	sottoporsi	6
resto	4	rozzo	4	serie	2	sovraffollato	7
rettangolare	11	Ruanda	14	serio	8	spadroneggiare	14
riattaccare	14	rubare	7	serra	12	spalancare	12
ribadire	9	rubinetto	2	sesso	7	spalla	6
ricadere	14	rude	3	sessuale	15	spartire	3
ricavo	14	rumoroso	9	seta	10	spaventato	3
ricchezza	10	ruolo	1	settimanale	15	spazzatura	9
riccio	8	ruotare	6	sezione	1	spazzola	2
ricevitore	12	rupe	9	sfamare	11	specializzato	6
riciclare	12	rurale	6	sfarzoso	14	specie	6
ricominciare	4	Russia	1	sfera	11	spedire	1
ricomporre	12	sacchetto	3	sferico	11	spedizione	5
ricoprire	8	sacerdote	14	sfiorare	13	spegnere	2
ricostruire	11	saga	13	sforzare/si	15	spezzone	7
ridare	10	sagrestia	14	sforzo	2	spiacevole	12
ridicolo	13	sale	4	sfuggire	14	spiare	7
ridurre	6	salotto	7	sfumare	3	spicciolo	14
rientrare	11	saltare	4	sgradevole	15	spingere	11
rifiuto	12	saltellare	15	sguardo	2	spintone	12
riflessione	13	salvadanaio	10	shampoo	5	spiritoso	10
rifugiare	13	salvare	12	siccità	6	spogliatoio	13
rigore	13	sano	9	siccome	5	spontaneo	2
riguardante	15	satellite	13	sicurezza	3	sporcizia	7
rilassare/si	7	saturo	15	Sig. Signore	1	sposa	3
rileggere	2	scacchi	13	Sigg. Signori	5	spostare/si	15
rilevare	6	scarico	12	sigillare	14	sputare	12
rimarcare	9	scarno	13	silenzioso	11	squagliare	4
rimpatrio	6	scarpone	10	simbolo	1	squillante	14
rimpiangere	10	scatolone	11	simpatia	3	stabilimento	10
rinascere	15	scattare	12	simulare	6	stabilire	5
rinascita	14	scenario	15	sindacato	1	staccare	5
rinchiudersi	15	sceneggiatore	13	sindaco	4	stagionale	11
rinforzare	14	scheletro	12	single	1	stalla	9
rinfrescare	12	schermo	13	sintonizzare	13	stampante	5
ringraziamento	9	scherzare	2	sistemare	1	stampare	13
ringraziare	5	scherzo	2	sito	5	stanchezza	5
rinnovabile	1	schiavo	10	situare	14	stanotte	1

COLLABORATORI

ABDELKRIM BOUSSETTA

ADRIANA BUCCOLO

ADRIANA CRISTINA CROLLA

ADRIANA LUCCHINI

AINE O'HEALY

ALESSANDRA BIANCHI

ALICE FLEMROVA

ALICIA MANNUCCI

ANA MARÍA VOLPATO

ANDREA SILVINA BUDE

ANGELA ZAGARELLA

ANNA BERGAMO

ANNA CARLETTI

ANNA FRABETTI

ANNA LIA PROIETTI

ANNA MARIA DOMBURG SANCRISTOFORO

ANNA PROUDFOOT

ANTONELLA GRAMONE

ANTONELLA STRAMBI

ANTONIO CAPALBI

ANTONIO PAGLIARO

BEATRICE ANTONAZZI

BEATRICE DIAZ.

BEATRICE GIUDICE

BELKIS DOGLIOLI

BELKIS RECALDE

BENEDETTA GIORDANO

BENEDETTA RIGOLI

BIANCA FERONE PERLE

CAMILLA SALVI

CAROLINE STEFANI

CECILIA ROBUSTELLI

CHIARA PERCUZZI

CINZIA CIULLI

CLAUDIA DOMENICI

CLAUDIA MORI

CLAUDIO DANIELE

CLELIA BOSCOLO

CONSUELO GRIGGIO KUHNGLOCKENDOSTR.

CRISTIANA GEREMIA

CRISTINA MORATTIELENA IVANOVA

DANIELA NOE',

DAVIDE MARTINI

DE DEA ERIKA

DOMINIQUE DE GUCHTENAERE.

DONATELLA BROGELLI

EDIT COGNIGNI

ELISABETTA FONTANA-HENTSCHEL

EMANUELE MINARDO

EMANUELE OCCHIPINTI

ESPERANZA QUEROL

ESTELA MODOLUCCI

FABIO VIGHI

FABRIZIO RUGGERI

FEDERICA SIMONE

FRANCESCA BRUNETTA

FRANCO MANAI

FULVIA MUSTI

GABRIELLA DONDOLINI SCHOLL

GABRIELLA ROMANI

GASPARE TRAPANI

GIAMPIETRO SCHIBOTTO

GIOVANNA PICCIANO

GIOVANNI ACERBONI

GIULIA FEDERICI

GIUSEPPINA AGNOLETTO

GIUSEPPINA DILILLO

GORDANA LUKAÈIÆ

IGNAZIA POSDINU

IVANA FRATTER

JOSÉ EDUARDO PENSO

JUDY RAGGI MOORE

KERSTIN PILZ

LAURA CRISTINA CAMPANA

LAURA MIANI

LELIA RANIOLO

LEONARDO GANDI

LILIANA LUIJS-PIZZOLANTE

LIVIO MARGIARIA

LOREDANA POLEZZI

LUCA BARZAGHI

LUCIANO PINTO

LUIGIA CIMINI

LUISA PAVON

LUOGO DI LAVORO KOC UNIVERSITY

LYNNE PRESS

MARCO DEPIETRI

MARCO DIANI

MARIA ANDREA CABALLERO

MARIA CRISTINA MAUCERI

MARÍA DEL CARMEN PILÁN DE PELLEGRINI

MARIA ELISA SARTORI

MARIA GALETTA

MARIA GRAZIA AMERIO KLOSTRMANN

MARIA INES MILANO

MARIA LOMBARDI

MARIA RAFFAELLA BENVENUTO

MARIACRISTINA BONINI

MARIAGABRIELLA GANGI

MARIELA BORTOLON

MARINA TASSINARI

MARIO SALVADERI

MARISEL EDIT FRANZOI

MARTA BALDOCCHI

MYUNG-BAE KIM

NELLA GIANNETTO

NICOLETTA MCGOWAN

NUNZIA LATINI

PAOLA BEGOTTI

PAOLA CESARONI

PAOLA SCAZZOLI

PASQUALE MAGGIORA

PATRICIA PERMÉ

PATRIZIA SAMBUCO

RENATA SPERANDIO

RISA SODI

ROBERTO PASANISI

ROBERTO UBBIDIENTE

ROSALIA BEATRIZ DESIDERIO

ROSANA BIGNAMI

ROSSELLA RICCOBONO

SABINA GOLA

SALVATORE COLUCCELLO

SANTE MODESTI

SAVERIO CARPENTIERI

SERAFINA SANTOLIQUIDO

SERGE VANVOLSEM

SILVIA CASTORINA

STANCHI ROSSANA

STEFANIA AMODEO

STEFANIA CAVAGNOLI

STEFANO CRACOLICI

STEFANO FOSSATI

STEFANO LAVAGGI

TANYA ROY

TERESA FIORE

TINDARA IGNAZZITTO

URSULA BEDOGNI

VALERIA VASSALE

ZULMA NOEMI DUBOULOY

Finito di stampare nel mese di luglio 2002
da Guerra guru s.r.l. - Via A. Manna, 25 - 06132 Perugia
Tel. +39 075 5289090 - Fax +39 075 5288244
E-mail: geinfo@guerra-edizioni.com